Ouro, Fogo & Megabytes

FELIPE CASTILHO

Ouro, Fogo & Megabytes

O LEGADO FOLCLÓRICO | VOLUME I

3ª EDIÇÃO
5ª REIMPRESSÃO

GUTENBERG

EDITORA RESPONSÁVEL
Silvia Tocci Masini

CAPA E LOGOTIPO
Octavio Cariello

PROJETO GRÁFICO DE MIOLO
Psonha

ILUSTRAÇÃO DE MIOLO
Thiago Cruz

DIAGRAMAÇÃO
Tales Leon de Marco

REVISÃO
Tággidi Ribeiro

Dados Internacionais de Catalogação na Publicação (CIP)
(Câmara Brasileira do Livro, SP, Brasil)

Castilho, Felipe
Ouro, fogo & megabytes / Felipe Castilho. – 3. ed. ; 5. reimp. – Belo Horizonte : Gutenberg, 2023. – (O Legado Folclórico ; 1)

ISBN 978-85-65383-13-4

1. Ficção brasileira I. Título. II. Série.

12-03282 CDD-869.93

Índices para catálogo sistemático:
1. Ficção : Literatura brasileira 869.93
2. Literatura infantojuvenil 028.5
3. literatura juvenil 028.5

A **GUTENBERG** É UMA EDITORA DO **GRUPO AUTÊNTICA**

São Paulo
Av. Paulista, 2.073, Conjunto Nacional
Horsa I . Sala 309 . Bela Vista
01311-940 São Paulo . SP
Tel.: (55 11) 3034 4468

Belo Horizonte
Rua Carlos Turner, 420
Silveira . 31140-520
Belo Horizonte . MG
Tel.: (55 31) 3465 4500

www.editoragutenberg.com.br
SAC: atendimentoleitor@grupoautentica.com.br

Ao amor de mãe,
Ao amor de irmão,
E ao amor da minha vida.

Educai as crianças e não será preciso punir os adultos.
Pitágoras

Escute, garota, aceite meu conselho.
Você não quer ir atrás do Folclore.
E não vai querer que o Folclore
venha atrás de você.
Trecho de *Promethea*, de Alan Moore

GLOSSÁRIO
(por Shadow Hunter)

Olá!

Bem-vindo ao fórum de discussão de Battle of Asgorath. Se você é *noob* por aqui e estiver meio perdido neste novo mundo que se abre diante de seu teclado, não se preocupe: você está no tópico certo!

Desenvolvi este glossário para os *players* que não entendem muito sobre o universo *gamer* e *geek* atual, colocando alguns dos principais termos e gírias utilizados em nossa emocionante vida online. Se você é novo em MMORPGs, saiba que aqui é um ótimo lugar para se fazer amigos, e um péssimo para se aprender o português.

Fique à vontade para consultar este pequeno e resumido glossário, ok? E se precisar tirar qualquer dúvida sobre o jogo, ou precisar de uma ajudinha em uma *dungeon*, é só me chamar. Estou online na maior parte do tempo. Exceto quando estou na escola, ou quando sou abduzido por anões de ternos brancos.

BoA viagem!

Shadow Hunter
(Elfo, Druid Warrior e, *temporariamente*, o segundo melhor do mundo)

Abreviações – tudo no mundo dos jogos e MMORPGs costuma ser abreviado, para uma maior rapidez durante as conversações. Ou por preguiça mesmo. Seria cansativo ficar dizendo o significado de MMORPG o tempo inteiro (veja o significado no verbete de MMORPG). Logo, os nomes das magias do jogo também ficam reduzidos: Battle of Asgorath vira BoA, e por aí vai.

Avatar – é a sua representação virtual dentro do jogo. O seu personagem, boneco, herói, ou como você preferir chamar. Também pode ser uma criatura azul de quase três metros e orelhas pontudas, ou um menino careca que controla os ventos e anda por aí com uma seta pintada na cabeça.

Boss – "Chefe" em inglês. É o chefão, ora! Nome dado para as criaturas muito fortes que geralmente comandam outras criaturas inferiores. Você vai precisar da ajuda de vários amigos na hora de derrubar um desses.

Clã/guilda – *Players* que se reúnem em um grupo com a finalidade de alcançar os mesmos objetivos. Também podem ser chamados de guilda, dependendo do contexto do jogo. Em BoA, EvilDEAD, Bl@ckRider e HellHammer são alguns dos membros da guilda da qual eu, Shadow Hunter, sou o líder.

Classe – é o papel que o personagem desempenha no jogo. Estereótipos como guerreiro, mago, feiticeiro, gatuno...

Dungeon – "Masmorra" em inglês, a morada dos piores monstros. Aonde você vai para completar desafios e ganhar experiência.

Floodar – encher a página de *chat* com a mesma mensagem irritante encher a página de *chat* com a mesma mensagem irritante encher a página de *chat* com a mesma mensagem irritante encher a página de *chat* com a mesma mensagem irritante encher a página de *chat* com a mesma mensagem irritante encher a página de *chat* com a mesma mensagem irritante.

Hacker – costuma-se chamar assim o cara que domina as artes de programação, software, hardware... Enfim, informática em geral, em suas diversas ramificações. Porém, o termo "hacker" é normalmente confundido, ou usado para se referir ao cara que adora *causar* na rede, quebrando códigos, invadindo sites e perfis de redes sociais... Para isso, aí vai uma pequena e superficial explicação sobre as diferentes classes de *hackers*.

- **White hat** – é o *expert* que trabalha apenas em benefício da segurança na rede, que cria programas de prevenção contra vírus nocivos e pessoas mal-intencionadas.

- **Grey hat** – é o cara que age por interesse próprio. Normalmente vive no código de ética dos *white hats*, mas sempre dá uma escapada para o lado negro da força em prol de algo pessoal...

★ **Black hat/Cracker** – Quebra sistemas, sigilos, não respeita ética nenhuma, age por interesse próprio, invade Facebook da namorada e belisca criancinhas.

Kick/Kickar – se você é indesejado ou trapaceia durante um jogo ou partida, você é expulso aos chutes. Em sentido figurado, claro. Logo, você toma um "kick". O aportuguesamento bizarro e inevitável criou o verbo "kickar". Eu kicko, tu kickas, ele kicka...

Lag – é o tempo que o seu avatar demora para responder aos seus comandos. Conexão lenta e servidores lotados costumam dar as famosas e malditas "travadas" no jogo.

Lvl – abreviação da palavra inglesa "level", ou "nível", em português. Nos jogos de RPG, quanto mais alto é o nível de um personagem, mais poderes ele tem contra os inimigos. Subir de nível é conhecido como "levelar" ou "uppar".

MMORPG – Multi Massive Online Role Playing Game. Em uma tradução abrasileirada mais aproximada: Jogo Online Multimassivo de Interpretação de Papéis. É, o "Online" é melhor nem traduzir. O MMORPG não passa de um RPG em versão eletrônica, adaptado para que MUITAS pessoas joguem ao mesmo tempo, em diversos lugares do mundo. World of Warcraft, Ultima Online, o saudoso Erinia, Taikodom...

Newbie – é o completo novato. Nos EUA, não é usado somente no mundo dos games. Se você entra para trabalhar em uma lanchonete e não sabe fritar um hambúrguer, você é um *newbie*. Até aí, normal...

Noob/noobie – é o cara que já tem um tempo de experiência em jogos, mas que por um motivo infeliz jamais aprende. Seria o cara que trabalha em uma lanchonete, faz hambúrgueres todos os dias de sua vida, mas queima todos. É o caso do EvilDEAD. Tá no nível 33 e nunca aprende como usar as porcarias das magias. Também é uma maneira ofensiva de se referir aos novatos...

Player – é o jogador, ora.

Raid – "Incursão, assalto". É quando um grande grupo se reúne para surpreender alguma criatura em seu covil, a fim de se apossar do monte de tralhas que dragões guardam em suas *dungeons*. Nós brasileiros temos a mania de dar um toque nestes termos, e inventamos outros como "raidar". O ato de fazer um *raid*.

RPG – Role Playing Game, ou Jogo de Interpretação de Papéis. Começaram como jogos em que você podia criar um personagem e viver suas aventuras, baseando-se em instruções passadas por um Mestre (uma espécie de juiz do jogo) e lances de dados (que podem ter muito mais que apenas 6 lados). Os métodos de jogos que mais arrebanharam fãs através dos tempos foram Dungeons & Dragons, Gurps, Vampiro – A Máscara, e o brasileiro Tormenta. Milhares de pessoas ainda jogam por aí, utilizando apenas papel, lápis e dados. O RPG também se manifestou como jogo eletrônico, tendo como exemplos mais famosos as franquias Zelda e Final Fantasy.

Server/Servidor – em uma definição mais técnica, é o computador que armazena os dados e informações de um site, software ou programa, permitindo que várias pessoas utilizem simultaneamente o mesmo conteúdo. Nos *games*, é um tipo de separação que faz com que todos os *players* fiquem distribuídos em "universos", para que o sistema não se sobrecarregue com a grande quantidade de pessoas em um mesmo mundo. Battle of Asgorath, por exemplo, possui mais de cinquenta servidores. E, de todos eles, eu sou o número 2 do ranking. Maldito Esmagossauro...

XP – "Experience points". São os pontos que você acumula ao derrotar inimigos ou ao completar missões e tarefas.

< capítulo 1 >

A OUTRA VIDA DE ANDERSON COELHO

Nas imediações do Death Canyon, o habitual céu arroxeado de Asgorath não existia.

Uma eterna tempestade tratava de esconder qualquer resquício de dia. Nenhum pássaro ousaria voar por ali, onde trovões rugem com o som de mil montanhas desmoronando. Onde tantas coisas e causas já foram perdidas, guerreiros destruídos e guildas inteiras devoradas.

Sim, devoradas. Mastigadas. Carbonizadas. Pisoteadas. Somente adjetivos infelizes. Afinal, estamos falando da morada do temível Dragão Negro, o senhor absoluto daquelas terras áridas. Entretanto, algumas bravas almas – ou seriam *estúpidas almas*? – ainda se atreviam ocasionalmente a ir até a região. Em busca de aventuras. De fama. De ouro.

Quilômetros abaixo das nuvens tempestuosas que ocultavam as duas luas de Asgorath, um elfo fazia vigília na entrada de uma grande caverna, oculto por um grande rochedo. Esperava o melhor momento para descer e atrair a atenção do dragão para fora da caverna, já que enfrentá-lo dentro de seu próprio covil seria suicídio. Além dos filhotes do monstro em seu ninho, aranhas gigantes se escondiam nas fendas das paredes, prontas para jantarem intrusos incautos.

Os três improváveis companheiros de guilda do elfo aguardavam o seu sinal, alguma instrução. Um austero anão e seu martelo de guerra, um mago cinzento de aura luminosa e um ogro com sua clava pulverizadora. Nunca haviam estado na região, e não sabiam como proceder contra a lendária criatura. Quando o elfo se afastou do trio e foi engolido pela escuridão da caverna, seus companheiros proferiram palavras de boa sorte e de cautela, temerosos de que tudo acabasse naquela busca imprudente por tesouros.

Mas o elfo gostava daquele tipo de imprudência. Sacou suas duas espadas curvas e que luziam azuladas com a presença do perigo. Enquanto cortava ao meio a primeira aranha gigante que se atreveu a bloquear seu caminho, Shadow sorriu. Não com o seu rosto, propriamente. Suas feições élficas eram sempre as mesmas, neutras, tanto no calor da batalha quanto na descontração de uma taverna lotada.

Quem sorria era um garoto a um mundo de distância dali, na cidade real de Rastelinho, sentado em frente a um monitor de tela plana, seus dedos dançando pelo teclado.

Anderson Coelho, vulgo Shadow de Asgorath, não possuía a alvura de pele típica dos elfos. Pelo contrário. Sua tez era escura, mulata, e seu cabelo não era louro e nem comprido.

Mais um detalhe importante que talvez valha a pena ser mencionado: Anderson tinha orelhas normais.

<EvilDEAD99>[Mage, Lv. 32]: o Shadow ta demorando d+
<HeLLHaMMeR>[Dwarf, Lv. 58]: espera, ele sabe o q ta fazendo
<EvilDEAD99>[Mage, Lv. 32]: sei la, acho melhor a gnt descer ate la
<HeLLHaMMeR>[Dwarf, Lv. 58]: se nos sairmos daqui vamos estragar o plano. Shadow, vc ta onde?
<Bl@ckRider>[Ogre, Lv. 60]: olha ae, ele nem responde
<HeLLHaMMeR>[Dwarf, Lv. 58]: eh q ñ da pra ele ficar digitando se ele estiver correndo ou lutando. O kra pediu pra gnt ficar, vamos ficar.

Num eh a toa q ele eh o lider da guilda e o segundo do ranking do BoA.
<Bl@ckRider>[Ogre, Lv. 60]: Hellhammer pagapau
<HeLLHaMMeR>[Dwarf, Lv. 58]: calaboca rider
<Bl@ckRider>[Ogre, Lv. 60]: Hellhammer pagapau
<EvilDEAD99>[Mage, Lv. 32]: hahahahaha
<Bl@ckRider>[Ogre, Lv. 60]: Hellhammer pagapau
<Bl@ckRider>[Ogre, Lv. 60]: Hellhammer pagapau
<Bl@ckRider>[Ogre, Lv. 60]: Hellhammer pagapau
<Bl@ckRider>[Ogre, Lv. 60]: Hellhammer pagapau
<EvilDEAD99>[Mage, Lv. 42]: HAHAHAHAHAHA
<Bl@ckRider>[Ogre, Lv. 60]: Hellhammer pagapau
<HeLLHaMMeR>[Dwarf, Lv. 58]: PARA DE FLOODAR, RIDER!!!
<Bl@ckRider>[Ogre, Lv. 60]: soh mais uma, antes q o Spam Filter me dê block
<Bl@ckRider>[Ogre, Lv. 60]: Hellhammer pagapau
<ShadowHunter>[Elf, Lv. 93]: parem com isso, p*!%@
<EvilDEAD99>[Mage, Lv. 32]: olha ele ai
<HeLLHaMMeR>[Dwarf, Lv. 58]: pq vc demorou p responder?
<ShadowHunter>[Elf, Lv. 93]: tava bem ocupado. To subindo e to acompanhado
<Bl@ckRider>[Ogre, Lv. 60]: como assim?

A boca da caverna cuspiu fora a figura do elfo Shadow, que rolou sobre o próprio corpo em uma habilidosa cambalhota. Agachado sobre um joelho, retesou o arco e mirou uma flecha azul e brilhante contra a escuridão.

<ShadowHunter>[Elf, Lv. 93]: continuem ai atras das pedras. Dpois que eu soltar a FA, o Hellhammer ataca com o HC.
<HeLLHaMMeR>[Dwarf, Lv. 58]: blz
<EvilDEAD99>[Mage, Lv. 32]: o q eh FA e HC?
<Bl@ckRider>[Ogre, Lv. 60]: Freezing Arrow e Hammer Crush. ñ aprendeu ainda, Evil?
<EvilDEAD99>[Mage, Lv. 32]: putz, eu sempre esqueço
<HeLLHaMMeR>[Dwarf, Lv. 58]: eh q vc eh NB
<EvilDEAD99>[Mage, Lv. 32]: NB eu sei que eh noobie, seu trouxa
<ShadowHunter>[Elf, Lv. 93]: ELE TA VINDO!

Era como se a própria escuridão se moldasse em uma forma palpável. Asas de couro se estenderam, maiores que a de qualquer monstro que já houvessem enfrentado anteriormente em Battle of Asgorath. O Dragão Negro irrompeu para a terra árida do *canyon*, urrando e cuspindo imensas labaredas em todas as direções. Em seus respectivos computadores, cada um dos jogadores transpirava ao imaginar a proximidade das chamas em seus avatares virtuais. Sem exceções, os quatro *players* eram garotos que levavam seus hobbies muito a sério. Tanto que gastavam R$ 19,90 de suas mesadas todos os meses para terem o acesso ao mundo de Asgorath.

Shadow disparou sua flecha congelante. Um risco azul cortou o ar entre o elfo e o monstrengo, que urrou e chacoalhou a enorme cabeça chifrada. Uma espécie de neblina azulada cobriu sua enorme figura, que agora parecia lenta e desajeitada.

<ShadowHunter>[Elf, Lv. 93]: ele ta lento! HC nele, Hell!

O anão era bem rápido para alguém com pernas tão curtas e armadura tão pesada. Saltou a distância entre seu esconderijo nas rochas e o dragão para um vertiginoso ataque com seu martelo de combate. Desviou de um previsível golpe das esporas da cauda do dragão e desceu a arma contra uma das patas traseiras do monstro. Logo em seguida, sob as instruções do líder Shadow, o ogro também se adiantou com sua clava para fazer parte do ataque. O elfo continuava a ocupar e irritar o inimigo, correndo e disparando flechas ao seu redor.

<EvilDEAD99>[Mage, Lv. 32]: e o q eu faço? To me sentindo inutil
<Bl@ckRider>[Ogre, Lv. 60]: ngm mandou escolher ser Mago
<ShadowHunter>[Elf, Lv. 93]: espera ai atras, Dead. Vc vai precisar nos proteger das aranhas que vão sair da caverna.
<HeLLHaMMeR>[Dwarf, Lv. 58]: putz, sao muitas!

De dentro do covil, cerca de duas dezenas de aracnídeos gigantes se espalhavam ao redor do dragão, prontos para dificultar o trabalho da guilda. Os artrópodes não eram tão fortes, tanto que um guerreiro abaixo do nível 40 poderia dar cabo deles se fosse rápido e esperto o suficiente para não se deixar cercar. Mas o real problema eram os ataques com veneno, capazes de paralisar os mais experientes e os mais *noobies* pelo mesmo tempo. O que, na presença do Dragão Negro, significaria uma morte certa.

E em Asgorath, a *morte* era algo terrível: significava a perda de metade dos seus itens, equipamentos e ouro.

<EvilDEAD99>[Mage, Lv. 32]: ataco agora com a Lightning Storm?
<HeLLHaMMeR>[Dwarf, Lv. 58]: ataca! olha o tanto de pernas vindo na nossa direção!
<ShadowHunter>[Elf, Lv. 93]: não, espera mais um pouco, Dead! Deixa todas elas chegarem perto do dragão, aí vc pode causar dano nele tbm! A LS dá 1800 de dano!
<Bl@ckRider>[Ogre, Lv. 60]: olha q viciado, decorou ateh os danos dos ataques...
<HeLLHaMMeR>[Dwarf, Lv. 58]: aaah, tem duas aranhas em mim!

Shadow rolou por baixo das pernas do Dragão Negro e conseguiu um bom espaço para fazer pontaria. Lançou duas flechas certeiras, uma em cada aracnídeo que atacava o anão. As monstrengas já estavam próximas o suficiente para o ataque do mago, que ainda aguardava do lado de fora da batalha, aflito.

<ShadowHunter>[Elf, Lv. 93]: rider e hell, saiam dai! AGORA!
<HeLLHaMMeR>[Dwarf, Lv. 58]: ok
<Bl@ckRider>[Ogre, Lv. 60]: saindoooo...
<ShadowHunter>[Elf, Lv. 93]: ataca, Dead!

O mago cinzento deu um passo para fora das formações rochosas e ergueu as mãos para o alto. O tempestuoso céu de Asgorath iluminou-se ainda mais por um momento, e uma miríade de relâmpagos se projetou sobre o Dragão Negro e suas comparsas de patas e pinças. A criatura, ainda afetada pela flecha congelante do elfo, pateou o solo abaixo de si, irritada pela coluna elétrica que incidia diretamente sobre sua couraça. Já as aranhas, estas agora não passavam de números. Pontos de experiência que se acumulavam na conta dos jogadores, e que por tabela aumentavam o grau de fama da guilda.

Um pescoço escamoso se precipitou na direção do menor dos combatentes, obrigando o anão a utilizar movimentos de esquiva repetidas vezes.

A bocarra tentava ingerir o pequeno avatar e seu martelo de guerra e, para isso, precisava deixar a cabeça bem rente ao chão.

<ShadowHunter>[Elf, Lv. 93]: Hell, continue assim!
<HeLLHaMMeR>[Dwarf, Lv. 58]: assim como? Quase morrendo???
<ShadowHunter>[Elf, Lv. 93]: Deixando a cabeça dele baixa! Rider, dê cobertura pro Hell.
<Bl@ckRider>[Ogre, Lv. 60]: ok
<ShadowHunter>[Elf, Lv. 93]: Dead, preciso de vc
<EvilDEAD99>[Mage, Lv. 32]: ñ sei se vou poder ajudar, minha barra de magia só tem mais um tiquinho de nada, menos de 10. O LS gastou quase tudo dela!
<ShadowHunter>[Elf, Lv. 93]: soh preciso desse pouco. Lança o Increase Hability em mim, vai gastar 8 da sua magia.
<Bl@ckRider>[Ogre, Lv. 60]: jah falei q vc eh um viciado, Shadow?
<EvilDEAD99>[Mage, Lv. 32]: essas magias de defesa são as mais sem graças. Toma ae...

Um globo de luz branca voou das mãos de Dead e foi absorvido pelo avatar do elfo. Imediatamente, os seus movimentos ágeis dobraram de velocidade. Shadow disparou na direção do dragão, pulsando com o brilho perolado que a magia lhe conferia.

As escamas nas costas do monstro serviram como uma escada para os pés ligeiros do elfo. Ele guardou o arco às costas e sacou novamente as duas lâminas encurvadas durante a subida. Como a cabeça chifrada ainda estava abaixada, Shadow saltou do meio das costas do dragão para o alto do crânio.

O pulo foi ágil, rápido e sem cálculo algum, já que os movimentos de Shadow dentro de Asgorath eram precisos por natureza. Raramente ele erraria algo tão simples quanto uma corrida sobre o lombo de um dragão em movimento.

Do lado de fora do mundo virtual, o garoto aguardou o instante exato em que os pés de seu avatar estivessem sobre a cabeça do alvo. Quando o momento chegou, meia dúzia de teclas foram digitadas em uma sequência rápida demais para que olhos normais pudessem acompanhar o comando. Na tela, o elfo deu um grito de guerra na língua imaginária feita com exclusividade para o jogo e fincou as duas lâminas bem acima dos olhos do guardião de Death Canyon.

O Dragão Negro tinha sido derrubado.

<ShadowHunter>[Elf, Lv. 93]: Parabens pra todos, foi jóia!
<EvilDEAD99>[Mage, Lv. 33]: mas ja cabou??
<ShadowHunter>[Elf, Lv. 93]: Ja. Esse é o esquema mais fácil pra neutralizar o Dragão Negro. Agora eh soh a gnt entrar na dungeon e pegar o q tiver lá. E vc subiu de level, Dead.
<EvilDEAD99>[Mage, Lv. 33]: aeeee, nem tinha percebido!
<HeLLHaMMeR>[Dwarf, Lv. 58]: boa, pessoal! Agora vamos pegar o q tiver na dungeon logo pq senão o dragão acorda de novo.
<EvilDEAD99>[Mage, Lv. 33]: mas a gnt num matou ele?
<Bl@ckRider>[Ogre, Lv. 60]: nada, se a gnt fosse tentar matar ia demorar mto mais.
<HeLLHaMMeR>[Dwarf, Lv. 58]: nem o Shadow tenta matar o dragão, ele sempre só bota ele pra dormir
<Bl@ckRider>[Ogre, Lv. 60]: Hellhammer pagapau
<Bl@ckRider>[Ogre, Lv. 60]: Hellhammer pagapau
<Bl@ckRider>[Ogre, Lv. 60]: Hellhammer pagapau
<HeLLHaMMeR>[Dwarf, Lv. 58]: ah cara, num começa!!

O sistema do jogo tratou de distribuir a experiência da batalha aos quatro guerreiros, que desceram rapidamente até o covil do Dragão Negro para recolherem armas raras, livros contendo novas magias para a classe de magos e baús repletos da moeda de troca de Asgorath, as Golden Pieces – ou Peças de Ouro, para quem costuma jogar BoA com o aplicativo que traduz todo o jogo para o bom e velho português.

Com seus inventários devidamente preenchidos por dinheiro e itens raros, os jogadores deixaram a caverna, que estava temporariamente livre de aranhas e quaisquer outros tipos de ameaça. Na saída, perceberam que uma pequena figura os observava a uma distância não muito longa, sem fazer questão alguma de ser discreta.

<Bl@ckRider>[Ogre, Lv. 60]: tem um noob olhando pra gnt
<EvilDEAD99>[Mage, Lv. 33]: onde?

<Bl@ckRider>[Ogre, Lv. 60]: ali, perto daquela pedra
<José da Silva Santos>[Halfling, Lv. 1]: Olá, bravos guerreiros! Como vocês estão?
<HeLLHaMMeR>[Dwarf, Lv. 58]: que p#**@ eh essa?
<Bl@ckRider>[Ogre, Lv. 60]: o kra escreve certo O_o
<EvilDEAD99>[Mage, Lv. 33]: hiahiuhaiuhauih lol
<José da Silva Santos>[Halfling, Lv. 1]: E o que exatamente seria um "lol"? É algum tipo de superpoder do joguinho? Na verdade, eu comecei a jogá-lo hoje.
<HeLLHaMMeR>[Dwarf, Lv. 58]: jura?
<ShadowHunter>[Elf, Lv. 93]: olha cara... num eh por nada mas se vc veio pedir GP pra gnt, cai fora...
<José da Silva Santos>[Halfling, Lv. 1]: GP?! Garotas de Programa, por aqui? Um jogo feito para jovens e adolescentes permite esse tipo de coisa?
<ShadowHunter>[Elf, Lv. 93]: não kra, GP! Golden Pieces! É o $$$ do jogo!
<Bl@ckRider>[Ogre, Lv. 60]: nooooob...
<HeLLHaMMeR>[Dwarf, Lv. 58]: vixxxxxx
<José da Silva Santos>[Halfling, Lv. 1]: Oh, compreendo... Mas vim por outro propósito. Preciso conversar pessoalmente com o senhor Shadow, se é que isso é possível dentro de uma realidade artificial...
<ShadowHunter>[Elf, Lv. 93]: pra q?
<José da Silva Santos>[Halfling, Lv. 1]: Digamos que tenho uma 'proposta de emprego'.
<ShadowHunter>[Elf, Lv. 93]: foi mal, eu já tenho job aqui no BoA, sou Guerreiro Druida.
<José da Silva Santos>[Halfling, Lv. 1]: Um emprego no mundo real, quero dizer. Fora do jogo.
<ShadowHunter>[Elf, Lv. 93]: como assim???
<Bl@ckRider>[Ogre, Lv. 60]: opa! emprego de verdade eu tbm quero, minha mesada eh curta...
<HeLLHaMMeR>[Dwarf, Lv. 58]: eu tbm qro o/
<José da Silva Santos>[Halfling, Lv. 1]: Lamento, rapazes. No caso, só disponho de uma vaga para esse serviço, e tenho instruções de oferecê-la ao Sr. Anderson.

<ShadowHunter>[Elf, Lv. 93]: como vc sabe meu nome??

<EvilDEAD99>[Mage, Lv. 33]: q bizarro, o Shadow chama Anderson!

<HeLLHaMMeR>[Dwarf, Lv. 58]: eu já sabia, mas juro que ñ contei nada

< Bl@ckRider>[Ogre, Lv. 60>[Ogre, Lv. 60]: kkkkkk

<José da Silva Santos>[Halfling, Lv. 1]: Bom, prefiro passar estas informações diretamente ao senhor, se os outros rapazes não se importarem.

<ShadowHunter>[Elf, Lv. 93]: eh q a gnt ta no meio do jogo…

< Bl@ckRider>[Ogre, Lv. 60]: q nada, vai fundo Shadow. Enqto isso vou ficar no HSC.

Bl@ckRider now is offline.

<HeLLHaMMeR>[Dwarf, Lv. 58]: eu tbm…

<EvilDEAD99>[Mage, Lv. 33]: eu tbm, fui! flw!

HeLLHaMMeR now is offline.

EvilDEAD99 now is offline.

E o que seria o HSC, Sr. Anderson? Algum outro artifício do jogo?

<ShadowHunter>[Elf, Lv. 93]: Nao, eh o Hot Spicy Channel, um site de vídeos de sacanagem. Agora desembucha, como vc sabe meu nome e o q vc quer?

Sinto muito se pareci inconveniente à primeira vista, Sr. Anderson. Cheguei até você após uma extensa pesquisa em vários jogos de Massive Multiplayer Online Role Playing Game do mundo.

<ShadowHunter>[Elf, Lv. 93]: pelamordedeus, fala MMORPG que eh mais facil...

Oh, sim. Bem, eu estava à procura de alguém jovem e intrépido. E que gostasse de desafios.

<ShadowHunter>[Elf, Lv. 93]: uau, isso pareceu uma frase de caixa de cereal. Mas vem cá, procurava pra q?

Para um serviço simples, de um único dia. Tem a ver com informática.

<ShadowHunter>[Elf, Lv. 93]: Hacker, vc quer dizer.

<José da Silva Santos>[Halfling, Lv. 1]: Não exatamente... É difícil explicar por aqui, é realmente um trabalho muito diferenciado. Além do mais, estou em uma lan house e meu tempo aqui está acabando. Eu poderia ligar em sua residência, se não fosse incômodo?

Anderson não respondeu de imediato. O cara estava pedindo o telefone dele? Antes que o esquisitão perguntasse mais uma vez, o garoto *deslogou* o seu elfo rapidamente, desconectando-se do servidor em seguida para evitar o *chat* do *lobby*.

– Cara esquisito demais da conta – murmurou sozinho, abrindo a sua pasta de jogos e escolhendo alguns deles para encerrar a noite de terça-feira, no melhor estilo humano *versus* máquina. Chopper Flight Simulator, Bloodred Fields, Age of Lords. Eram tantas opções que o melhor a fazer enquanto se decidia era deixar rolar alguma música de seus mais de sessenta *gigabytes* de álbuns baixados.

Anderson espreguiçou-se demoradamente em sua cadeira, já esquecido do singular ocorrido em Asgorath e do papo-furado do *halfling* que escrevia certo demais.

Foi quando o seu telefone tocou.

< capítulo 2 >

CONVERSA ESTRANHA COM GENTE ESQUISITA

– Alô? – atendeu Anderson, hesitante. A voz que respondeu era aguda e pronunciava as palavras como se cada sílaba merecesse uma homenagem em particular.

– Boa noite! Por obséquio, com quem eu tenho o prazer de falar?

De imediato, Anderson associou a voz ao *halfling* do jogo. Imaginava o personagem pendurado ao telefone, segurando-o com as duas mãozinhas.

– É... é você? – perguntou o garoto, sentindo um amortecimento abaixo dos joelhos.

– Sim, sou eu. Pelo menos é dessa forma que eu sempre me refiro à minha pessoa.

– O quê?

– Digo, eu sou eu. Sempre que você me perguntar se eu sou eu, vou dizer que sim, e mesmo assim eu posso não ser a pessoa que você está pensando que eu seja.

Anderson permaneceu em silêncio. Só podia ser engano. Um engano seguido de uma coincidência, já que o *halfling* em Battle of Asgorath havia se desligado do jogo instantes antes. Aí talvez algum doido tivesse ligado no número errado...

– Alô? Você ainda está aí?

– Com quem você quer falar? – rebateu ele, com outra pergunta carregada de rispidez.

– Com o Sr. Anderson Coelho!

As pernas do garoto amoleceram de vez e seu cérebro pareceu flutuar por um breve instante, como uma bexiga cheia de gás. Era ele! O *noobie* do jogo, José da Silva Santos.

– Como você conseguiu meu número?! – Anderson esbravejou em uma ridícula tentativa de sussurro irado, temendo que sua mãe ou seu pai no quarto ao lado estranhassem a conversa. No final, parecia estar imitando um pato furioso – Você invadiu meu e-mail? Você é um hacker, não é? Você sabia que isso é crime?

– Que invasão de privacidade virtual é crime? – o louco do outro lado da linha mantinha um tom de voz alegremente inocente – Claro que sei! E sabe o que mais é crime? Baixar músicas e jogos pela internet.

– E quem disse que eu faço isso? – condoeu-se Anderson, fechando dois álbuns de música que estavam em pleno *download*.

– Ninguém disse.

Silêncio.

– Como você me encontrou?

– Céus, você faz muitas perguntas! Na verdade, desde que começamos a nos falar você só fez perguntas e mais perguntas. Antes que você faça mais alguma: fique tranquilo. Qualquer dia desses talvez você descubra como eu cheguei até a sua pessoa. O importante é que não invadi seu computador e nem desrespeitei sua privacidade. Nem saberia por onde começar algo assim! Justamente por essa minha falta de habilidade com máquinas procurei o senhor para o serviço que eu havia mencionado.

Anderson franziu a sobrancelha. Era estranho ser chamado de *senhor* aos doze anos de idade.

– Serviço de hacker, mas "não exatamente", de acordo com suas palavras.

– Ah, eu iria completar minha explicação, mas parece que a sua conexão falhou bem na hora.

– Não falhou. Fui eu que saí.

– Ah, é? – disse José da Silva Santos, feliz, totalmente alheio à grosseria do garoto – Bom, então continuo agora: nós precisamos de um hacker, mas não alguém convencional, capaz de derrubar servidores, bagunçar sistemas...

Mas alguém também capaz de assimilar novas tecnologias e programas e que saiba lidar com o assunto por instinto. E você é um líder nato no mundo de Asgorath, Sr. Anderson! Não é a toa que o elfo Shadow Hunter é o segundo colocado no ranking de todos os servidores.

As palavras *segundo* e *colocado* ditas assim, uma seguida da outra, mexerem com um orgulho adormecido em algum lugar no âmago de Anderson. Há meses ele ocupava aquela posição no ranking geral do BoA e ainda assim não estava nem perto de alcançar o líder da tabela: o Esmagossauro. Um nome ridículo e de muito mau gosto para um troll com nível 130 de experiência. Quase quarenta a mais do que o seu elfo Shadow. Os dois players já haviam se enfrentado em duas ocasiões em um mano a mano. Na primeira, Esmagossauro e Shadow ainda estavam nivelados no quesito experiência: vitória apertada de Anderson. O segundo confronto foi... bem, foi horrível para o elfo. O troll já estava muito à frente, poucos meses após o primeiro encontro. O que significava que o maníaco por trás da criatura não deveria fazer mais nada da vida a não ser jogar insaciavelmente.

– Então, por que não foi atrás do Esmagossauro? – perguntou Anderson, com uma pontinha de ciúmes – Ele é o primeiro do ranking, deve manjar muito mais do que eu. Há seis meses nós até estávamos no mesmo nível. Mas de lá para cá ele disparou na minha frente de forma absurda.

– Confesso que tentei contatar o Sr. Esmagossauro, Sr. Anderson. Mas assim que me aproximei com meu avatar para conversar, ele não demonstrou ser tão sociável quanto você e seus amigos...

Anderson imaginou o *halfling* Nível 1 de José da Silva Santos tentando se defender do gigantesco troll, equipado como uma máquina de guerra, e não conseguiu reprimir a gargalhada. A voz do outro lado da linha aguardou pacientemente até que os risos cessassem e continuou com a explicação. José da Silva Santos dizia que escolhera fazer a sondagem pelo Battle of Asgorath devido ao fato da maioria esmagadora dos jogadores que possuem uma conta no jogo serem brasileiros, apesar da empresa responsável pela engenharia do jogo, a Hawkwind, ser norte-americana.

– Verdade. Eu li que lá fora do país já não há mais tanto apelo pro Battle. – disse Anderson que, apesar de estar desconfiado de toda a situação, não perdia uma oportunidade de falar sobre o seu passatempo favorito – Os gringos estão esperando um novo software, também da Hawkwind, que promete jogabilidade como nunca antes foi vista em plataforma alguma. Enquanto essas novidades não vêm para cá, nós continuamos com o Battle.

– Além disso, o jogo caiu nas graças dos brasileiros. – disse José – E você é um dos melhores entre os melhores, Sr. Anderson! Tenho certeza de que você irá adorar o que nós temos a lhe oferecer. Você já foi a São Paulo?

– Nunca – respondeu Anderson. Ele raramente deixava a cidade de Rastelinho, apesar dela se localizar há menos de cem quilômetros da capital de Minas Gerais, Belo Horizonte.

– Pois bem, outro grande motivo para você nos acompanhar! Para a execução do trabalho, você terá que viajar conosco para São Paulo, coisa rápida, algo entre três e cinco dias. Todas as contas e despesas pagas por nós.

Anderson não quis saber quem seriam o "nós" e "conosco", que sempre acabavam aparecendo nas falas do seu interlocutor, dando a entender que José apenas representava uma entidade maior ou alguma empresa. O garoto decidiu cortar o assunto ali de uma só vez, lembrando o outro de que era menor de idade, que ainda frequentava a escola e de que os seus pais jamais deixariam que ele saísse sozinho de Rastelinho, interior de Minas, para São Paulo, com a finalidade de executar um trabalho *freelance* ligado à informática.

– Ainda mais no meio da semana! – arrematou Anderson, fechando seu veredito – Muito obrigado, mas a resposta é não.

– Mas você nem quer saber do nosso pagamento? – insistiu José.

Anderson não se abalou à menção de valores:

– Eu não ligo muito para essas coisas, cara. Aqui em casa não temos muita grana, mas também nunca faltou nada. Ganho vinte reais semanais de mesada em troca de uma ajudinha nos serviços domésticos e eu mesmo pago a minha mensalidade do Battle. Dinheiro não é um problema. Minhas alegrias ainda se resumem a fechar uma *dungeon*, assistir seriados e a conseguir colar na prova.

– Entendo – disse José da Silva Santos, parecendo compreender a situação com facilidade. – Fico contente por você conseguir tirar proveito destes pequenos fatos de sua vida. Certamente, eles são muito mais valorosos que números impressos em papel. A alegria que o dinheiro pode comprar não dura tanto quanto a realização de um simples desejo da alma. Tenha uma boa noite, Sr. Anderson!

– Hã... Boa noite.

O outro lado desligou primeiro, com um clique suave. Anderson continuou segurando o fone na orelha e ouvindo o *tu-tu-tu* de ocupado, como se a voz carregada de perspicácia de José da Silva Santos fosse retornar em instantes.

Seus olhos correram pelo próprio quarto bagunçado, pelas miniaturas de carros e estatuetas de super-heróis ao lado do seu monitor. Reparou nos papéis de balas espalhados pelo quarto. Nas meias jogadas pelo chão, tão distantes de seus pares de fabricação. Na sua mochila da escola recostada perto da parede e de seu par de All Stars gasto. Na porta do guarda-roupa aberta, na qual um espelho abarrotado de adesivos mostrava a imagem banal de um garoto mulato e com cara de bobo a segurar um telefone que nada lhe dizia.

Colocou o aparelho no gancho, e fechou a porta do guarda-roupa. A estranha conversa havia terminado. E sua noite também.

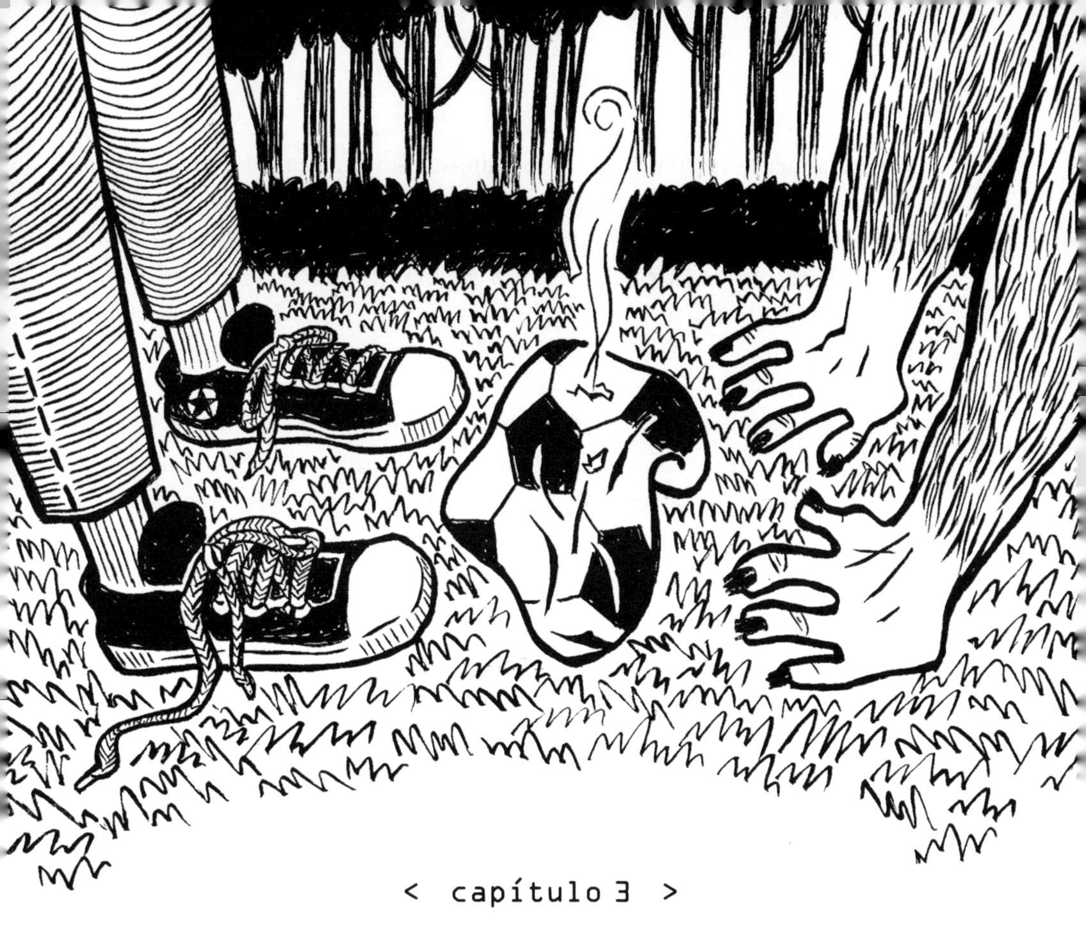

< capítulo 3 >

O MÃO-PELADA

– E aí ele te deu um *boa noite* e desligou? – perguntou Renato, movendo o seu cavalo em L.

– Pois é, sem mais nem menos – disse Anderson, colocando um peão à frente e sendo prontamente liquidado por uma das torres do amigo. Ele era péssimo em qualquer jogo do qual não pudesse participar por meio de um mouse ou de um teclado. Tanto que o professor Silveira, de Educação Física, já desistira de fazer esforços para que o menino participasse do futebol ou do vôlei durante as aulas; mas, pelo menos, conseguira convencê-lo a praticar um esporte – ainda que de tabuleiro – enquanto o resto da classe suava o uniforme na quadra.

Já Renato se dava bem no xadrez. Não que vencer Anderson significasse alguma coisa: qualquer um podia batê-lo sem maiores dificuldades. Até a senhorinha gorducha que trabalhava na cantina da escola já conseguira aplicar um traumatizante xeque-mate no garoto em uma ocasião memorável. Mas o caso de Renato era diferente, ele levava mesmo jeito para o negócio. Fazia jogadas realmente boas e conseguia manter um jogo equilibrado com outros adultos. Em Asgorath, sob a carapuça do anão Hellhammer (Anderson às vezes o chamava de Hellnato), não era o melhor estrategista da guilda que Shadow comandava. Mas na vida real compensava boa parte disso no xadrez.

Os dois garotos se conheciam há pouco mais de um ano, quando em uma ocasião haviam descoberto que partilhavam a paixão pelo jogo online. Fisicamente, Renato era a antítese de seu avatar: com doze anos, media um metro e setenta e cinco, sendo mais alto que a maioria dos professores e quase do tamanho de seu pai. Já havia tentado se enturmar com o basquete, mas a coordenação motora só o ajudava quando o assunto eram games. Por isso, o garoto era mais um nerd da Escola de Ensino Fundamental Zeferina Risoleta de Jesus. Um nome engraçado e diferente para um lugar onde nada de novo e surpreendente acontecia.

A rotina durante as aulas de educação física era exatamente a mesma desde que Anderson se conhecia por gente: os garotos populares, que se davam bem com as chuteiras e com as garotas, jogavam futebol e recebiam um apito do professor Silveira a cada palavrão dito durante as discussões habituais do jogo. As meninas, e alguns poucos meninos que não gostavam de futebol, jogavam vôlei na quadra menor, e também levavam um apito do Silveira a cada vez que alguma 'indivídua' exacerbada soltava um grito agudo, estridente e desnecessário. Os alunos que não conseguiam lidar com o futebol, com o vôlei e com nenhum outro esporte, ficavam sentados em bancos nas laterais da quadra, jogando xadrez. Ou seja, sendo nerds.

Estes alunos somavam a estrondosa quantia de três: Anderson, Renato e Wilson. Este último, um nerd acima de todos os nerds. Quer dizer, ser nerd pendendo para o lado *geek* da coisa poderia até ser uma coisa legal. Por mais que o xinguem de otário, babaca e afins, você ainda tem a diversão do seu game portátil, de seus boxes de séries de TV, de suas fascinantes bugigangas eletrônicas e de seus quadrinhos. Porém, no caso de Wilson (também chamado de Caladão), sua vida não continha nem essas mínimas alegrias. Não que ele fosse pobre e não tivesse condições de usufruir destes prazeres. Pelo contrário. Mas ele era o tipo de garoto que passava o tempo livre refazendo as tarefas de casa ou lendo os capítulos da cartilha que o professor ainda não havia pedido aos alunos.

Voltando à beira da quadra: quando Silveira trazia o tabuleiro para os três garotos excluídos dos jogos de equipe, um sempre ficava de fora durante a primeira partida. Afinal, ainda não haviam inventado o xadrez em trio, ou as peças cinza. Wilson sempre se voluntariava e cedia sua vez para que Anderson e Renato começassem. Depois, sem dizer mais uma palavra, recostava-se em um muro distante, sacava um minúsculo e moderno netbook da mochila e passava a fazer a lição de casa. Ou qualquer outra lição ainda não solicitada pelos professores.

– Se eu tivesse um pai rico e um netbook ponta de linha como aquele – começou Anderson, sem prestar atenção no bispo de Renato a fazer estrago nas suas fileiras de peões – durante as aulas do Silveira eu não ficaria aqui com você e esse jogo chato. Minha vez?

– É. Jogo chato pra você que tá perdendo. – Renato também espiou o garoto mirrado de óculos, concentrado em alguma coisa na sua tela do minicomputador, sua consciência a anos-luz da quadra – O que você estaria fazendo no lugar dele?

– Jogando Battle, claro! Ou qualquer outra coisa na internet, menos estudando.

– Todo mundo sabe que a família do Wilson Caladão tem uma grana preta. A babá dele ainda vem buscá-lo todos os dias na porta da escola, dirigindo um importadão prateado. Já viu?

– Já, a babá bonitona. O pai dele eu nunca vi. E o que tem a ver o fato deles serem ricos?

– Uma família rica é uma família rígida, você sabe – disse Renato, engolindo a última torre de Anderson com sua rainha – Se duvidar, eles são daqueles que já planejaram toda a vida do cara até o fim da faculdade. Devem decidir até a hora do dia em que ele pode ir ao banheiro.

– Não duvido – concordou Anderson, pensando na sorte que possuía. Sua mãe e seu pai não encanavam com sua atual carreira escolar e futura carreira profissional com esse grau de neurose. Apenas cobravam boas notas em seu boletim... mesmo que soubessem que essa seria uma tarefa impossível para o garoto.

– Droga – exclamou Renato, com os olhos voltados para a situação do tabuleiro. Anderson também olhou para as peças, tentando enxergar o que estava prestes a acontecer.

– O que foi? Vai dizer que eu consegui complicar a sua vida pela primeira vez na história?

Renato riu discretamente. Sua rainha branca saltou um grande espaço e eliminou um cavalo negro de Anderson. O rei negro estava em sérios apuros.

– Xeque.

Anderson bateu no próprio joelho, indignado.

– Como assim?!

– Você tá em xeque, uai.

– Eu sei! E nem sei como você fez isso ou como eu vou sair dessa. Por que você reclamou, se fui eu que me lasquei?

– Porque se eu detonar você agora, vai ser a vez do Caladão entrar. E jogar com ele é um saco! Ele fica sentado aí, sem soltar um pio, escondido atrás daqueles óculos gigantes e fazendo umas jogadas bestas... Tenho certeza de que ele poderia fazer melhor. Ele só quer perder logo pra voltar pras lições dele. Maluco!

– Tem louco pra tudo. Vai – Anderson mexeu o seu último bispo, colocando-o entre a rainha de Renato e seu rei – Tenta acabar logo com isso, que eu quero ir tomar água.

– Xeque – disse Renato novamente, em tom entediado, tirando o bispo preto do tabuleiro – Bem que você podia tentar um pouco mais, também. Só pra variar, sabe?

– Eu até queria, mas esse jogo não entra na minha cabeça...

– CUIDADO AÍ, PERNALONGA!

Toda e qualquer pessoa ganha no mínimo um apelido durante a sua vida escolar. O de Anderson, pelo seu sobrenome "Coelho", havia se fixado em Pernalonga. E a frase "Cuidado aí, Pernalonga!" era a singela maneira do pessoal do futebol avisar que uma bola perdida se aproximava de sua cabeça a uma grande velocidade. Graças ao alerta, Anderson conseguiu esquivar-se do petardo, mas não conseguiu evitar que ele atingisse o tabuleiro de xadrez. Aquele foi o xeque-mate definitivo em todas as peças.

– Desculpa! – gritou um garoto louro, Everton. Popular e frequentemente assediado pelas garotas, exibia um sorriso de quem estava achando graça em ver todas aquelas peças esparramadas pelo chão – Manda a bola de volta, Pernalonga!

– Pernalonga uma ova – murmurou Anderson, indo buscar a bola.

– O cara acaba com nosso jogo, te chama de Pernalonga e você ainda vai buscar a bola pra ele? – indignou-se Renato, de gatinhas, procurando peças sobreviventes pelo chão. Estava distante demais para ser ouvido por Everton. Anderson deu de ombros, vindo com a devastadora de tabuleiros a passos duros.

– Melhor evitar briga...

Quando fez menção de caminhar com a bola de volta para a quadra, os garotos dos dois times que jogavam começaram a acenar com as mãos.

– Tá muito longe, joga pra cá!

– É, não demora não! Chuta!

Anderson olhou para o objeto redondo na sua mão. Ele praticamente implorava por um belo chute de seu pé direito. E ele não precisaria maneirar na força. Poderia encher o bico e de quebra mostrar que podia cobrar um tiro de meta tão bem quanto qualquer goleiro de qualquer série do Zeferina Risoleta.

– Vai, manda! – berrou Everton, com as mãos em concha.

Anderson virou para o amigo Renato, com um sorriso imperceptível no canto dos lábios.

– Talvez seja melhor você arremessar com a mão, mesmo... – disse o amigo, com uma nuance temerosa na voz.

– Dessa vez eu não erro – disse Anderson, firme.

– Da outra vez você mandou aquela de vôlei no telhado da escola.

– Dessa vez eu não erro – repetiu, como se fosse um mantra.

– Não diga que eu não avisei.

Anderson umedeceu os lábios. Sua mão soltou a bola no ar. Recuou o pé direito. O chute estava armado. O All Star cortou o vento e atingiu a bola, em cheio, com força...

Força demais.

Passou muito acima da quadra, fazendo com que todos os jogadores acompanhassem o imenso arco invisível desenhado pela bola contra um céu azul e sem nuvens. Depois, ela sumiu além da faixa de lateral mais extrema, caindo por detrás dos muros da escola, no terreno baldio.

Anderson recebeu uma grande salva de aplausos irônicos. E um longo apito. Até o professor Silveira ovacionava, meneando a cabeça careca.

– Parabéns, Anderson! Essa era a nossa última bola. Todas as outras estão no telhado da escola, no grande paraíso além-vida das bolas perdidas.

O garoto mirou as pontas de seus próprios tênis. À distância, um irritado Everton virou as costas, alardeando algo sobre a má pontaria de Anderson e satirizando o seu chute falho no ar. Uma mão pesada deu tapinhas amigáveis em seu ombro.

– Eu falei – disse Renato, em tom de consolo.

– Por que eu não aprendo?

– Você é teimoso.

No fundo, Anderson sabia disso. Em Asgorath, ele não costumava ser repreendido por seus amigos. De alguma maneira o seu sucesso no mundo virtual se transformava em orgulho infundado no mundo real.

Alguns garotos ainda riam na quadra, outros o olhavam com raiva, por ter encerrado a melhor aula da semana antes do previsto. Até Wilson, encostado em seu canto com seu *netbook*, o observava apaticamente por cima dos óculos fundo de garrafa, com seus olhos cinzentos.

O professor Silveira soprou o apito, chamando a atenção de todos.

– O futebol acabou, mas não quero ver ninguém parado. Quem quiser pode ir para a quadra de vôlei ou pegar algum dos jogos de tabuleiro, até que eu volte com as bolas de bocha.

Protestos e resmungos gerais. Ninguém queria jogar vôlei, xadrez, ludo, muito menos bocha, que era um jogo senil na opinião daqueles pré-adolescentes em pleno processo de crescimento. O futebol era a preferência juvenil nacional.

Quando Silveira deu as costas e deixou a quadra, Everton se aproximou de Anderson, ladeado por mais dois amigos de chuteiras, que o olhavam de forma ameaçadora.

– Boa, Pernalonga. Acabou com a melhor parte de nosso dia.

– Mais uma vez – complementou Alexandre, um dos outros dois moleques. Era um garoto forte que em determinadas ocasiões também poderia ser considerado gordo.

Renato se posicionou ao lado de seu amigo. Era maior que qualquer um dos outros três e isso sempre contava um pouco no mundo cão do ensino fundamental.

– Ele foi tentar ajudar. Se você achou ruim, deveria ter vindo buscar a porcaria da bola pessoalmente.

Um "uuuuh" correu entre os meninos, e um círculo informe começou a se formar. Anderson sabia o que isso significava na maioria das vezes: briga.

– É melhor você ficar quieto, Renato – sussurrou ele, para que somente seu amigo ouvisse.

– Buscar a porcaria da bola? – perguntou Everton, batendo a mão na testa comicamente e desarrumando a franja loura – Boneco de Olinda, isso me dá uma ideia! Por que o Pernalonga não pode ir procurar a bola no terreno baldio?

Risos ao redor. Agora as meninas e o resto da turma do vôlei se juntavam ao círculo, para ver o que estava acontecendo. Renato balançou a cabeça.

– Pra quê? Pro Silveira ver que o Anderson saiu dos limites da escola e dar uma suspensão pra ele?

– Uai, se ele for rápido, ele vai e volta antes do Silveira vir e começar com a sessão de tortura com bocha – respondeu Everton, em seguida praticamente ordenando – Vai lá, Perna!

Renato ignorou toda a classe e falou diretamente ao amigo.

– Cara, nem dá ouvidos. O muro é alto, tem um baita de um matagal lá do outro lado... Mesmo que você ache a bola, como vai fazer para subir de volta?

– Tem uma árvore perto do muro – disse Anderson, na defensiva – Daria para subir por ela...

– Tá, mas tem um barranco por lá também... Ah, droga! Eu conheço essa cara...

– Que cara?

– Essa. A mesma que você fez quando eu pedi para você não chutar a bola.

– Uai, eu só acho que não tem problema algum. É até justo, né? Eu que mandei a bola pro terreno...

Everton estalou a língua, impaciente.

– Dá pra ir logo? O Silveira não vai demorar...

Anderson ergueu os ombros e torceu o nariz para o amigo.

– Faz escadinha pra eu subir?

Renato – sob piadinhas incessantes de Everton e seus 'baba-ovos' – alavancou Anderson sem dificuldades. O garoto se agarrou à beirada do muro e içou o corpo para cima, ralando o joelho de leve no concreto. Arranhões nos cotovelos e joelhos são coisas inevitáveis nessa idade, de modo que a constante ardência incômoda passa a ser ignorada depois de um tempo. Moleques hiperativos (ou nem tanto, como Anderson) contam com esses tipos de escoriações que podem acontecer a qualquer momento e em qualquer lugar.

Anderson sentou-se no muro, com as pernas voltadas para o terreno – que declinava imediatamente após a parede de tijolos – e as costas para a sua classe na quadra. A distância até o chão parecia bem maior dali de cima. Engoliu em seco e certificou-se de que o seu local de aterrissagem não teria nenhuma pedra pontiaguda. Somente um matagal que não era desbastado há meses.

Pulou. E depois disso, o seu pouso se transformou em uma desastrosa queda barranco abaixo, rumo a uma mata fechada de árvores e grama alta que chegava à cintura de Anderson – se ele conseguisse parar de rolar e ficasse de pé para medir a grama, claro.

Foi freado por um tronco seco que obstruiu a sua rota de descida. O garoto levantou-se cambaleante, sacudindo folhas do uniforme escolar e retirando galhos do meio dos cabelos. Para comprovar a lei da física inerente aos jovens de que suas peles clamam por serem raladas e arranhadas, os joelhos e cotovelos de Anderson que ainda não haviam se machucado... se machucaram.

– E não sei onde diacho foi parar a bola! – resmungou, afastando o mato alto com as mãos. Anderson chegou a um local onde o terreno já se tornava quase plano novamente. Olhou para a direção de onde viera, e precisou olhar para o alto para enxergar o muro da escola. O motivo de sua incursão idiota pelo terreno baldio não poderia estar muito longe, uma bola de futsal não quicaria tanto assim, mesmo após rolar e despencar pelo barranco como Anderson.

Então, um rosnado veio do meio do mato.

Anderson procurou pelo chão a primeira coisa que lhe servisse para se defender de um cão raivoso. Se bem que o rosnado era rouco, grave, e pouco audível. Como nuvens carregadas com tímidas ameaças de chuva. Um graveto grosso e torto serviu de porrete improvisado. Imaginou-se em Asgorath, o elfo Shadow preparando-se para enfrentar um lobo gigante à espreita.

O mato à sua frente se mexeu, a fonte do rosnado logo atrás da cortina verde de grama crescida. Anderson esqueceu-se de pronto de Shadow, Asgorath e de sua espada élfica. Só então percebeu como sua boca estava seca e sua língua áspera como uma lixa.

A bola irrompeu da mata. Murcha e suja, a uns quatro palmos do chão. Presa entre as mandíbulas afiadas de algo que não era nem um cão do mato, nem um lobo gigante de Asgorath. Anderson não teve muito tempo para prestar atenção na criatura quadrúpede que carregava o objeto deformado na boca.

Para o melhor dos efeitos, era um guaxinim tonificado. Ou um urso do tamanho de um cabrito. Pelo pouco que o garoto sabia, não existiam ursos em Minas ou em qualquer outro lugar do Brasil. Nem pequenos, nem médios, nem grandes ou gigantes. Logo, Anderson não fazia noção do que era a coisa que o encarava, segurando uma bola que murchava gradualmente entre os dentes pontiagudos e amarelos. Pelos curtos alourados revestiam todo o seu corpo e cauda longa, com exceção das patas dianteiras, que lembravam estranhamente uma mão humana de quatro dedos, da região do focinho achatado e ao redor dos olhos.

Os olhos... Eram azuis, como pedras preciosas incrustadas naquela cara larga, por detrás da bola que esvaziava mais a cada segundo, a câmara perfurada fazendo um assobio agudo e contínuo. Anderson estava morrendo de medo, e morrendo de curiosidade. Nunca essas duas sensações andavam de mãos dadas, mas os olhos daquele bicho estranho pareciam amarrar o pavor e a fascinação com um lindo laço de presente azul e faiscante... Sim, os olhos faiscavam! Fagulhas azuladas, como fogos de artifício saltavam também no lombo do animal. E a cauda! Acendera na ponta com uma forte chama azul parecida com as dos bocais de fogões a gás. Chispas se alastraram por todo o pelo do animal, um espetáculo sobrenatural que simplesmente não permitia que qualquer outra coisa ao redor chamasse mais atenção do que aquele fascinante urso pirotécnico...

Um ruído agudo soou distante, mas alto o suficiente para preencher a mata do terreno vazio. E estridente o suficiente para arrancar Anderson do torpor hipnótico que o animal misterioso lhe havia infligido.

O urso mexeu as orelhas rapidamente e parou de soltar fagulhas, se assustando com o apito de Silveira e deixando a bola deformada cair no meio do mato. O professor já deveria ter voltado com o seu *kit* bocha, e logo perceberia que Anderson não estava mais entre os colegas de classe.

– Joia, então – começou o garoto, uma mão trêmula estendida à frente – Eu vou me afastar *devagarinho* até lá em cima, subir aquela árvore e voltar para dentro da escola com essa bola murcha, tá bom? Tá vendo esse graveto? Bonito, né?

Os olhos do urso rastelinhense faiscaram azuis contra o graveto, como se ele estivesse tentando exercer o poder de fascinação sobre o pedaço de madeira. A cabeça do animal acompanhava o movimento da mão do garoto de um lado para o outro.

– Iiiisso, iiiisso! No final das contas, você é apenas um cachorrão estranho, certo? É sim, é sim. Um cachorrão estranho de focinho e mão pelada e que tem um problema de curto circuito! É, é sim. Agora... vai pegar!!!

O urso girou a cabeça para o graveto e Anderson se moveu com agilidade. Apanhou a bola e correu barranco acima, aos tropeços. Então, ouviu um rosnado alto, e percebeu que o animal havia dado preferência à sua carne ao invés do graveto sem graça arremessado. O bicho estava em seu encalço.

E um detalhe aterrorizante: correndo sobre duas patas.

Anderson gritou por ajuda enquanto subia, sentindo o hálito do urso às suas costas. Em mais uma olhadela por cima dos ombros, percebeu que as faíscas azuis haviam voltado a chispar sobre a pele de seu perseguidor, que estava muito próximo.

Chegou à árvore que subia rente ao muro da escola, e percebeu que não conseguiria escalá-la com apenas uma das mãos. Jogou a bola murcha por cima dos ombros, a esmo, e trepou pelos galhos como um macaco, só parando quando já estava em cima do muro. Considerando a hipótese de que poderia ter enlouquecido, olhou para baixo, procurando pelo animal.

E lá estava ele, entretendo-se com o que um dia fora uma bola de futsal, rolando pelo barranco e se divertindo com seu brinquedo recuperado.

Anderson estremeceu e saltou para o chão da quadra.

Todos os olhos recaíam sobre sua figura suja de terra e maltratada. Silveira o encarava de braços cruzados, o saco de bolas de bocha aos seus pés. Everton e todo o resto da classe davam risinhos idiotas, menos Wilson Caladão, que continuava recostado com seu netbook, observando-o à distância por cima dos óculos de inseto, e Renato, que sustentava o conhecido olhar de *eu-te-avisei*.

– Espero que tenha gostado de brincar do outro lado do muro, Sr. Coelho – começou Silveira, fazendo cara de xerife – Depois da suspensão que você vai levar para casa, vai passar alguns dias do lado de lá. Agora vamos, todos vocês. Hora da bocha!

Houve um lamento em uníssono, e o professor arrebanhou os alunos para a trave mais distante, separando-os prontamente em duas equipes.

Anderson deixou-se desabar ao chão, exausto.

– Eu não sei o que vou dizer para minha mãe e para meu pai – disse Anderson, segurando a folha de papel que continha a sua suspensão total da escola por três dias.

Os alunos do Zeferina Risoleta se afunilavam para saírem pelo portão, e quase todos torciam o nariz ao reparar o estado de Anderson, completamente sujo de terra e com a mais variada sorte de plantas grudadas pelas vestes.

– Sei lá, nesse caso você vai ter que dizer a verdade – sugeriu Renato – Você não tem muita escolha. Mas pense no lado bom, você vai aumentar mais uns quatro níveis do Shadow se jogar durante todo o seu período de suspensão!

– Vai sonhando... Eles vão me proibir de entrar na internet.

Everton passou ao seu lado e trombou propositalmente com o seu ombro. Seus amigos e fiéis escudeiros fizeram o mesmo.

– Bom descanso, Pernalonga! – disse o garoto, acenando por cima da cabeça e provocando risinhos imbecis em garotas imbecis.

– Não sei por que fui dar ouvidos pra esse trouxa – lamentou-se Anderson.

– Eu também não sei – disse Renato – Você dá ouvidos pra todo mundo menos pra mim, que sou seu amigo.

Anderson e Renato chegaram à rua, onde ônibus escolares amarelos recolhiam crianças que gritavam e riam alto. Uma Mercedes prateada estava estacionada em um ponto mais afastado das filas de ônibus e peruas, com uma morena gigantesca recostada em seu capô, de braços cruzados. A *babá* do Caladão. Bonita, alta, de terno preto e com corte feminino, óculos escuros e rabo de cavalo apertado. Tinha cara de que mascava abelhas nas sobremesas após as refeições. Wilson arrastava-se até o banco traseiro do carro importado, enquanto ela corria os olhos pela multidão de crianças e segurava a porta aberta para que seu protegido entrasse. O garoto acomodou-se e a porta bateu com força. A morena contornou a traseira do carro, sibilou alguma coisa para um microfone escondido na lapela de seu terno – provavelmente algo como "o canguru já está na bolsa" – e ocupou o assento de motorista. O vidro da traseira deslizou para baixo, e o rosto de Wilson apareceu, pálido e triste. Seus olhos cruzaram com os de Anderson por um momento, e ele não entendeu que expressão era aquela que o Caladão apresentava. Algo como presunção, arrogância. Como se ele soubesse algo sobre Anderson...

Sobre o urso no terreno baldio, talvez?

Anderson afastou o pensamento, enquanto o Mercedes também se afastava pela rua. Besteira. Ninguém acreditaria nele. Nem ele próprio botava fé no que sua mente recordava daquela aula de educação física e de sua breve expedição barranco abaixo. Não se sentia à vontade para compartilhar o segredo nem com Renato, e tampouco ficava confortável ao se recordar do ocorrido. Decidiu soterrar as lembranças do urso que faiscava, antes que alguém descobrisse o ocorrido e o mandasse para um psiquiatra.

– Vamos a pé ou seu pai vem nos buscar, Anderson? – perguntou Renato. Anderson respondeu, sem hesitar.

– A pé. Quanto mais tarde eu puder explicar o porquê da suspensão, melhor.

Todos os dias após as aulas, Anderson deixava o Zeferina Risoleta para trás, para reencontrar a escola na manhã seguinte. Mal sabia o garoto que sua próxima manhã seria totalmente fora do comum.

Renato morava a meio quilômetro da casa de Anderson, e poderia muito bem tomar um atalho ao invés de acompanhar o amigo até a porta de casa. Mas ele não se importava em prolongar seu percurso, já que os assuntos de suas conversas nunca acabavam durante a caminhada: jogos, quadrinhos, jogos, séries de tevê, e jogos inspirados em quadrinhos e em séries de tevê.

A rua onde a família de Anderson morava era tranquila, com muitas árvores ladeando as calçadas e quintais sem muros ou cercas. Todas as famílias da região se conheciam, e percebiam quando algum transeunte se tratava de um visitante ou alguém de fora da vizinhança. Logo, Renato percebeu que o furgão verde estacionado em frente à "morada dos Coelhos" (era assim que a caixa de correio ao estilo americano da casa de Anderson anunciava) não era comum.

– Seu pai comprou um furgão?

– Não! Que estranho, nem conheço ninguém que tenha um. Ainda mais verde...

– A placa é de São Paulo.

– Deve ser algum cliente do meu velho – cogitou Anderson. Seu pai, Álvaro Coelho, trabalhava com encomendas de caixas de correio personalizadas (entendeu o porquê da caixa dos Coelhos?) e às vezes alguns distribuidores vinham retirar os produtos em grande quantidade. Provavelmente, aquele era o caso do carro verde.

Renato se despediu do amigo e prometeu que passaria por lá após os próximos dias de aula em que ele cumpriria suspensão, para atualizá-lo sobre os deveres de casa.

Anderson seguiu para a porta de entrada. Deu mais uma olhada no carro com placa de São Paulo. Os vidros eram escuros, filmados, mas não escondiam o fato de que havia alguém no banco do motorista e pelo menos mais duas pessoas nos bancos traseiros.

Um falatório animado vinha de sua cozinha, acompanhado do cheiro de pão de queijo sendo assado na hora. Seu pai e sua mãe, Regina, riam alto e faziam barulho ao remexerem nos talheres e copos. Além do mais, havia uma terceira voz participando do bate-papo e ela não lhe era tão estranha. Nasalada, cômica, como a de alguém muito ruim tentando imitar o Bob Esponja.

Anderson irrompeu na cozinha, com o uniforme imundo. Inacreditavelmente, seu pai e sua mãe pareceram nem notar.

– Filhão! – exclamou Álvaro Coelho, com entusiasmo. Ele era uma versão mais escura e esticada de Anderson, com grandes entradas na cabeça – Estávamos falando de você, seu pestinha! Escondendo o jogo dos próprios pais, hein?

– Quando ia nos contar a surpresa, meu bem? – empolgou-se Regina Coelho, se adiantando para dar um abraço no filho e ignorando a crosta de sujeira que o recobria. A mãe de Anderson era branca, alta, cabelos castanhos compridos presos em um rabo de cavalo – Que orgulho de você!

O garoto não entendeu. A notícia da suspensão já havia chegado até sua casa? E seus pais se *orgulhavam* disso? Definitivamente, o urso que faiscava não havia sido a parte mais estranha do dia.

– Uai, que surpresa? Orgulho de quê? – perguntou confuso. O corpo de sua mãe o impedia de ter a visão do resto do cômodo e do visitante de voz esquisita – Mãe, peraí! Do que você... *O que é isso?!*

Ali, em sua cozinha, sorrindo ao lado do botijão de gás com capa de renda azul bebê, estava um *halfling* de verdade, trajando um minúsculo terno branco e gravata azul celeste.

– Filho, não é *isso*, é *ele*... – censurou sua mãe, acendendo o rosto como uma sirene de ambulância – Que falta de educação com o Sr. Santos!

< capítulo 4 >

COPA DAS MENTIRAS

– **M**e desculpe, Sr. Santos! – disse dona Regina, tapando a própria boca com as mãos, horrorizada com a falta de bom senso do filho – Você sabe como são crianças...

– Sem problemas, minha senhora, sem problemas! – disse o homem em miniatura, com sua voz de gás hélio – Todos os dias me deparo com as mais diversas reações das pessoas. É absolutamente compreensível os jovens se espantarem com minha estatura, é a espontaneidade da flor da idade...

– Eu não sou flor nenhuma – murmurou Anderson, em um misto de aborrecimento e falta de compreensão geral.

– ...mas se quiserem fazer um grande favor, podem parar de me chamar de "senhor". Para vocês, sou apenas Zé!

O anão curvou-se levemente para os Coelhos. Dona Regina enrugou os cantos dos olhos e deu um sorriso simpático para o esposo, como se dissesse *"ele não é uma gracinha, meu bem?"*.

Anderson levantou um dedo acusador para o baixinho.

– Como você descobriu onde eu moro? Você é o cara que...

– ...que organizou as eliminatórias para a Copa de Matemática na sua escola, sim – completou o próprio Zé, que por trás de sua aparência de assistente de palco de programa infantil, deveria ter cerca de trinta e poucos anos – Ora, descobri o seu endereço da maneira mais elementar, meu caro Anderson. Você colocou os seus dados na ficha de inscrição!

Anderson soltou um riso exasperado, buscando o apoio dos pais. Mas os dois apenas o encaravam, risonhos, com as cabeças levemente inclinadas para o lado e um olhar levemente bobo de admiração por sua cria.

– Copa de Matemática? Ficha de inscrição? Olha, eu...

– Pode ir parando por aí com a humildade! – disse o orgulhoso Sr. Coelho, dando um carinhoso afago na cabeça do filho com os nós dos dedos – O Sr. Santos aqui... ops, perdão! Zé. O Zé aqui já nos contou que você está na final da Copa de Matemática em São Paulo!

– Tem um mal-entendido aqui – balbuciou Anderson, encarando o sorridente *hobbit* – Eu não participei de nenhum campeonato de matemática, ou seja lá o que for que esse cara tenha dito pra vocês!

– De acordo com o nosso querido Zé, você não apenas participou – disse a mãe, tirando uma fornada de pãezinhos de queijo com sua luva térmica – Você destrinchou, arrasou, dominou toda a Copa de Matemática!

– Mas o Zeferina não faz campeonato nem de dama! – protestou o garoto – E eu sou um lixo completo em matemática, lembram? Tirei 5,5 no bimestre passado, vocês até me proibiram de jogar na internet por três dias...

– Você, garoto – bradou Álvaro, com a boca cheia de pão de queijo e ignorando completamente os protestos do filho – Vá se arrumar logo para ir para São Paulo, o carro do doutor está esperando aí na porta já há um tempão. Sua mãe já arrumou sua mochila de viagem. Aproveite e tome um banho, você está parecendo um leitão que rolou demais na lama...

– Eu não quero ir! – gritou Anderson – Eu nem conheço esse cara! Vocês estão loucos, que tipo de pai e mãe deixa o filho viajar com um...

– Ooooh, não se preocupe minha coisinha linda – disse sua mãe, apertando suas bochechas e voltando-se para José da Silva Santos, como se Anderson não pudesse escutar seu cochicho confidencial – Não ligue para ele, é a primeira vez que ele vai viajar sozinho, deve estar com medo. Sabe como garotos são...

– Sei perfeitamente! Aposto que ele não irá reclamar ao chegar a São Paulo e receber o seu prêmio de participação...

Anderson apertou os olhos para o homenzinho. Percebeu que não teria como explicar aos pais que na verdade estava sendo levado a São Paulo para realizar um serviço de *hacker-mas-não-exatamente*.

Uma incômoda incógnita ainda permanecia no ar, a de como José havia conseguido o seu telefone e endereço. E como ele conseguira convencer seus pais de maneira tão convincente, e com um argumento tão fajuto.

As engrenagens em sua cabeça trabalhavam a todo vapor. Sua vontade era a de ir para o banheiro, botar suas roupas sujas no cesto e tirar a crosta de terra e poeira com uma boa ducha. Precisava de água fria na cabeça, para se esquecer do episódio com o bicho estranho no terreno baldio. Talvez o seu cérebro, seu *HD interno*, estivesse entrando em conflito. Sim, porque ursos não existiam no Brasil, a não ser em zoológicos e circos, e não havia nenhuma das duas coisas em Rastelinho. E mesmo que um urso viajasse do Canadá até o interior de Minas só para se esconder atrás de uma escola pública, ele não soltaria faíscas.

Mas então, de repente, em um *click*, Anderson passou a ver a sua atual situação de uma maneira diferente.

Talvez o melhor a fazer naquele momento fosse aceitar o trabalho de uma vez. Ele havia tomado suspensão por três dias e estavam em uma terça-feira. De acordo com a conversa pelo telefone na noite anterior, José da Silva Santos havia dito que o serviço em São Paulo duraria de três a cinco dias.

Anderson acabaria de cumprir a suspensão na sexta-feira. Logo, emendaria o fim de semana e só voltaria para o Zeferina Risoleta na próxima segunda-feira. Talvez, tudo em São Paulo fosse feito em cinco dias ou menos...

O garoto se irritou ao perceber que já estava pensando de uma maneira que beneficiava o plano do anão. Afinal, ele não era contra a ideia de trabalhar para o Sr. Santos e sua estranha organização?

"Mas a Copa de Matemática seria a desculpa perfeita para sua ausência da escola, não seria? Seus pais nem saberiam que você tomou a suspensão..."

Este último pensamento surgiu na mente de Anderson como se alguém tivesse berrado com um megafone diretamente em sua orelha. Nas *orelhas de seu cérebro*, ele diria, em uma ilustração absurda de sua impressão. Banhado de uma nova e estranha determinação, Anderson decidiu acabar de uma vez com aquela história... tirando o maior proveito possível dela, claro.

– Ei, garoto – disse José – Está dormindo em pé! E então, o que me diz? O seu prêmio de participação o espera em São Paulo!

– Ah, o prêmio! – exclamou Anderson, subitamente recordando – Sim, sim! O *notebook* que já vem com *webcam*, gravador e leitor de Blu-Ray!

– Sim, ahn... esse prêmio mesmo! Só por estar na final, veja só que maravilha!

– Bom demais da conta – disse um novo e empolgado Anderson, finalista da Copa de Matemática – Ainda melhor porque junto com o *note* vem uma câmera digital, um daqueles games portáteis da...

– Sim, tudo isso! – concordou o Sr. Santos frente às expressões maravilhadas dos Coelhos – *Já está muito bom só por participar, não é?*

– ...sem contar o prêmio em dinheiro, claro – finalizou Anderson, pronto para São Paulo.

ShadowHunter now is online.
<HeLLHaMMeR>[Dwarf, Lv. 58]: uai, num pegou castigo??
<ShadowHunter>[Elf, Lv. 93]: Renato, longa historia... tenho q tc rapido com vc pq to indo pra SP...
<HeLLHaMMeR>[Dwarf, Lv. 58]: indo pra Silver Pyramid? Quero ir junto, la da pra enfrentar aquelas mumias q dão varios pts de experiencia!
<ShadowHunter>[Elf, Lv. 93]: não, Silver Pyramid não! To indo pra São Paulo, a cidade!
<HeLLHaMMeR>[Dwarf, Lv. 58]: como assim????? 0_o
<ShadowHunter>[Elf, Lv. 93]: depois te explico tudo. So qria te contar pq, se algo acontecer cmg, vc avisa meus pais... eles estão estranhos, parecem q foram hipnotizados...
<HeLLHaMMeR>[Dwarf, Lv. 58]: putz... mas eh algo a ver com aquela historia q vc me contou hj na aula de educação física?
<ShadowHunter>[Elf, Lv. 93]: eh. aqle cara q ligou aqui, o halfling de ontem, lembra?
<HeLLHaMMeR>[Dwarf, Lv. 58]: lembro...
<ShadowHunter>[Elf, Lv. 93]: então, ele ta aqui na minha cozinha, comendo pão de queijo da minha mãe! Como ele pode ter achado meu endereço???
<HeLLHaMMeR>[Dwarf, Lv. 58]: ...
<ShadowHunter>[Elf, Lv. 93]: ?
<ShadowHunter>[Elf, Lv. 93]: Renato, o q são essas reticências?
<HeLLHaMMeR>[Dwarf, Lv. 58]: eh q eu acho q sei como eles conseguiram seu endereço...
<ShadowHunter>[Elf, Lv. 93]: como assim?
<HeLLHaMMeR>[Dwarf, Lv. 58]: ah, droga... lembra q há uns três meses eu fui pra BH com meu pai, para aquela feira de games q tava rolando num shopping...

<ShadowHunter>[Elf, Lv. 93]: ta, ta, ta, lembro! Eu tbm recebi o convite, mas nem pude ir. O q vc fez la?

<HeLLHaMMeR>[Dwarf, Lv. 58]: eh q tinha uns caras mostrando alguns jogos de MMORPG, e tinha a promoção la... se eu indicasse algum amigo pra receber a demo de um novo jogo q eles iriam lançar, eu ganhava um brinde.

<ShadowHunter>[Elf, Lv. 93]: não to entendendo... o q vc ganhou de brinde?

<HeLLHaMMeR>[Dwarf, Lv. 58]: um chaveiro. te indiquei na lista deles, dei seu nome, telefone e endereço...

<ShadowHunter>[Elf, Lv. 93]: não acredito Hell, vc passou informações a meu respeito por causa de um chaveiro???

<HeLLHaMMeR>[Dwarf, Lv. 58]: ERA UM CHAVEIRO DO NARUTO!!!

<ShadowHunter>[Elf, Lv. 93]: mas vc nem gosta de manga e anime!!

<HeLLHaMMeR>[Dwarf, Lv. 58]: eu sei, eu fui iludido por um brindezinho meia-boca… pensei q vc fosse gostar de receber a demo...

<ShadowHunter>[Elf, Lv. 93]: nunca recebi demo nenhuma aqui em casa ou pelo e-mail… era um truque. O tal de José que ta aqui deveria estar por trás desse estande q vc participou, eles estavam sondando alguém para fazer o trabalho em SP...

<HeLLHaMMeR>[Dwarf, Lv. 58]: la na feira de games tinha um cara vestido de Mestre dos Magos, um anão original de fábrica. Provavelmente era esse José. Escuta, e se esse cara for te sequestrar pra vender seu rim no mercado negro?

<ShadowHunter>[Elf, Lv. 93]: ele não iria precisar de um rim específico de um jogador do BoA, iria? Ele realmente vai precisar de algum trabalho voltado pra isso. E eu to indo com ele, eh a única forma de eu passar pela suspensão sem meus pais suspeitarem...

<HeLLHaMMeR>[Dwarf, Lv. 58]: se vc morrer eu vou me sentir culpado pelo resto da minha vida

<ShadowHunter>[Elf, Lv. 93]: então torce pra dar td certo, pq eu não sei onde foi parar minha cabeça... eu estou realmente empolgado pra fazer esse serviço. Até parece que... sei la...

<HeLLHaMMeR>[Dwarf, Lv. 58]: Fala! Ate parece o q?
<ShadowHunter>[Elf, Lv. 93]: nada, viagem minha
<HeLLHaMMeR>[Dwarf, Lv. 58]: fala logo, sou teu amigo p*$%@...
<ShadowHunter>[Elf, Lv. 93]: eh que... parece q mexeram com a minha cabeça e com a dos meus pais
<HeLLHaMMeR>[Dwarf, Lv. 58]: lance tipo Charles Xavier?
<ShadowHunter>[Elf, Lv. 93]: mais ou menos. Q tem alguma coisa errada acontecendo eu sei, to ate participando disso... mas parece q tem algo mais por tras... algo mto maior
<HeLLHaMMeR>[Dwarf, Lv. 58]: iiiih, cara... vc ta me deixando com medo
<ShadowHunter>[Elf, Lv. 93]: agora eu tenho q ir. A guilda fica sob o seu comando enqto eu to fora, ok? Se eu conseguir la em SP, entro pra gnt jogar um pouco
<HeLLHaMMeR>[Dwarf, Lv. 58]: ta joia
<ShadowHunter>[Elf, Lv. 93]: blz, tenho q ir msm. Se cuida
<HeLLHaMMeR>[Dwarf, Lv. 58]: vc tbm, e volta com os dois rins, por favor
<ShadowHunter>[Elf, Lv. 93]: hahaha... flw
<HeLLHaMMeR>[Dwarf, Lv. 58]: perai, so uma duvida: se vc morrer ou nao voltar, posso ficar com a sua senha pra jogar com o avatar do Shadow??
ShadowHunter now is offline.
<HeLLHaMMeR>[Dwarf, Lv. 58]: aaaah, me*#@!
<HeLLHaMMeR>[Dwarf, Lv. 58]: e me*#@ de chat para menores q não me deixa escrever palavrão!!!

Dez minutos após deslogar Shadow de Asgorath, Anderson entrava na van esportiva verde em que havia reparado junto com Renato. José adiantava-se à frente do garoto, correndo como um Oompa Loompa atarefado. Na ponta dos pés, abriu a porta de correr do veículo e indicou o banco traseiro, que já tinha dois ocupantes.

O primeiro era um garoto que deveria ter a mesma idade de Anderson, apesar de ser cerca de um palmo mais baixo. Cabelos pretos e eriçados, cara amarrada e braços cruzados. Olhava para o mineiro como se ele fosse algo nojento que o obrigassem a experimentar.

– Hã... oi! – disse Anderson ao menino, ainda de pé do lado de fora da van, tentando quebrar o gelo que crescia ao redor dos dois. Mesmo assim, o garoto nada respondeu. Seu olhar vagou de Anderson para a casa atrás dele, e para os Coelhos, que não paravam de acenar para seu filho mesmo enquanto ele estava de costas.

– São seus pais? – foi a primeira frase do garoto mal-encarado dirigida a Anderson.

– Aqueles dois ali? Não, são espantalhos que coloquei na frente da casa. Eles ficam abanando as mãos daquele jeito que nem bobos e nenhum bicho se atreve a chegar perto da porta.

O emburrado apertou os olhos para o recém-chegado. Anderson não desviou os seus, esperando um espaço para poder entrar na van. Talvez a resposta enviesada tivesse sido um gracejo mal formulado, ou um belo e merecido safanão verbal em troca da recepção fria do rapazinho sisudo. Nem ele sabia direito porque havia respondido daquela maneira. O mal-estar inicial só se prolongou quando a garota que estava sentada do outro lado do carro se manifestou.

– Pedro, vem pro meio e deixa o garoto subir.

– Mas por que eu preciso ir *bem* no meio? Eu quero ficar na janela!

– Ah, Pedro! Pare de ser ranzinza e vai mais pra lá – chiou José do lado de fora, aguardando que os passageiros da parte de trás se acertassem de uma vez.

– Eu quase nunca saio da Organização, e quando saio tenho que passar a viagem espremido entre duas pessoas como se fosse um bebê...

– Você também pode ficar espremido entre duas pessoas como se fosse um garoto crescido, sem reclamar – sugeriu um rapaz mais velho que estava no volante, sem virar para trás e sem revelar seu rosto para Anderson – Você veio de São Paulo até Rastelinho na janela, não pode deixar de criar caso por algo tão bobo?

– Ei, ei, ei! – disse Anderson, enquanto Pedro continuava resmungando – Eu vou no meio, está bem? Tá certo, eu sou a visita aqui!

Mesmo tendo o seu desejo atendido, Pedro ainda parecia infeliz. Talvez aquele estado de espírito fosse permanente no garoto, pensou Anderson. Se alguém dissesse "Ei, Pedro, você ganhou uma viagem de volta ao mundo com tudo pago", ele piscaria estupidamente, cruzaria os braços e continuaria tão azedo quanto antes.

Ele desceu da van para que Anderson passasse com sua mochila. Com todos acomodados, José deslizou a porta de encontro à tranca e foi tomar o seu lugar no banco de carona enquanto davam a partida no motor.

– Bom, acho que agora posso dizer *olá* – começou a garota, em quem Anderson ainda não havia prestado atenção, sentada ao seu lado.

E quando finalmente o fez, teve que dizer a si mesmo que não estava apaixonado pela jovem encantadora e de sorriso estonteante, cerca de quatro anos mais velha que ele. Ela tinha cabelos escuros e anelados, a pele era clara e macia mesmo ao olhar. Pois uma pele daquela *tinha* que ser macia.

– Ah, é... olá! – disse Anderson em um arremedo de cumprimento, escorregando para dentro dos olhos da garota e sentindo sua inteligência se esvair neles. Houve um *plect* no ar, e Anderson poderia jurar que a garota havia estalado os dedos na frente de seu rosto.

– Meu nome é Elis. Coloque o cinto, sim? Essa estrada não é brincadeira – então ela aumentou o tom de voz, e parte do encanto sedutor sobre Anderson se evaporou. Pelo menos ele não se encontrava mais perdidamente apaixonado por uma garota que nunca vira na vida – Pedro, e vocês dois aí na frente, estão ouvindo? Coloquem os cintos!

José da Silva Santos puxou o seu cinto até a trava e seus movimentos foram imitados pelo motorista ao seu lado, o rapaz mais velho que havia repreendido Pedro pelo comportamento infantil.

– E aí, cara? – disse ele para Anderson através do retrovisor, exibindo grandes olheiras e cabelos castanhos revoltos. Aparentava vinte anos, no máximo – Eu me chamo Chris, prazer! Você é que é nosso *hacker*?

– Acho que sim – respondeu o garoto, com receio – Ou isso, ou sou o cara de quem vocês irão roubar os órgãos em São Paulo.

Chris soltou uma risada divertida, parecida com um latido rouco. Elis gargalhou mais alto que todos, inundando o carro com a melodia despretensiosa de voz. Anderson pareceu bem menos preocupado quanto ao seu destino depois de ouvir a risada da moça. José também ria, e agora parecia o cachorro Mutley. O anão tinha o sério problema de sempre se parecer com algum personagem de desenho animado. Na verdade todos riam, com exceção de Pedro. Este talvez desejasse que Anderson terminasse aquela história sem um rim.

– Não se preocupe, rapaz! – José apressou-se em dizer – Somos gente boa, não faremos mal algum a você. Como eu disse antes, só precisaremos de um favor seu e logo você estará aqui de volta.

– Sei. – murmurou Anderson, olhando na direção da entrada de sua casa. Dona Regina e seu Álvaro continuavam acenando incansavelmente, como birutas de posto de gasolina. A sua casa ganhara uma cor diferente com a luz avermelhada do pôr do sol. Seus pais no portão, o céu do fim de tarde... Anderson experimentou um aperto em seu peito, sentindo-se culpado por jamais ter reparado no seu próprio lar. Ele estava indo para outro estado, prestes a realizar algo ilegal, e não tinha a certeza de que conseguiria voltar.

Sentiu vontade de pedir para que Chris ainda não saísse. Queria descer e abraçar sua mãe e seu pai. Dizer a eles que os amava, mesmo quando eles o proibiam de jogar na internet ou quando o obrigavam a refazer a lição de casa.

Dizer a dona Regina que a amava e pedir desculpas por todos os cafés da tarde quando ele não se importara de ir até a mesa da cozinha e tomá-los em família, pois estava ocupado demais fazendo algum ataque a uma caverna de *orcs*.

Dizer a seu Álvaro que o amava, mesmo quando ele o envergonhava na frente dos amigos contando de como foi a vez em que o pequeno Anderson sentou no colo de um Papai Noel que cheirava a cigarro e meias sujas e chorou por horas a fio.

Dizer aos dois que sim, por causa disso ele ainda tinha um pavor irracional de *Papais Noéis* de shoppings, mas que seu medo maior era perder as duas pessoas que acreditavam nele cegamente, até no seu potencial inexistente em matemática.

Mas tudo isso continuou apenas dentro da cabeça de Anderson, pois o carro deu partida antes que dissesse qualquer coisa. Ele acenou para os pais, torcendo para que eles o enxergassem ali, no meio de Pedro e Elis.

A sua casa foi encolhendo por trás do vidro traseiro da van, junto com as duas figuras animadas dos Coelhos, parados ao lado da caixa de correio personalizada. Anderson sentiu um nó se formando na garganta, como se fosse chorar. E se algo acontecesse e ele não voltasse? Seus pais nunca saberiam todas aquelas coisas, do seu carinho incondicional. Torceu para que Chris não o estivesse observando pelo retrovisor. Fechou os olhos para certificar-se de que ninguém os percebesse úmidos. Nenhuma lágrima veio ao rosto, mas a melancolia interior persistiu na forma de um nó na garganta.

Continuou de olhos fechados, sentindo o sacolejar do veículo. Um súbito e pesado sono se aproveitou de seu estado de quietude e ele nada fez para combatê-lo. Apenas respirou fundo, sentindo o suave perfume dos cabelos de Elis, ao seu lado.

< capítulo 5 >

BEM-NASCIDO

– Onde estamos?! – disse um esbaforido Anderson, limpando a baba do queixo e olhando para a janela ao lado de Elis. Sua impressão era a de que havia apenas tirado um cochilo, mas o céu noturno e sem estrelas não o encorajava a manter essa ideia.

A van passava por uma avenida congestionada que acompanhava o leito de um rio plúmbeo e poluído. Na janela ao lado de Pedro (sua expressão de aborrecimento ainda intacta) as cores verde e vermelha predominavam do lado de fora de um estádio de futebol que ficava para trás enquanto o carro avançava lentamente, graças ao engarrafamento noturno.

– Já estamos em São Paulo! Você dormiu um bocado, meu velho – disse Chris, mais uma vez pelo retrovisor. Ele moveu a cabeça e por um momento sua boca sorridente ficou emoldurada pelo espelho. Anderson achou que havia algo de estranho no rapaz, mas não sabia detectar *o quê*. O baixinho José dormia no banco do carona, o queixo encostado no peito.

O motorista o observou por um segundo e voltou a falar:

– Você perdeu o melhor da viagem durante o seu sono. Um guarda rodoviário nos parou achando que eu estava levando uma criança no banco da frente.

Anderson não conseguiu conter o riso e Elis, felizmente, também não. José se remexeu no seu assento, resmungou algo como "eu ouvi isso", e voltou ao estado de hibernação.

– Como o trânsito está lento! – exclamou Anderson pouco depois dos risos cessarem, sem entender o motivo do congestionamento – Parece que iríamos mais rápido se estivéssemos de patins.

– E iríamos mesmo, sem brincadeira – disse Chris – E olha que o negócio não está tão ruim hoje. Você tem que ver a Marginal Tietê em dia de chuva, ou em véspera de feriado.

– Então, esse é o Rio Tietê?

– Era – respondeu Elis, com algo na voz que ficava entre a raiva e a melancolia – Antes de o transformarem nesse esgoto.

– Bom, o rio ainda não é um esgoto por inteiro – disse Chris, dando a seta enquanto ia embicando o carro para uma saída da Marginal – Depois da nascente em Salesópolis, ele ainda é limpo por bons quilômetros. Ainda é um rio. Um dia vamos conseguir limpar essa porcaria toda.

– O difícil não é limpar o rio – contestou Elis, que falava a respeito do Tietê como se ele fosse um amigo que estivesse com problemas de higiene – O difícil é limpar a cabeça da humanidade, fazê-los entender que algo tão majestoso não pode ser encarado como um esgoto para a cidade. Anderson, respire fundo e sinta esse cheiro!

– É bem... ruim.

– É horrível! Ninguém atira bosta na própria mãe. Mas quando se trata da Mãe Natureza, os homens não hesitam em fazê-lo!

A garota estava realmente alterada. Anderson estava quase arrependido de ter perguntado a respeito do rio. Chris continuou debatendo com Elis sobre o Rio Tietê e um tal de Rio Pinheiros, que enfrentava os mesmos problemas de seu irmão fluvial. Alienando-se propositalmente da conversa, o garoto tirou da mochila seu mp4 surrado e de vidro trincado, colocou os fones de ouvido e iniciou uma lista aleatória de músicas. Foi quando percebeu que Pedro, até então esquecido em sua própria chatice, encarava o aparelhinho como se ele fosse feito de diamante.

– Eles viram que você tem um desses?

– Eles quem? – perguntou Anderson, tirando um dos fones da orelha.

– A Elis, o Zé, o Chris... qualquer um deles.

– Não sei, não fiz *check in* pra entrar nessa perua. Qual o problema?

Pedro soltou um "essa é boa!", meneou a cabeça e voltou para sua posição imbecil. Anderson, sem entender o rápido diálogo, não deixou o assunto morrer.

– Cara, o que acontece? Digo, eu sou um problema para você? Não entendo porque você me trata desse jeito.

Pedro voltou a atenção para Anderson, relutante. Chris e Elis estavam debatendo em voz alta, ignorando a conversa dos dois garotos.

– A Organização sempre disse que os bens materiais não importam, que o importante são nossos valores e as coisas que ninguém pode nos tirar e blá, blá, blá... – Pedro fez um muxoxo para o mp4 na mão do outro – Não sabia que agora estávamos aceitando burguesinhos com bugigangas da moda.

– Ei, peraí... *Burguesinho*?! Tá falando de mim? – Anderson perguntou, incrédulo.

– Tem mais algum bem-nascido nesse carro? – retrucou Pedro, agora não disfarçando mais seu desprezo pelo mineiro.

– *Bem-nascido*? Eu?! Aaaaargh! – Anderson bateu com a mão na própria testa, forte demais – Vocês são todos malucos aqui em São Paulo? Eu não estou entrando em organização nenhuma, não faço parte de nada. Só vim fazer um serviço, que eu ainda nem sei direito do que se trata!

– Serviço? – Pedro erguia uma das sobrancelhas tão alto que logo ela se tornaria parte de sua cabeleira de porco-espinho – A troco de quê? Eles vão te pagar alguma coisa?

– Uai, e se pagarem? Qual o seu problema, você é tipo um daqueles padres que vivem só com uma cuia e a roupa do corpo?

– Do que vocês estão falando aí atrás, garotos? – perguntou uma voz alta e esganiçada. José tinha acordado com o tom de voz exaltado de Anderson. Chris e Elis também haviam parado de conversar para prestar atenção nos outros dois.

– Também gostaria de entender – respondeu Anderson, irritado, colocando os fones de volta e aumentando o volume do seu aparelho. Menos de meia hora em São Paulo e já estava se tornando um neurótico.

Cerca de vinte minutos depois, a van estacionava em frente de um casarão, em uma rua repleta de construções antigas, poucas delas bem conservadas. Segundo Chris, aquele era o *Bixiga*, um bairro tradicional italiano.

– Podem ir descendo, eu ainda vou estacionar o carro lá dentro – disse Chris, em seguida sacudindo o anão José para que ele saísse do veículo.

Já na calçada, esticando as pernas e alongando o corpo após a longa viagem sem paradas, Anderson surpreendeu-se ao notar Elis descendo do carro: a garota estava gestante de alguns poucos meses. Enquanto sentada, sua leve protuberância não era perceptível. Ela flagrou os olhos surpresos do garoto em sua barriga.

– Você está grávida – disse Anderson, constatando o óbvio.

– Sim, de quatro meses! – respondeu, orgulhosa.

– Joia, meus parabéns... E quem é o pai? – perguntou o garoto, em seguida temendo ter sido desagradável. Elis, no entanto, não demonstrou qualquer sinal de desconforto.

– O Boto.

– Ah, tá... Hahaha!

– Pode rir, eu não ligo – Elis disse com brandura, um sorriso estonteante e mais um leve chacoalhar de seus cabelos ondulados. Anderson tirou o sorriso bobo do rosto frente a todo doce sarcasmo da garota.

Um rapaz oriental e de cabelos presos em um rabo de cavalo desleixado apareceu no portão para recepcioná-los, cumprimentando a todos com gracejos. Devia ter por volta de quinze anos, vestia calça camuflada e regata branca, exibindo braços fortes e de veias saltadas. Anderson não pôde deixar de reparar que ele carregava na cintura uma aljava repleta de flechas. Antes que perguntasse do porquê de tal acessório, José apareceu entre os dois e os apresentou.

– Anderson, este é Olavo Nakano, membro da Organização e nosso instrutor de arco e flecha.

– Prazer! – disse o japonês, com um aperto de mão firme.

– Você dá aulas de arco e flecha? – admirou-se Anderson, verdadeiramente impressionado, e ignorando a menção à Organização apesar de todas as dúvidas que se acumulavam.

Em Battle of Asgorath, o seu avatar Shadow dominava a arte do arco. Na vida real, a arma mais parecida que já havia passado pela mão do garoto havia sido um estilingue de madeira que ele guarda até hoje entre as suas tranqueiras em Rastelinho.

– Eu sempre quis saber como seria atirar com um desses de verdade.

– Relaxa, amanhã você pode arriscar alguns tiros e matar a vontade.

Anderson arregalou os olhos

– Sério?!

– Claro! É que a essa hora da noite a maioria do pessoal está dormindo ou descansando, senão eu até te levaria ao porão de tiro agora mesmo. Agora, se me der licença, eu vou ajudar o Chris a colocar a van na garagem. Depois a gente conversa direito!

– Tá joia – disse Anderson, afastando-se enquanto o carro entrava de ré na garagem do casarão.

Anderson aproveitou o momento em que todos pareciam ocupados – inclusive Pedro, preocupado demais em ser um otário e em sumir do campo de visão do grupo – para inspecionar o lado de fora da construção: contando as janelas, notou que o lugar tinha três andares, e que a fachada media pelo menos vinte metros. Deveria custar uma fortuna manter aquele imóvel, ou ao menos ele havia custado uma fortuna quando fora adquirido. Por um momento, Anderson temeu saber qual a real motivação de José e sua trupe. Até agora, não fazia a mínima ideia do *ramo de atividade* deles. Que tipo de gente mantém uma escola de arco e flecha, rastreia jogadores de MMORPG de outro estado e, ainda por cima, possui uma van verde?

Falando nela, após estar devidamente estacionada dentro de uma garagem estreita e atulhada de mesas e cadeiras dobráveis, Anderson percebeu que Chris havia levantado a tampa do motor na frente da van e puxado um cabo grosso de lá. Logo em seguida, ele plugou o cabo em uma tomada. Apesar de não entender nada de mecânica, de nunca ter lido uma Quatro Rodas e de ser péssimo em jogos de corrida – sua única fraqueza como *geek* – Anderson percebeu que a van verde era um carro elétrico. Em seguida, Chris lacrou a garagem baixando uma dessas portas dobráveis de ferro que mercearias e lojas costumam ter, e então se dirigiu ao mineiro.

– Vamos lá pra dentro, Anderson! Eu te mostro o quarto de hóspedes, você deve estar cansado. Amanhã nós lhe apresentaremos o resto do pessoal da Organização.

– Eu só ouço *organização* daqui, *organização* dali... O que é a Organização?

– É como nos chamamos – disse Elis, se aproximando – Organização, com O maiúsculo. Mas fique tranquilo, logo você terá esclarecido todas as suas dúvidas. Podemos entrar?

O interior do casarão ainda conservava piso de taco. Bem encerado, por sinal. O pé direito da sala era alto e havia duas escadas, uma de cada lado do recinto, para os andares superiores. Um piano de baú ficava próximo a uma das janelas e três grandes sofás vermelhos eram dispostos em frente a uma televisão grande, à qual Anderson prontamente imaginou um Playstation 3 ligado. Mesmo sendo uma de tubo, jogar naquela telona seria ótimo.

O lugar era amplo e aconchegante, com cara de salão comunal de pousada. Isso o lembrava dos fins de noite durante as viagens a Serra Negra, quando os Coelhos se reuniam no saguão de algum hotel fazenda para tomar refrigerante ou chocolate quente, sentados em poltronas com descanso para os pés.

Tudo estava quieto, como se a grande maioria das pessoas estivesse dormindo nos quartos da parte de cima. E era para lá que Chris, Elis e José guiavam Anderson. Porém, assim que o primeiro degrau da escada rangeu com o peso do garoto e sua mochila, uma voz mal-humorada veio de algum lugar de fora da sala.

– Quem está aí?!

Anderson parou onde estava e olhou para seus anfitriões, com uma careta.

– Tudo bem, é o Patrão – sussurrou Chris, erguendo a voz logo depois para que fosse ouvido à distância – Somos nós!

Resmungo. Pausa.

– Trouxeram o garoto?

Chris deu uma olhadela de soslaio para Anderson.

– Hã... Sim, ele está aqui.

– Tragam ele aqui pra cozinha.

Anderson arregalou os olhos e cochichou.

– O quê, vocês vão me assar no forno?!

– Fique tranquilo. O Patrão é um cara legal – disse José, que parecia acreditar plenamente no que dizia – Já estamos indo! Vamos, Anderson...

Um súbito cansaço acometeu as pernas do garoto. Ele não estava a fim de se apresentar para mais ninguém, ainda mais alguém rabugento. Queria dormir mais, apesar de ter dormido durante todo o trajeto de Rastelinho a São Paulo. O sono de agora era diferente, mais natural... Como se o da viagem houvesse sido um desmaio, um sono induzido.

– Me dá sua bagagem – disse Chris, estendendo a mão – Vou deixá-la no seu quarto enquanto você fala com o Patrão.

Anderson entregou a mochila, relutante. Não por falta de confiança em Chris, mas por que não estava à vontade para se apresentar ao dono daquela voz mal-humorada. Já tivera sua cota de pessoas mal-educadas suficientes por um dia. Na verdade, Pedro havia sido uma dose de chatice que valia por uma semana.

Acompanhado por Elis e José, Anderson foi levado até uma grande cozinha que continha um robusto fogão industrial e inúmeras panelas, caldeirões e frigideiras espalhadas pela parede e penduradas no teto. No centro da cozinha havia uma mesa retangular que poderia acomodar até vinte pessoas. E alguém estava sentado na extremidade mais distante da porta: um senhor negro, de cabelos e barba completamente brancos, pitando um cachimbo. Anderson parou para pensar e reparou que nunca havia visto alguém fumando um cachimbo antes.

A atenção do velho recaiu sobre o rosto de Anderson e seus olhos se apertaram. Eram como duas jabuticabas pretas, com um brilho afiado, e pareciam enxergar por trás de pele e osso, dentro de seu cérebro. Visão de Raio-X. Ele deu uma longa baforada e sentenciou.

– Não confio nesse garoto.

– Uai, o que eu fiz?! – espantou-se Anderson, mais uma vez sem entender nada.

– Nada – sussurrou depressa Elis em seu ouvido, pondo a mão em seu ombro – O Patrão é assim mesmo...

– Se não confiava, vai aprender a confiar agora, chefinho! – exultou a alegre voz de desenho animado do anão em terno branco – O garoto é muito bom com as modernices, melhor do que muitos dos que testamos!

Com uma baforada de fumaça azulada, o velho disparou uma pergunta que transbordava descrença.

– Melhor que o Anselmo?

Houve silêncio após a pergunta. Elis e José olharam para o chão. Anderson poderia jurar que eles haviam ficado tristes, muito tristes. O Patrão continuava com o seu cachimbo, fumando alguma erva junto com muita amargura. Não esperava respostas de seus companheiros. Também não esperava que a curiosidade de Anderson o levasse a fazer tantas perguntas.

– Quem é Anselmo?

– Humpf – resmungou o homem – Você não gostaria de saber. Vejamos... já explicaram para este *moleque* algo a nosso respeito?

– Achamos melhor não dizer nada sobre nós – respondeu Elis, lançando um olhar grave ao Patrão e outro mais amável a Anderson que protestava em silêncio contra o fato de ser chamado de *moleque* – Como o senhor mesmo sugeriu antes de partirmos. Só se fosse extremamente necessário, para que depois eu... bom, você sabe...

– Depois você *o quê*? – indagou Anderson, virando-se para a garota – Não é mais fácil vocês falarem quem são de uma vez? Eu sei que vocês conseguiram meu contato através de um estande, disfarçados de promotores de eventos em uma feira de games lá em Belo Horizonte. Viram? Agora vocês podem completar as lacunas em branco com os *comos* e *porquês*!

O velho pigarreou, sinalizando que seria ele quem lidaria com o pequeno curioso. Deu mais uma baforada azul, sem pressa, e começou com uma voz profunda, comedida.

– Somos uma espécie de Organização Não Governamental. Não uma ONG de fato, pois não recebemos dinheiro do governo e nem de ninguém mais. Nosso verdadeiro *modus operandi* não é conhecido pelo grande público, apesar de sermos ativistas diretos na questão da proteção ao meio ambiente.

– Sei. Vocês são os tipos de caras que se amarram em árvores que serão cortadas, que barram petroleiros com botes infláveis e que deitam na frente de tratores com cartazes de protesto. – disse Anderson, que vira e mexe via gente desse tipo nos noticiários. Nesse momento, Chris entrou pela porta da cozinha.

– Não bem desse tipo, Anderson. Somos mais... furtivos. Por isso é que precisamos de sua ajuda. Nós vamos invadir uma empresa que está causando transtornos à natureza e coisa e tal.

– Invadir? Tipo assaltar?

– Não, assaltar não! – respondeu a vozinha aguda de José, agora de pé sobre uma das cadeiras da cozinha – Mesmo porque o que vamos tomar deles nos pertence. Logo, não é um roubo...

– ...apesar de que precisamos estar dentro de um cofre... – emendou o velho do cachimbo.

– ...e é aí que você entra – finalizou Elis.

– Opa, peraí! – sobressaltou-se o garoto, as mãos estendidas à frente – Vocês me chamaram pra quebrar uma senha? Pessoal, eu não manjo tanto assim! Eu sabia que vocês iriam me confundir com um hacker... Além disso, vocês precisam de um *cracker*, e um *black hat* ainda por cima, que aceite quebrar a senha de um cofre. Eu sou só um cara que curte uns jogos online, nem sou muito nerd, até tenho uma pequena vida social! Não manjo de quebra de sigilos, nem saberia por onde começar a *crackear* um código...

– Alguém pode fazer com que ele cale a boca e me escute primeiro? – rosnou o Patrão, e Elis colocou a mão na nuca de Anderson com delicadeza.

– Fica quietinho só um pouco, meu bem.

– Ok, claro! – disse Anderson, feliz.

O Patrão falou por um bom tempo, sem interrupções. Explicou ao garoto que graças a um contato dentro da empresa que seria invadida, eles sabiam o dia e a hora exata em que o cofre seria aberto para um procedimento interno de segurança. No momento em que toda a parte *física* da ação estivesse sendo realizada, Anderson aproveitaria para ir até a sala de controle operacional do lugar e faria alguma coisa que bagunçasse a comunicação do sistema da empresa, causando o maior prejuízo possível aos invadidos.

– Isso ainda me parece um assalto – observou Anderson.

– Pense o que quiser. – disse o Patrão, demonstrando insatisfação com a presença do garoto.

– Ok, e eu penso que não estou a fim de ser preso por invasão de propriedade, ou por ajudar vocês a roubarem algo. Vai que eu acabo virando o bode expiatório de vocês, tomo um tiro, sei lá...

–Seguindo à risca as nossas orientações, você não correrá nenhum tipo de perigo. Isso é, se um simples garoto como você for capaz de fazer a artimanha que trave o sistema de informática da empresa...

A descrença no tom de voz do velho mexeu com algo dentro de Anderson. Lá estava ele, mais uma vez com a bola de futebol na mão, pronto para chutá-la de volta para o pessoal da quadra. Mais por teimosia do que por certeza de que daria conta do recado, ele disse:

– Eu consigo, vai ser moleza.

Chris deu tapinhas em suas costas, Elis parecia contente em ouvir aquilo e José desceu da cadeira com um salto ágil na direção do velho.

– Está vendo, Patrão? Eu disse que ele seria a pessoa certa!

O Patrão nada disse. Por sua vez, grudou os olhos brilhantes em Anderson, estudando-o.

– Agora vamos, Anderson – disse Chris, reparando que o menino sustentava o olhar de seu chefe – Vou te levar ao seu quarto.

– Eu acho que tenho o direito de fazer mais algumas perguntas – disse o garoto, sem deixar de encarar o Patrão – Tudo o que eu ouvi de vocês nesta cozinha não esclareceu nem um por cento de minhas dúvidas.

– Eu disse que ele fazia muitas perguntas – suspirou José ao velho.

– Pois bem – disse ele – Todas elas serão respondidas ao longo de sua curta permanência aqui. Mas se achar que não vai conseguir sobreviver sem respostas, ainda há tempo de *uma* pergunta. E que seja breve. Já é tarde, estou cansado e preciso me deitar.

Anderson fez uma recapitulação de todas as dúvidas que ainda martelavam em sua cabeça. Queria saber o que havia dentro do cofre, queria saber mais sobre a tal da empresa a ser invadida, queria saber *por que* um jogador de MMORPG havia sido escolhido para aquele tipo de atividade, queria saber mais sobre a Organização com O maiúsculo. Gostaria até de saber por que não fugia daquele lugar imediatamente, tendo em vista que teria problemas na certa, seja lá o que estivesse por trás das intenções daquelas pessoas. Mas esta última dúvida tinha a ver com ele próprio e somente com ele. Dizia a respeito de sua teimosia, de sua vocação nata em aceitar desafios sem ter a certeza de que daria conta.

Estava desistindo de passar aquelas questões a limpo, já que o homem se dispunha a responder apenas mais uma pergunta. Ele havia sido bem taxativo quanto a isso. Anderson iria deixar tudo para a manhã seguinte, quando suas ideias estariam mais arejadas... mas o início do papo na cozinha voltou-lhe à mente. Algo que o Patrão havia dito e o incomodou severamente logo no começo da conversa.

– Quem é Anselmo? – disparou, sem se lembrar de que a pergunta era repetida.

Desta vez, o Patrão não lhe deu sequer uma resposta evasiva. Sua testa enrugou-se, seus olhos se desviaram de Anderson. Por um momento, parecia à beira de lágrimas. E essas lágrimas poderiam ser tanto de dor quanto de raiva. Chris, Elis e José mostraram-se desconfortáveis com o silêncio que pairou após a interrogativa. E o velho fez apenas um gesto de mão, ignorando por completo a promessa de que responderia mais uma pergunta.

– Por hoje chega. Levem-no para o quarto de hóspedes, e amanhã providenciem o material de trabalho dele.

– Vamos – disse Elis, que conseguia dissuadir Anderson como se fosse através de mágica –, o Chris e o Zé vão mostrar onde você irá dormir...

Ainda estranhando o comportamento do Patrão, desde a sua infundada desconfiança à primeira vista até o seu inesperado modo de agir à menção do nome de Anselmo, o garoto deixou escapar uma olhadela automática por cima dos ombros antes de deixar a cozinha e viu o velho de pé em frente à pia, limpando o fumo do fornilho de seu cachimbo. No rápido vislumbre que teve do homem, Anderson reparou duas coisas muito curiosas: que ele se afeiçoava àquela figura ranzinza do Patrão, mesmo após a aparente hostilidade demonstrada; e que o velho não tinha uma das pernas.

< capítulo 6 >

ANDERSON SE ORGANIZA

O quarto de hóspedes ficava no primeiro andar do casarão. Chão de taco encerado, janela antiga feita de ripas de madeira, paredes com manchas amareladas. Era um cômodo grande, bem maior do que o seu quarto em Rastelinho. Na verdade, parecia espaçoso pelo fato de que não havia muitos móveis. Apenas a cama, um guarda-roupas de madeira, uma escrivaninha inclinada, dessas que parecem feitas para desenhistas, e duas caixas empilhadas próximas à porta. Tudo coberto por uma fina película de poeira, mas nada tão grave. Provocaria no máximo um leve acesso de espirros.

Anderson largou sua mochila ao pé da cama, descalçou os tênis e deitou-se com os braços cruzados atrás da cabeça. Encarou o teto por bons minutos antes de dar-se conta de que não estava com um pingo de sono. Sentia cada neurônio seu atento, eletrificado. Estava cheio de informações, dúvidas, desconfianças, medos. E ainda havia uma certa empolgação velada por trás de todos esses sentimentos.

Anderson já sabia do que se tratava, mas não queria admitir – estava excitado com a ideia de participar da invasão da empresa. Era algo tremendamente idiota de se fazer, perigoso, ele sabia. Mas sua vontade ansiava pelo dia do grande evento, em que ele deveria travar o sistema da tal empresa. Era como entrar em uma *dungeon* furtivamente para sabotar um ninho de aranhas gigantes. Uma missão em que participaria ao vivo, em carne e osso. Desta vez ele seria Anderson Coelho, e não Shadow de Asgorath.

Enquanto a empolgação tomava conta do garoto, o problema principal ficava em segundo plano: como ele travaria o sistema da empresa? Anderson não saberia criar uma simples página em HTML, quanto mais um vírus de computador. Sua teimosia o fez aceitar o desafio, por orgulho, para não dar ao Patrão a chance de que ele provasse estar certo a seu respeito.

Para começar a rascunhar um vírus, ou algum arquivo malicioso que pudesse plantar uma sementinha de caos no sistema da empresa – *aliás, que empresa seria aquela?* – ele poderia até começar pesquisando na internet. A web ensinava de tudo para quem soubesse procurar, desde como cozinhar sem receitas até como cuidar de um filhote de girafa. Mas a realidade é que não havia computador algum por ali, e ficava bem mais difícil de pensar daquela forma. Anderson teria pouco tempo para montar a sua estratégia, já que ficaria em São Paulo no máximo até o domingo, e precisaria começar a pensar imediatamente.

Desistiu do sono. Tinha levado três revistas em quadrinhos para a viagem, mas seria impossível prestar atenção em qualquer história agora que estava com todas as suas partes do cérebro pensando em informática. Levantou-se da cama e foi vasculhar o guarda-roupa. Alguns cobertores, lençóis e fronhas limpas, cabides... Nada que o ajudasse com um vírus. Então, as duas caixas empilhadas próximas à porta ganharam uma nova tonalidade. Para quem está sozinho em um quarto e totalmente sem sono, caixas fechadas se tornam vítimas da curiosidade na certa.

Usou a unha do polegar para rasgar a fita adesiva que lacrava a caixa de cima. Fez uma nota mental de que deveria aparar as garras. Se sua mãe visse sua mão naquele estado... Abriu a primeira caixa e quase abriu também um sorriso de alegria: fios e mais fios embolados, que a um rápido primeiro olhar pareciam de um notebook. Mas Anderson constatou que se tratava de um mouse, um teclado e um *tablet* para desenhos, típico de quem trabalha com a criação de ilustrações e animações.

A presença daqueles equipamentos o animou. Talvez a segunda caixa revelasse um monitor. Um gabinete. Um *notebook*. Um *netbook* que fosse! O polegar de Anderson voltou à ação, mas o conteúdo daquela caixa nada tinha a ver com informática.

Tinta nanquim, carvões de desenho, giz de cera. Pincéis sujos, bisnagas de tintas variadas, incluindo algumas fosforescentes... canetas marca-textos de todas as cores, tipos e tamanhos. Apesar de não ser o tipo de coisa que estava à procura, Anderson não ficou decepcionado com o achado. Todo aquele material de pintura era interessante. Ainda havia pequenas telas em branco e um caderno retangular fechado com um elástico. Sua capa era de imitação de couro e estava manchada com uma miríade de tinturas berrantes.

O garoto fez menção de pegar o caderno para examinar. De quem seriam todas aquelas coisas abarrotadas? Pareciam ter sido encaixotadas às pressas, de qualquer maneira... Seus dedos puxaram o elástico, mas um grito estridente fez Anderson devolver o caderno para a sua morada de papelão.

Com o coração palpitando de susto, imaginou que o barulho partira de algum lugar do corredor lá fora. Ou do quarto ao lado, quem sabe. Fora um grito irritado, esganiçado. Poderia pertencer a uma ave, mas não a uma tão pequena.

Após a interrupção, Anderson apurou os ouvidos. A casa não estava em total silêncio, afinal: música vinha de lá de baixo da sala. Temendo ser repreendido por ter mexido no que não devia, colocou as caixas de volta empilhadas e grudou a fita adesiva de qualquer jeito na fenda entre as duas abas. Então, abriu a porta e pôs a cabeça no corredor.

Mais quatro portas idênticas à sua, à direita. Outros quartos, de outros membros da Organização que conheceria no dia seguinte, conforme José lhe prometera. Após a última porta, dois lances de escada davam acesso ao segundo andar do casarão, onde haveria o restante dos cômodos. O barulho de ave não se repetiu, afinal. Apenas a música baixa que vinha do térreo.

Do patamar, Anderson viu Chris sentado no banquinho do piano de baú, tocando alguma coisa rápida e divertida que soava como música de saloon. O sinistro Patrão não estava por lá, nem Elis. Mas José estava em um dos sofás da sala, curtindo a música ao vivo e tomando alguma coisa em uma garrafinha de bolso.

Anderson teve a impressão de que Chris havia farejado o ar antes de perceber sua presença. O rapaz lhe atirou um sorriso, sem parar de tocar. O anão estava totalmente distraído, com as pernas esticadas em cima de uma almofada, e sobressaltou-se com a aproximação do garoto.

– Ah! Olá, garoto. Pensei que já estivesse dormindo... opa! – e guardou a garrafinha dentro do bolso do terno branco, como se não quisesse ser associado ao álcool.

– Eu que te acordei com o piano? – perguntou Chris, diminuindo o compasso da música até quase parar.

– Não, não. Tranquilo. É que costumo dormir tarde mesmo. A essa hora eu ainda estaria jogando na internet. Na verdade, eu também vim perguntar se não há algum computador aqui na casa que eu possa usar, para eu começar a criar alguma coisa para a missão...

– Ah, sim. Claro. Computadores.

A fala do baixinho estava amolecida, e um leve cheiro de cachaça chegava às narinas de Anderson. O garoto chegou a pensar que a pele do anão estava mais escura do que à tarde, como se ele tivesse se bronzeado. Mas talvez fosse a meia-luz da sala comunal.

– Quando eu falei com você, utilizei uma lan house ali na Avenida Brigadeiro. Mas amanhã de tarde iremos até a Rua Santa Ifigênia, que é uma espécie de santuário da tecnologia aqui em São Paulo. De qualquer maneira, precisaremos comprar os *prêmios de participação* que você astutamente citou na frente de seus pais. Eles vão estranhar se você voltar para casa de mãos abanando, e desconfiar que não existe nenhuma Copa de Matemática.

– Uai, você que chegou lá em casa com esse papo de Copa – riu Anderson, sentando no sofá de frente para o anão – Eu só dei um toque de realismo no seu plano.

– É, tá certo, *mea culpa*... Mas nós já íamos arranjar o equipamento necessário para que você trabalhasse na sua parte do plano. Amanhã você estará no paraíso das tecnobugigangas! Ahn... se importa se eu for buscar mais alguma coisa para bebericar na cozinha?

– Não mesmo. Vai fundo.

José saiu a passos curtos – o único tipo de passo que ele conseguia fazer – e Chris esperou que ele sumisse de vista para falar, sem parar de tocar.

– Nunca me acostumarei a ver o Zé bebendo. Vai sempre parecer errado, como uma criança enchendo a cara.

Anderson abafou o riso, mas Chris não viu problemas em gargalhar com a própria piada. Em seguida, o rapaz emendou outra música mais lenta no piano, uma melodia bonita e que causava um tremendo bem-estar.

– Ei, você toca bem pra caramba esse negócio!

– Valeu! Eu preciso de música pra me manter calmo. Costumo ficar irrequieto durante a noite. E você também é muito bom em games, pelo o que o Zé me disse. Vai ser bacana trabalhar contigo, Anderson. Você é um cara legal.

– Ah, valeu também. Pena que o seu Patrão não pareça achar isso...

– Relaxa, ele é assim mesmo, invocadão. Duvida de Deus e o mundo.

– Mas por quê? Tem algo a ver com a... Bem... – Anderson apontou para as próprias pernas.

– Com a perna perdida do Patrão? – Chris ergueu os ombros – Nunca se sabe. Ele sofreu um acidente quando era jovem e não gosta muito de comentar sobre isso nem comigo, que sou chegado do velho.

– Que tipo de acidente?

– Só sei que foi um acidente de trabalho. Nas palavras do Patrão.

Anderson imediatamente tomou consciência de todo o seu corpo, do sangue pulsando nas veias, dos ossos por detrás dos músculos. Como deveria ser difícil a vida sem uma perna! Sentiu-se ingrato com sua saúde por ficar tanto tempo sentado em frente a um computador e prometeu a si mesmo que faria algum exercício físico na manhã seguinte.

– E porque ele falou tanto no tal de Anselmo? Quem é esse cara?

Chris parou de tocar. Aparentou uma saudosa tristeza, e suas olheiras pareceram aprofundar-se em seu rosto.

– Era um amigo nosso. Trabalhou conosco por um bom tempo, também era fera no computador, mas era mais voltado pras artes. Desenhava, pintava, esculpia... Você iria gostar de conhecer ele.

"Então, as caixas em meu quarto pertenciam a ele...", deduziu Anderson. "Mas o que teria acontecido para todas as coisas dele ainda estarem por ali?", pensou.

Quando sentiu que poderia avançar mais no campo das resoluções das suas dúvidas, José voltava à sala, segurando uma garrafa de aguardente. Desta vez, Anderson teve a certeza de que o anão estava mais moreno do que quando o vira pela primeira vez, na cozinha de sua própria casa. E suas pernas se trançavam enquanto ele retomava o seu lugar no sofá.

– Do quê... *hic*... vocês tão falando?

– O Anderson perguntava sobre o Patrão. – disse Chris, desviando-se explicitamente (mais uma vez) do assunto Anselmo. Todas as faltas de respostas e comportamentos esquisitos daquele pessoal estavam começando a dar coceira em Anderson – Ele acha que o velho não gosta dele.

– Ah, garoto, nem se... *hic*... preocupe! O velho Saci é assim: ou confia em alguém, ou... *hic*... não confia... Porque não dá pra ele ficar com *um pé atrás*! *Hic*! Um pé atrás, sacou? Hahaha... Ele não pode... *hic*... porque só tem um! Hahaha...

– Saci? – perguntou Anderson, entortando as sobrancelhas e esquecendo-se de achar graça na piada de boteco de José. Chris apressou-se em explicar, lançando um rápido olhar cúmplice e irritado ao baixinho alcoolizado.

– Apelido do chefe. Só o chamamos assim pelas costas! Você sabe, negro retinto, uma perna só, adora um cachimbo...

– Sei...

Anderson olhou novamente para José, ou simplesmente Zé. Já se sentia com intimidade suficiente para chamá-lo daquela forma. Fingiu ter se desinteressado dos assuntos conversados e voltou a prestar atenção no piano de Chris, e este agora estava definitivamente incomodado com algo. Olhou várias vezes pela fresta da cortina, janela afora, parecendo temer um ataque aéreo em plena noite paulistana. Ele se coçou algumas vezes na região do pescoço, e a música não parou mesmo assim.

De tanto escutar histórias de assombrações e de lendas populares durante o seu crescimento no interior de Minas, Anderson poderia facilmente começar a inventar teorias fantásticas sobre seus novos e estranhos amigos. Era a segunda vez no mesmo dia em que escutava um termo do folclore: Elis gracejando que estava grávida do *Boto* (claaaro...) e o Patrão, comparado com um *Saci*.

– Muito estranho – murmurou consigo mesmo.

"Não, não é muito estranho!", protestou o cérebro de Anderson, gritando em seus pensamentos. "Sabe o que é muito estranho? Você, Anderson Coelho. Você é estranho! Viu um cachorro em um terreno baldio e agora quer me fazer acreditar que vi um urso. Um urso soltando centelhas azuis!"

Anderson tinha até se esquecido do episódio do urso de focinho despelado. Melhor parar com aquelas ideias. Estava ficando biruta, começando pelo fato de ver coisas que não existiam. Certamente, ele havia visto um cachorro no terreno. Um cachorro do mato.

Mas e as centelhas? As chispas elétricas?

"Reflexo do sol, ilusão de ótica! Sei lá, qualquer coisa!", gritou o cérebro mais uma vez. E Anderson engoliu a sua própria desculpa com facilidade. Às vezes as pessoas só precisam ouvir algo que desejam escutar. Mesmo que esse algo seja dito por elas próprias.

Anderson sonhou com um urso gestante de uma perna só tocando piano e soltando faíscas azuis. Um pequeno apanhado de seus últimos dias transformados em um delírio louco e perturbador.

Enquanto observava o animal perneta e grávido – ele cantava enquanto tocava *New York, New York!*, com a voz do Bob Esponja – Anderson sentia alguma coisa em sua testa, como se fossem cutucadas, beliscões. O urso já tinha mudado de número, apresentando agora uma versão para piano de *O Meu Sangue Ferve Por Você*, e o garoto começou a ter a leve sensação de que estava sonhando. Tomou consciência de que seu corpo verdadeiro dormia em algum lugar lá fora, e desejou despertar.

As beliscadas em sua fronte continuavam mesmo depois que seus olhos começaram a se abrir. A luz o ofuscou por um instante e em seguida deparou-se com duas esferas negras circuladas de amarelo sobre um fundo azul.

Quando iria finalmente se perguntar sobre o que seriam aquelas coisas – e porque diabos aquele cutucar em sua testa não parava – Anderson considerou a hipótese de que as duas esferas seriam olhos.

E levantou-se de uma vez só, gritando.

– AAAAAAH!

– Aaaaaaahr! – fez a coisa que estava de pé sobre o seu peito, imediatamente saltando para longe e parando de bicar sua testa.

Anderson olhou para cima e para os lados, alarmado, com a estranha sensação de não saber onde havia acordado. Aquele não era seu quarto. Sempre que ele viajava com os pais isso acontecia, e ele precisava de alguns segundos para recompor-se e ir aos poucos lembrando que havia dormido em outro lugar.

Esfregando um dos olhos com os nós dos dedos e sentando-se, percebeu que estava na sala comunal do casarão, que passara a madrugada no sofá e que a coisa que o despertara se tratava de uma bela arara azul, agora pousada no chão de taco, observando-o curiosamente com a cabeça inclinada.

– Olá – disse a ave, com uma voz que não soava nem um pouco como uma taquara rachada. Era grave, moderada e até educada – Que bom que você acordou, seu molenga. É hora do café!

– Uau! – Anderson colocou-se de pé, piscando rapidamente – Que demais, você fala que nem gente e aprendeu até a dar bom dia! Foi você que gritou ontem à noite, não foi? Vem aqui, bichinho, vem...

A ave não saiu do lugar. Apenas o encarou. Passos rápidos vieram da escada, fazendo o bicho virar o pescoço na direção da garota que vinha ao seu encontro.

Anderson cutucou os cantos dos olhos para certificar-se de que eles não estivessem remelentos. A menina, que deveria estar na mesma faixa etária que o mineiro, se aproximou dele e da arara, sorridente. Tinha olhos verdes, realçados pelo seu rosto claro e emoldurado pelos cabelos escuros de corte modernoso – quase curtos atrás, com duas mechas grandes colocadas para trás das orelhas. Talvez fosse da mesma estatura de Anderson, que não era muito alto para um garoto de doze anos. Ela usava uma calça jeans com um rasgo no joelho direito, camiseta branca e um colete marrom repleto de bolsos.

– Ah, aí está você, Kuara! Já está batendo um papo com nosso hóspede?

– Não exatamente. – o tom de voz do animal era o de um mordomo inglês – Ele está me tratando como um papagaio bebê em fase de memorização.

– Nossa, demais! – exclamou Anderson, estupefato com a demonstração – Foi você quem ensinou ela a decorar essas frases?

Se isso não o fizesse parecer louco, Anderson diria que a ave tinha revirado os olhos antes de sair gingando para trás de sua dona.

– Bom, não é ela... é ele – corrigiu a garota, enquanto o pássaro meneava a cabeça – É uma arara azul macho. E ele é, hum... muito esperto. Aprende fácil, trechos de diálogos inteiros! Uma vez ele decorou uma fala inteira do Star Wars.

– Mentira! – ralhou o bicho – Eu sei *todas* as falas da trilogia original. Agora estou decorando as falas de Matrix. Gosto particularmente dos diálogos filosóficos entre o Laurence Fishburne e o Keanu Reeves.

Anderson não teve outra escolha senão aplaudir. Que adestramento incrível aquela arara havia recebido! A garota deveria fazer aquela piada – combinada e sincronizada com perfeição – para todas as pessoas que conheciam o seu animal.

– Incrível, mesmo!

– É, é. Incrível. E exibido também, isso sim – a menina lançou um olhar de censura à arara.

– O nome dele é Kuara, você disse? – perguntou Anderson, realmente interessado naquele exemplar. Já ouvira falar que a arara azul estava em extinção, mas ignorou o fato da garota ter uma, provavelmente sem autorização do IBAMA.

– Isso. É a *arara Kuara*. Araraquara, a cidade. Entendeu o trocadilho? Haha... A propósito, o meu nome é Valentina – ela estendeu a mão e Anderson pôde perceber que a menina usava aparelho com pecinhas cor-de-rosa, que deixavam o seu sorriso interessante – Mas a maioria do pessoal me chama de Tina. Prazer! E você é o Anderson?

– Sim, sim. Então já falaram de mim?

– Já, muitas vezes – disse Valentina, ou Tina, batendo no ombro e sinalizando para que Kuara pousasse ali – Você estava sendo esperado, o Chris disse que você vai prestar um favorzão pra Organização.

Aquilo fez o estômago de Anderson revirar. Não sabia se era pela sua costumeira fome matinal ou se pelo lembrete de que ele tinha apenas alguns dias para se transformar em um hacker.

– Ah, é... Vou sim.

– Que ótimo! Bom, o José disse que você vai precisar sair à tarde, e me encarregou de apresentá-lo aos nossos membros na parte da manhã. Depois, vai passar um tempinho com o Olavo, que você já deve ter conhecido.

Anderson pareceu animado, pois se lembrou da promessa que o rapaz havia feito, de deixá-lo atirar com arco. Antes que dissesse qualquer coisa em concordância, seu estômago roncou alto. Tina sorriu, fazendo um cafuné no bico curvo de Kuara.

– Ah, sim. Vou apresentá-lo aos nossos membros *durante* o café da manhã!

O café era servido na mesma mesa longa em que Anderson havia conversado com o Patrão na noite anterior. Havia apenas cinco crianças de diferentes idades sentadas por lá, e quatro delas levantaram os olhos quando Tina chegou com o hóspede em seu encalço. A que continuou tomando seu copo de leite tinha cabelos espetados e sobrancelhas tão franzidas que quase se encontravam sobre os olhos. Pedro.

– Hum, parece que a maioria já saiu para as coletas – disse Valentina, pegando uma torrada da mesa e colocando-a no bico de Kuara – Ô pessoal, esse aqui é o Anderson! Ele vai morar aqui por uns dias.

As crianças – todas vestindo coletes marrons como os de Tina – acenaram para o mineiro, que retribuiu com sorrisos. Uma delas bebeu todo o leite em um único gole e saiu da mesa como se todos a sua volta fossem invisíveis.

– Pedro, diga *oi* para nosso convidado – disse Tina, com calma. Já deveria estar acostumada com as atitudes do garoto – Por favor.

O garoto virou-se lentamente e encarou Anderson, o copo vazio manchado de leite em sua mão.

– Já conheço o riquinho. Infelizmente.

E saiu da cozinha por uma porta nos fundos, que provavelmente dava em um quintal.

– Eu acho que odeio esse cara – disse Anderson, mais para si mesmo do que para Tina. Mesmo assim, ela deu tapinhas em suas costas.

– Bom, o Pedrinho é uma figura complicada. Mas não esquenta, senta aí e toma um café.

Servindo-se de leite morno e de uma mexerica, Anderson não conseguia afastar de seu pensamento o despeito que Pedro demonstrara abertamente.

– Eu não sei por que ele é assim comigo – disse, enquanto Valentina se acomodava ao seu lado na mesa e a arara voava para a sala – Ele só me deu pedrada desde o momento em que subi na van. Qual é a dele?

– Nem todo órfão supera o fato de ter sido abandonado no mundo – disse a garota – A amargura é uma reação normal nas pessoas. O Patrão me disse isso quando entrei aqui e posso garantir que é verdade.

– Quer dizer que todos aqui são órfãos? – espantou-se Anderson, dando uma boa olhada nas crianças que ainda estavam na mesa. Elas estavam entretidas em uma conversa sobre o plantio de samambaias – Vocês são o quê, então? Uma ONG ou um orfanato?

– Pense na Organização como um grupo de pessoas dispostas a fazer a diferença no mundo. A dar consciência a jovens que cresceriam nas ruas e na marginalidade, e dispostas a despertar o que há de melhor em pessoas que estão a cada dia se tornando mais *robóticas*.

Anderson até parou de mastigar sua fruta. Estava impressionado com a forma dinâmica e objetiva que Valentina discursava. Não era à toa que a apresentação do lugar ficava por conta dela.

– O nosso nome, Organização – continuou ela – é uma brincadeira com o significado dessa palavra. Estamos aqui para *organizar*, no sentido de arrumar e também de tornar as pessoas cada vez mais *orgânicas*, cada vez menos sintéticas e artificiais. Em comunhão com a natureza, sabe?

– Que joia! – exclamou Anderson, apesar de ainda não saber muito bem de que forma ocorreria a *organização* das coisas – Você comentou sobre coleta lá na sala. A Organização arrecada dinheiro nas ruas para seus objetivos e tal?

– Não. O Patrão, que inclusive fundou a Organização, não nos deixa nos envolver muito com dinheiro. Na verdade, nada aqui é feito através de dinheiro. Esse café que você está tomando, a mexerica que você está comendo, tudo chegou à mesa através de nossos recursos. Graças às plantações e cultivos em nosso quintal, graças às trocas realizadas com outros grupos e comunidades, e graças à Márcia.

– Márcia? O que ela faz? Eu não me lembro de tê-la conhecido ainda.

– Você se lembraria. Márcia é uma vaca.

Anderson arregalou os olhos.

– É, vocês devem ser bem amigas...

– Ah, não... – a menina ruborizou e passou a mão pelas mexas compridas do cabelo – Não é isso o que você está pensando! Ela é uma vaca *mesmo*, que faz *muuu* e tudo. Ela fornece o leite que bebemos, mas sem pressão nossa, sem qualquer tipo de ordenha por bombas de sucção ou qualquer outra porcaria industrial. A Márcia faz parte de nossa família, a tratamos com carinho.

– Você gosta de animais. A vaca, aquela arara incrível...

– É a minha especialidade! – obviamente, Anderson tocara no assunto de maior apreço de Tina – Um dia quero ser perita em animais fantásticos, já falei pro Patrão!

– Animais fantásticos – Anderson repetiu, saboreando as duas palavras – Tipo unicórnios, dragões? Haha...

A garota corou mais uma vez. Por ser tão branquinha, era fácil fazer o sangue irrigar sua face.

– Ah, digo fantásticos por que, hum... todos animais são *incríveis*, não são..?

– Claro que são. – respondeu Anderson, que apesar de só ter uns peixes em sua casa, gostava muito de bichos – Mas, então, a coleta que você ia me explicar, se trata do quê? Dinheiro não é, então...

– Acho que não vale a pena eu perder tempo explicando algo que você só vai entender *vendo* – disse Tina – Mais tarde, quando os mais velhos forem te levar na Santa Ifigênia, nós iremos juntos na van para uma coleta no centro. Lá você entenderá. E talvez você comece a compreender que *tudo* por aqui é meio fora do convencional.

"Ok", pensou Anderson, suspirando. "Mais uma explicação deixada para depois". E então aproveitou a ocasião para ir colocando os pingos nos *is*.

– Mas e você, Tina? Como você veio parar aqui? Seus pais, eles te deixaram..? Digo, me desculpe se estiver sendo babaca em perguntar...

– Não está sendo mesmo, Anderson. Não se preocupe! Meus pais, bem... faleceram após um surto de dengue, aqui na cidade mesmo. Eu tinha apenas cinco anos. Lembro de pouca coisa deles e da casa em que morávamos. Como meus parentes mais distantes são do extremo sul e nenhum deles era chegado nos meus pais, eu acabei em uma creche do governo. Fui maltratada lá por um tempo por outras crianças, até o dia em que o Patrão me tirou de lá. – ela olhava para o copo de leite à frente de Anderson, totalmente imersa em suas lembranças – Acho que foi um dos dias mais felizes de minha vida.

Anderson não queria imaginar como seria conviver com seus pais apenas até os cinco anos. Nada de pão de queijo de manhã para o resto de sua vida, nada de fins de semana em Serra Negra...

– Eu sei que é falta de educação perguntar isso pra meninas – começou Anderson – mas quantos anos você tem, Tina?

– Nunca entendi o porquê de isso ser considerado indiscreto! – riu Tina, voltando ao presente – Tenho treze. E você?

– Doze. – respondeu Anderson, inconscientemente intimidado pela mínima diferença de idade entre ele e a garota. Bobeiras que a vida na escola causa: pensar que alguém da sétima série é melhor que alguém da sexta – Faço treze no fim do ano. Mas e o Pedro? Ele deve ter mais ou menos a nossa idade...

– O Pedrinho tem onze anos, se não me engano – disse Tina – Está aqui há menos de dois. A mãe era uma bêbada inveterada e o pai não era muito melhor: perdeu todas as economias da família em corridas de cavalo. Foi preso e a esposa não aguentou a pressão de ser mãe solteira. Na hora de decidir entre o álcool e o filho.... Bom, sabemos qual foi a escolha dela...

– Que droga... Mas o que não entra em minha cabeça é que você também não tem pais e é atenciosa, educada... E o Pedro parece querer fazer eu me sentir mal pelo fato de eu ainda ter uma família! Sem contar que ele fica me chamando de burguês, riquinho...

– Depois que Pedro foi abandonado – explicou Tina – ele morou por alguns meses na rua. Aprendeu a duras lições como funciona a vida lá fora, onde não existem cobertores, travesseiros ou mesmo paredes durante o seu sono. Chegou a cometer alguns pequenos delitos, a bater carteiras e a roubar frutas de feiras. Perto da coisinha selvagem que ele era quando o Patrão o trouxe aqui para dentro, eu diria que agora ele é quase um monge zen-budista.

As quatro crianças que tomavam o café se levantaram da mesa, pedindo licença a Anderson e à garota. Depois, foram lavar na pia as xícaras e talheres que haviam usado. Tina continuou a falar sobre Pedro.

– Aqui dentro existem muitas regras de boa convivência que o Patrão criou, visando o bem-estar de todos. Quem suja, limpa. Quem ajuda, é ajudado. Ninguém tem privilégios maiores do que ninguém, e não é permitido a nenhuma das crianças que elas tenham suas próprias televisões ou computadores. Elas devem aprender a compartilhar essas coisas com os outros moradores daqui do Casarão. Se alguém achar que precisa de alguma coisa, todos se juntam e decidem se é necessário comprá-la. Mas elas podem ter seus próprios livros.

– Caramba, é quase como uma ditadura...

– Não, longe disso! É apenas uma forma de evitarmos o consumismo. Apesar do jeitão do Patrão, ele só quer o nosso bem. Ele diz que quando atingirmos a idade em que pudermos trabalhar, nós poderemos comprar o que bem entendermos, se assim continuarmos sentindo necessidade, pois aí seremos responsáveis por nossos atos. Mas ele alega que, durante a fase de crescimento, todos nós devemos aprender os valores da amizade, do compartilhamento, da arte... E não sairmos por aí torrando nossos recursos simplesmente por necessidades egoístas. Por exemplo, temos uma excelente biblioteca aqui dentro. Nós conquistamos o direito de assistir televisão na sala comunal se lermos ao menos dez páginas de um livro por dia. Ele diz que a informação que a mídia nos passa é distorcida e que devemos assistir apenas o suficiente para tirarmos as nossas conclusões, sem sermos influenciados. Por isso, precisamos ler mais livros do que assistir tevê. E o

Patrão é duro na queda nesse quesito, chama cada um de nós para ver se aprendemos alguma coisa com a leitura, se realmente entendemos a mensagem passada pelo autor...

Anderson imaginou que a vida das crianças efetivas da Organização deveria ser um verdadeiro inferno. Livros! Não têm imagens, não têm som. Imaginou como seria se o seu pai o obrigasse a ler dez páginas todos os dias para que pudesse jogar Battle of Asgorath? Se ao menos fossem dez páginas de quadrinhos ou de um livro à sua escolha, cheio de ilustrações e com letras grandes...

E de repente, a ficha de Anderson caiu. Era *por isso* que Pedro o odiava. Ele tinha o direito de fazer o que bem entendesse, as regras da Organização não se aplicavam a ele. Foi chamado para uma missão simplesmente porque era bom em um jogo de computador, tipo de coisa à qual Pedro não deveria ter acesso. Anderson estava de visita, prestando um serviço, não precisaria se adaptar à rotina dos membros do casarão. Além disso, Pedro havia testemunhado pela janela da van todo o carinho que os Coelhos deram ao filho em sua despedida.

Tentou colocar-se no lugar do ex-garoto de rua. Talvez ele também se enciumasse com a visita de alguém de vida boa nos seus domínios e tentasse se autoafirmar perante o intruso. Não imaginava como seria uma existência fora da filosofia *geek*, por mais que sua própria vida como Anderson Coelho não fosse tão *geek* assim. Mas jamais usaria aquele cabelo espetado com gel que o fazia ser confundido com um xaxim.

Terminaram o café na cozinha, sozinhos, e a garota começou a limpar a toalha que recobria a mesa. Anderson começou a levar a louça para ser lavada na pia, mas Tina proibiu-o, dizendo que ele era um hóspede e que não deveria se preocupar com as tarefas da Organização. Ele rebateu, dizendo que estava acostumado a lavar louça e tirar pó das estantes, mas a garota foi taxativa em seu não.

Depois, ela o convidou para um *tour* pelas dependências da Organização. O casarão era bem maior do que ele imaginava, antigamente deveria ter sido alguma fábrica de tecelagem ou a morada de alguma numerosa família italiana. Tina mostrou onde os outros dormitórios ficavam e explicou que cada membro dividia o quarto com outros dois, no máximo. Os mais velhos tinham seus próprios quartos, assim como Chris, Zé e o Patrão. Elis dividia o quarto com o seu noivo, que estava viajando no momento.

– Engraçado – disse Anderson, enquanto desciam as escadas do terceiro andar – Quando conheci a Elis, ela me disse que estava grávida do Boto. É o apelido do cara?

– Hããã... acho que você entendeu errado. Ela deve ter dito *Beto*. O nome dele é Roberto, ele já está fora da casa há alguns dias. Viagem de negócios.

A informação atingiu Anderson como uma bexiga cheia de água. Ele tinha certeza que Elis havia dito que seu filho era do Boto. E agora, sob a luz da sensatez, *Beto* fazia muito mais sentido do que *Boto*. Reprimiu uma risada e a vontade de se chamar de idiota em voz alta.

– Eu acho que já te mostrei quase tudo daqui de dentro – disse Tina, conduzindo Anderson novamente até a cozinha – Do pessoal mais velho, só falta você conhecer o Olavo, eu acho.

Anderson lembrou-se da conversa da noite anterior com Chris e Zé, e lembrou-se da parte em que havia perguntado sobre Anselmo. A resposta que recebera não havia sido tão satisfatória e então o garoto fez a sua melhor expressão despreocupada e deu uma de joão sem braço:

– E o tal de Anselmo? Todo mundo fala dele. O Chris disse que eu iria gostar de conhecê-lo!

Tina passou os dedos pelos botões de seu colete, seu rosto indecifrável.

– Eu posso te apresentar o Anselmo.

Uma grande interrogação pairou sobre Anderson. Do jeito que o Patrão e Chris haviam falado de Anselmo, ele tivera a impressão de que ele havia deixado a Organização.

– Ele está aqui perto, então?

Tina abanou a cabeça em sinal positivo.

"Em instantes, mais uma pergunta respondida! Não mude de canal!", comemorou Anderson no interior de seu crânio, seguindo sua guia até o quintal nos fundos do casarão.

Saíram para o agradável sol matinal na parte de trás da casa. O quintal era realmente espaçoso, quase setenta metros, e tinha até mudanças de relevo. Não era possível enxergar o fundo dele com todas aquelas árvores na frente. Tina explicou que, antes das casas antigas do Bixiga serem tombadas pela prefeitura, o antigo proprietário do casarão havia comprado a construção que tinha o muro colado nos fundos do QG da Organização.

– O ex-dono derrubou a casa que ficava virada para a rua de trás, mas não chegou a construir nada depois – disse Tina, com sua eloquência de guia de museu – Quando o Patrão chegou aqui com os planos da Organização, decidiu que todo o espaço poderia servir como plantio. E assim ele fez essas hortinhas de alface e agrião, o pomar, o curral da Márcia e o celeiro das galinhas.

– *Virgi*! E quem tem a coragem de matar as coitadas na hora de fazer um frango assado?

– Ninguém tem. E mesmo que tivéssemos, não poderíamos – explicou a garota – Aqui, a única carne que comemos é a de soja. As galinhas nos fornecem ovos. Eu não conseguiria comer aquelas coisinhas tão bonitinhas.

Anderson deu uma risada um pouco forçada. Galinhas podiam ser engraçadas, mas *bonitinhas*? A cara delas o fazia se lembrar de sua professora de Ciências, a dona Fátima, com aquela papada debaixo do queixo.

Após um rápido *oi* para as galinhas, Tina o levou para conhecer Márcia, a pacata bovina malhada que ostentava um clássico sino no pescoço, e mostrou a parte do quintal onde os membros separavam o lixo reciclável. Duas meninas bonitas sorriram para o visitante enquanto esvaziavam um saco dentro de um compactador de lixo. Grande parte das necessidades das crianças, como roupas e calçados, eram compradas com o dinheiro de latinhas de alumínio e garrafas que moradores e restaurantes italianos da região entregavam na Organização.

Em seguida, caminharam pomar adentro. O garoto não sabia o que mais haveria lá para perto do muro dos fundos que merecesse uma visita. Tina parou a certa altura, apontando um limoeiro. Anderson viu algo retangular que brilhava no chão com os raios de sol que se infiltravam pelas copas das árvores, próximo à base do tronco.

Chegando mais perto, inundado pelo cheiro cítrico da árvore, reparou que se tratava de uma placa dourada. Com uma inscrição em bonitas letras rebuscadas.

ANSELMO FERRO JÚNIOR
1993-2010
"A arte era sua amiga
e um dia lhe ensinou
a arte de ser inesquecível
para os amigos"

Anderson lia e relia a placa memorial. Tina se aproximou, em silêncio, e parou ao seu lado.

– Eu... não sabia que você iria me mostrar isso agora.

Tina fungou em resposta.

– Imaginei que ele tivesse morrido quando o Patrão falou sobre ele, e pela cara que o Chris fez quando eu perguntei a respeito... Mas depois você disse que ele estaria aqui...

– Ele está aqui. – disse Tina, a voz embargada – Para sempre estará. Anselmo não gostaria que suas cinzas estivessem em lugar algum a não ser a Organização. Ele amava esta casa, e nós o amávamos.

Anderson tocou o ombro da menina, solidário. Observou as costas da própria mão escura, próxima ao contorno delicado do pescoço branco de Valentina. Viu uma lágrima descendo pela bochecha dela, iluminando-se brevemente com um lampejo do sol. Queria dizer algo bonito, alguma palavra gentil, mas Anderson era péssimo em consolar amigos. Nunca perdera alguém próximo, nunca havia ido sequer a um funeral, a uma missa de sétimo dia. A pessoa mais próxima a ele que já tinha morrido havia sido Shadow, quando Anderson ainda era um *noobie* nível 15 e havia arriscado seu avatar dentro de uma *dungeon* perigosa. Limitou-se a tentar quebrar o silêncio que jogava pás de melancolia na garota a cada segundo que ela continuava olhando para a placa dourada.

– As coisas dele estão no meu quarto... Eu vi o material de pintura dele... Ele fazia o que na Organização?

Tina enxugou as lágrimas com o antebraço. Anderson percebeu que ainda segurava o ombro da garota, e retirou a mão depressa.

– Ele... era nosso *expert* em informática. Era a força criativa em nossas missões. Ele era... – Tina pigarreou, e quando voltou a falar estava novamente firme e comunicativa – Ele era o cara que fazia o que você está prestes a fazer. Foi descoberto pelos vídeos de animação que ele postava no YouTube, e chamado para fazer um serviço. Aí ele fez outro, e mais outro, e acabou ficando por aqui. Era querido por todos, e o meu melhor amigo. Não só meu. Do Olavo também. Até o Pedro gostava dele! Chego a pensar que ele ficou mais briguento após a morte do Anselmo.

Anderson sentiu um aperto nas entranhas. Ele estava ocupando o quarto de um morto. Estava ocupando um cargo, mesmo que temporário, de um morto. Aquilo era sinistro, e lhe dava calafrios. Imediatamente após o pensamento, censurou-se pela forma insensível com que pensou no rapaz, e dirigiu um olhar de *desculpas* para a placa dourada.

– Ele morreu do quê? – perguntou, logo em seguida preferindo ter feito a pergunta de maneira diferente. "Como ele se foi?", por exemplo.

– Nós... não sabemos.

– Como assim?

– Ele foi encontrado no quarto, a respiração falhando. Tentou escrever algo em uma folha, mas a caneta não pegou. Eu, Pedro, Chris e o Olavo chegamos bem na hora em que ele tinha um ataque, se debatendo no chão e agarrando o próprio peito. Não sabíamos se era o coração ou se eram os pulmões... ele não podia falar. O Olavo até tentou levantá-lo, desesperado, para ver se ele voltava ao normal, mas o Anselmo apenas apertou o braço dele e... – ela meneou a cabeça, de leve – ...e apagou. Ele era tão saudável que ainda acho tudo muito estranho...

– Nenhum legista disse nada a respeito? Sei lá, não teve autópsia, ou aquelas coisas de CSI?

– Não. Anselmo morreu aqui, aqui foi cremado, e aqui fizemos suas homenagens póstumas – disse Tina, sombria – Ele tinha problemas particulares com a sua vida fora da Organização, que inclusive o levaram a fugir de casa e ficar conosco definitivamente. Não pudemos levar o corpo dele a lugar algum.

Anderson sentia-se deprimido e com uma estranha sensação de proximidade em relação a Anselmo. Havia apenas compartilhado memórias através da boca de uma garota e sequer poderia imaginar como seria a aparência dele. Mas uma ligação entre os dois passara a existir. Estaria ele repetindo os passos de seu antecessor? Se apegando ao grupo, se identificando com a missão que lhe havia sido incumbida... Não. Ainda era muito cedo para dizer qualquer coisa sobre seus sentimentos e sobre a sua relação com a Organização. Até aquele momento, Anderson estava lá para fazer um único trabalho, pegar o seu pagamento – ou prêmio de participação – e voltar o mais rápido para sua casa. E consequentemente, para Asgorath.

Deu as costas para a placa e desviou o rosto do olhar de Valentina, irritado com o seu súbito conflito interno. Não pôde deixar de se sentir aliviado por se lembrar de que, longe dali, os seus pais estavam bem e o receberiam ao término daquela loucura.

– Levante o queixo, estique o braço esquerdo... Isso. Força, nas primeiras vezes você sente a corda resistindo, mas logo você acostuma! Os dedos vêm até a bochecha, no canto da boca. Visualize o alvo. Não, fique com os dois olhos abertos. Quando sentir-se firme, solte a corda... Boa! – Olavo deu um soquinho amigável no braço de Anderson, que buscava a aprovação do instrutor de arco – Agora, acho que você pode começar a atirar com uma flecha.

Foram quase vinte minutos apenas com exercícios de visualização. Foco no alvo! Esqueça a distância entre ele e você! Sua visão está na ponta da seta! Vinte minutos atirando flechas imaginárias do outro lado do porão.

E que porão! O pé-direito era baixo, mas o ar circulava por lá com facilidade. Havia respiradouros por todo o recinto e a iluminação não era nada má – a casa toda era alimentada por placas de energia solar, portanto não havia problema algum em lâmpadas acesas durante o dia, disse Tina, isentando-se de qualquer acusação antecipada de Anderson quanto a gastos desnecessários de luz.

A biblioteca também ficava lá, sob o piso da sala. Às costas de onde os atiradores permaneciam de pé, onde havia quatro confortáveis pufes e grandes prateleiras repletas de livros. As estantes embutidas nas paredes percorriam todo o porão, inclusive a região que ficava atrás dos suportes que seguravam os alvos a serem atingidos. Era comum que os livros que ficassem por ali ostentassem perfurações resultadas de arqueiros inexperientes.

Havia cinco raias para tiro, separadas por linhas desbotadas no piso do porão. Ao fim de cada raia, a cerca de quinze metros de distância, havia alvos circulares coloridos. Mais três membros de colete marrom praticavam disparos em silêncio, enquanto Tina observava esparramada em um pufe as lições básicas que Anderson recebia de Olavo, na última raia. Mais alguns garotos e garotas liam, alguns sentados e outros de pé mesmo, defronte às prateleiras.

– Vamos lá, aqui você encaixa essa fissura da flecha na corda – disse Olavo, afastando uma mecha lisa de cabelo que sempre lhe caía nos olhos – Indicador por cima, e mais dois dedos abaixo da flecha... Agora tencione a corda e puxe até o canto da boca, como você fez agora há pouco... e vai!

A flecha zuniu junto ao ouvido direito de Anderson e ele sorriu ao abaixar o arco. Aquilo era o mais próximo de Shadow de Asgorath que ele encarnara no mundo real! Ele estava lá, de posse de uma arma secular, ele havia puxado a corda! Ela voava por consequência de seu ato, de sua concentração, de seus dedos e de seus olhos.

O projétil cobriu o espaço vazio entre Anderson e o alvo em milésimos. A gravidade continuou agindo normalmente, como se nada houvesse acontecido. E por isso mesmo, na metade do caminho a flecha foi perdendo a força, e acabou espetando-se em uma das pernas do cavalete que segurava o alvo, trespassando a madeira.

– Para um primeiro tiro de verdade, não foi de todo ruim – disse Olavo, rindo com o canto da boca, enquanto algumas crianças não eram tão discretas e tratavam de gargalhar abertamente – Pelo menos você acertou alguma coisa. Se fosse uma batalha campal, o pajem da última fileira teria sido alvejado na canela.

A aula continuou ainda por alguns minutos, com tímida participação da parte de Anderson, até Chris descer as escadas do porão, saudando a todos.

– E aí, Olavo! Como esse carinha tá se saindo?

– Até que bem. Está começando a acertar a mão.

– Ah, podem falar a verdade – disse Anderson, não se sentindo mais tão élfico – Eu não me dei muito bem com o arco...

Olavo pediu o arco que o garoto segurava emprestado. Ele apanhou uma flecha na aljava que carregava em seu cinto. Mal a colocou na corda, seu corpo girou com rapidez e sua mão disparou a flecha a uma velocidade incrível. Sem tempo para mirar, sem posicionamento de pés.

A flecha se cravou no menor círculo interior do alvo. Na mosca. Anderson riu, exasperado.

– Como que eu posso ter ido bem? Você acertou em cheio sem fazer pontaria, e eu com todo o tempo do mundo acertei *no máximo* o círculo externo!

Olavo abaixou o arco e apontou para o alvo.

– Para conseguir fazer isso, eu passei por um longo aprendizado. Atiro desde pequeno, pratiquei esgrima e arco durante toda a minha infância e cada erro meu contribuiu para que essa flecha voasse deste jeito. Quando você tiver cravado a sua primeira "mosca", lembre-se de que os seus tiros tortos de hoje acertaram o alvo que deveriam.

Chris bateu palmas, animado.

– Ô louco, Olavo! Cada vez mais professor, com frases de efeito e tudo. Vai acompanhar a coleta de hoje?

– Vou, sim. Preciso só pegar o meu colete no quarto, nos encontramos na van.

Chris então pediu que Anderson e Tina fossem à frente e tirassem o carro da tomada. Ele já deveria estar carregado.

– Vamos levar o pessoal para fazer uma coleta no centro, perto de onde compraremos seu material de trabalho – explicou Chris, ajudando outros membros a guardarem os arcos e flechas soltas pelo lugar – O Zé já deve estar na van.

– Essa coleta que vocês dizem é de material reciclável? – perguntou Anderson, sentindo os braços exaustos pela repetição dos movimentos de esticar a corda.

– Você verá quando chegar lá – disse Tina, animada – Talvez até nos ajude.

Anderson ergueu os ombros e seguiu a garota até a garagem. Seria ótimo se a coleta se tratasse de algo diferente. Não estava nem um pouco a fim de recolher papelões e latinhas.

< capítulo 7 >

CROCODILA

A algazarra estava armada. Chris no volante, o som do carro ligado no último volume. Ao seu lado, Zé – que, definitivamente, estava com a pele mais clara que na noite anterior –, e Olavo na janela. Anderson se espremia entre Tina e um garoto gordinho e simpático chamado Reinaldo, que lia um mangá. Elis estava no banco de trás, com mais três crianças de colete, acompanhando-as nas risadas e no falatório. Vale a pena lembrar que uma delas não parecia estar se divertindo. Esse era Pedro.

Erguendo a voz acima da baderna e da música alta para conseguir ser ouvido por Tina, Anderson perguntou à garota sobre a história de Olavo, que estava entretido em uma conversa sobre futebol com Chris e Zé. Ela disse que não sabia muito, mesmo porque o rapaz era fechado demais. Mas pelo conhecimento geral, sabiam que ele vinha de uma família bem-nascida, que havia estudado em uma escola de período integral para milionários (foi aí que Anderson percebeu que esse era o termo comum da Organização para se referirem a crianças cuja infância havia sido passada ao lado da família e longe da sombra da miséria). Os pais e o irmão mais novo de Olavo haviam falecido em um acidente aéreo sobre o oceano, em uma viagem para o Japão, quando ele tinha apenas sete anos. A escola ainda se dispôs a mantê-lo em suas dependências por quanto tempo fosse necessário, mas um ano depois o menino fugiu através de um túnel engenhosamente cavado ao longo dos meses, por baixo dos muros do internato. Viveu apenas alguns meses na rua antes que o Patrão o recolhesse.

Anderson não fingia sua surpresa. Todo mundo ali tinha uma história incrível ou trágica, mas isso não seria de se estranhar dentro de um lugar onde só existiam órfãos. Mais uma vez, o rastelinhense sentia-se deslocado, como se não se sentisse merecedor da companhia daquelas pessoas. Elas não tinham pais, *games* e nem dinheiro e ainda assim se mostravam unidas. Uma grande família formada só por irmãos e talvez um avô ranzinza que fumava cachimbo.

Aproveitando o pensamento, Anderson questionou o fato do Patrão não estar por lá. Reinaldo lhe disse que o velho só deixava o casarão em casos extremos.

– É provável que ele vá no dia da missão da qual você vai participar. – completou Tina – Nessas situações mais drásticas, o Patrão sempre aparece.

Casos extremos, situações drásticas. Aquelas palavras não cheiravam bem, principalmente quando todas elas faziam parte de seu futuro próximo.

Já era quase uma da tarde quando o carro verde chegou ao centro da cidade, o que deixou Anderson intrigado. As estações Júlio Prestes e Luz eram cenários esplêndidos, não fossem pela sujeira nas ruas que as circundavam, e a bagunça de barracas e vendedores ambulantes. Era tanta coisa para se olhar que os olhos de um mineiro do interior não podiam dar conta de processar tantas informações.

A van estacionou na garagem de um hotel meia-boca que ficava na Avenida Duque de Caxias, esquina com a Rua Santa Ifigênia. Todo mundo desceu do carro e algumas crianças foram abordar diretamente os transeuntes que passavam na calçada. Como se fosse tática de guerrilha, cada uma delas pedindo a atenção de uma pessoa diferente

– Observe e aprenda – sorriu Tina, puxando Anderson pela mão. *O que eles estavam fazendo?*, perguntou-se, não entendendo muito bem o que estava prestes a testemunhar. *Pedindo dinheiro assim, na cara dura? E todo aquele papo de se manterem longe dos valores materiais?*

Valentina saltitou até um senhor que estava recostado a um poste, fumando um cigarro. Anderson estacou três passos atrás da garota e enfiou as mãos nos bolsos. Estava observando, mas não sabia o que iria aprender com aquilo.

– Oi, moço! Posso falar com o senhor rapidinho?

O homem olhou para baixo, soltando fumaça pelo nariz. Não parecia contente nem triste com a abordagem.

– Não tenho dinheiro, mocinha – e voltou a tragar.

– Não, não é isso – disse Valentina, o que fez o homem olhá-la mais uma vez e fez Anderson perguntar-se "Então é o quê?" – É que eu sou da Organização, um grupo que se preocupa com...

– Olha, escute... Valentina, certo? – disse ele, lendo o bóton verde com um símbolo da reciclagem estilizado no colete da menina – Eu sei, vocês devem ser alguma coisa ligada ao meio ambiente e não devem pegar dinheiro meu *agora*... mas vão me pedir um depósito mensal de quinze ou vinte contos para ajudar a manter a ONG. Ou coisa do tipo – soltou mais fumaça e a abanou da frente do rosto – Eu sei, já vi milhares de vocês pela cidade. Na Avenida Paulista, então... Só que eu não tenho dinheiro, ok? A situação tá difícil lá em casa com dois filhos pra criar, não posso abrir mão de um real que seja.

Valentina não alterou o sorriso em seu rosto por um segundo. Parecia até mais feliz após tomar o *não*. Anderson encarava a garota com as sobrancelhas franzidas.

– Não vim pedir dinheiro mesmo, moço. Só queria saber o que você vai fazer com esse cigarro aí, que já está bem pequenininho.

– Hã? – fez Anderson, sem perceber.

O homem olhou para Tina, parecendo perturbado e preocupado.

– Você tem o quê, doze, treze anos? E já fuma, minha filha?

– Não, não! Tenho rinite alérgica, nem que eu quisesse. Eu só queria saber onde você vai jogá-lo fora quando acabar.

– Ué, sei lá... aqui nessa poça, na rua...

– Ah, certo... Seria muito se eu pedir pro senhor apagar a brasa no poste, ou até no chão mesmo, mas jogar a bituca no lixo? – fez ela, olhando para o chão. Parando para prestar atenção, pensando no assunto, Anderson se espantou com o tanto de bitucas jogadas por lá. São Paulo era o maior cinzeiro do mundo.

– Hã... não, acho que não há problemas – disse o homem, esfregando a ponta do toco de cigarro na sola do sapato e jogando em uma lixeira. Estava realmente desconcertado.

– Muito obrigada, moço! – disse Tina, feliz da vida, puxando um bloco e uma caneta de um dos inúmeros bolsos de seu colete – Vou anotar que você já fez a sua contribuição pra Organização. Qual seu nome?

– É... Mário Custódio.

– Hum, certo. Anotado! Continue colaborando quando eu for embora, tá? Se quiser saber mais a nosso respeito, entre em nosso blog. Joga no Eco-4Planet e procura por Organização. Tchau!

Virou as costas e deixou o homem lá, perplexo e com um ligeiro sorriso no rosto.

– Vocês têm um blog? – foi a primeira coisa que Anderson perguntou quando ela voltou.

– Teremos, depois que você fizer um pra gente – ela disse sem olhá-lo, ainda anotando algo no papel – Agora vamos, escolhe alguma outra pessoa. Ali, aquela tiazinha tomando refri!

Anderson abanou a cabeça e sorriu, atravessando a rua na direção da mulher que segurava uma latinha de coca-cola. No final das contas, a Organização apenas coletava bons modos.

Até Pedro participava. Não conseguia muita simpatia das pessoas que ele interpelava, pois sua carinha emburrada não ajudava. Mas Elis e Olavo também participavam, anotando nomes em suas cadernetas e pedindo pequenos favores a desconhecidos. Existiam outras maneiras de se realizar a coleta, Anderson percebeu. Para quem não estava fumando nem comendo nada, Tina e os outros entregavam um saquinho de sementes e perguntavam se a pessoa poderia plantá-las em algum lugar. Poucas pessoas torciam o nariz e recusavam, desconfiadas da atitude incomum daqueles jovens. A grande maioria era amável e aceitava o presente, prometendo plantá-las em suas casas, jardins ou canteiros assim que possível. Todos eles ganhavam uma pequena anotação nos blocos dos membros, e um agradecimento tão espontâneo e verdadeiro que ninguém ia embora sem ao menos dar um sorriso. Zé era o que mais fazia os transeuntes rirem, com sua voz aguda e suas palhaçadas.

– Me desculpe, Tina – disse Anderson de supetão em certo momento.

– Pelo quê? – perguntou ela, preenchendo o nome de um senhor que acabara de recolher a bolinha de papel que havia largado no chão.

– Uai, sei lá... Eu pensei errado desse *trem* de coleta, achei que vocês iriam ficar esmolando por aí. Vejo que eu me enganei profundamente.

A menina sorriu.

– Tem muitas ONGs sérias por aí, que arrecadam dinheiro e fazem bom uso dele. O Greenpeace, a WWF, a Um Teto Para Meu País... e essas são só algumas delas! A diferença é que nós apenas fazemos outro caminho. Estamos *organizando*, lembra? Colocando consciência em algumas cabeças.

– O triste é que poucas dessas pessoas vão realmente parar de jogar lixo na rua. Muitas só fizeram porque foram *enquadradas* por vocês.

– Bem provável – disse uma voz às suas costas. Era Chris, chegando com um sorrisão sob as olheiras profundas, como se não tivesse dormido muito bem. De qualquer forma, se teve insônia, aquilo não parecia afetar seu humor – Mas se um terço delas tiver se sensibilizado, se tocado com o nosso trabalho, então significa que ele valeu a pena. Bom, vou roubar o Anderson de você um pouco, Tina. Vamos visitar umas lojas de computadores, arranjar o material de trabalho dele.

– Onde? – perguntou o garoto, enquanto Tina ia conversar com um pipoqueiro que despejava uma lata de óleo de cozinha no bueiro.

– Nesta rua mesmo, lá pra frente.

Anderson procurou uma placa com o nome do logradouro e a encontrou. Rua Santa Ifigênia.

– É muita loja num lugar só! – maravilhou-se Anderson, percorrendo o corredor apinhado de estandes e balcões. Sentia-se perdido em alguma parte do leste asiático, já que a grande maioria dos vendedores era oriental. Apesar de toda a estranheza da situação, o ambiente era-lhe familiar, acolhedor. Afinal, aquele lugar era um grande e subversivo shopping de informática e eletrônica ao ar livre.

Chris e Zé acompanhavam o garoto nas compras, enquanto o resto do pessoal continuava com a coleta nas ruas ao redor. Estavam parados em um balcão, montando uma CPU que proporcionasse agilidade ao trabalho de Anderson. Algumas peças eles compravam em outras lojas, onde a concorrência fazia um preço mais justo ou mais simpático. O disco rígido, o leitor de CD/DVD, as placas... tudo o que o garoto escolhia, Zé tratava de negociar com os vendedores, alegando que pagaria à vista. A estratégia funcionava, e logo o trio já tinha um gabinete sendo testado com um senhor coreano, que lhes pedira alguns minutos para instalar os pacotes de sistemas operacionais nas máquinas.

Durante o tempo de espera, Chris e Zé resolveram adiantar o lado da missão que conferiria todo o realismo para a família de Anderson: a compra dos prêmios de participação da Copa de Matemática.

– Ei, não precisam mais fazer isso – disse o mineiro, sentindo-se culpado por fazer a Organização gastar dinheiro com mimos para ele. Todas aquelas crianças vivendo em uma minissociedade, longe de influências capitalistas (os livros de história do Zeferina Risoleta sempre continham frases como essa), e ele ganhando uma fortuna em bugigangas, só para que o plano não tivesse falhas – Eu invento qualquer desculpa para os meus pais, sério!

Mas Zé estava irredutível.

– De jeito nenhum, continuaremos com o combinado! Não podemos correr o risco de seu pai ou sua mãe questionarem a sua viagem. Além disso, o seu trabalho precisará de um pagamento ao seu término, certo?

Anderson assentiu, tentando afastar o pensamento de que ainda não fazia a mínima ideia de como concretizar um vírus eficiente de computador. Esperava que algumas horas na internet, em seu quarto no casarão, lhe dessem alguma luz.

Enquanto Chris procurava pechinchar um *notebook* ponta de linha e um game portátil, Zé deixou que Anderson visitasse os estandes que ele desejasse, contanto que não se afastasse demais do grupo. O garoto ficou feliz com a notícia, já que quase na porta do estabelecimento havia um amontoado de pessoas testando um console que não precisava de *joystick*, com sensor de movimentos. Decidiu ir até lá e combinou com os dois que os encontraria em frente ao coreano que estava com o gabinete, em vinte minutos.

Havia uma fila para experimentar o jogo, que era um simulador de *snowboard*. Se não fosse pela grande tela de LCD em frente aos jogadores, eles estariam fazendo papel de bobos, com todos aqueles movimentos de pernas e cintura.

Enquanto aguardava a sua vez de *bancar o bobo*, Anderson assistiu o trecho de um noticiário em uma loja de televisores vizinha: algum político acusado de desvio de dinheiro público havia sumido de sua prisão domiciliar, saía a lista de convocados para amistosos da seleção, uma cidadezinha do Mato Grosso chamada Aripuanã estava assustada com um abalo sísmico de pequena escala ocorrido na noite anterior, Angelina Jolie e Brad Pitt adotavam mais uma criança. Nada de novo no mundo, tirando a notícia do terremoto, que deveria ter sido um desses tremores minúsculos cada vez mais frequentes no Brasil e que causam mais histeria do que danos.

Chegou a vez de Anderson matar a vontade com o game que captava seus movimentos. Ele não chegou a ficar nem três minutos fingindo ser um *snowboarder* e logo seu tempo esgotou. Ainda havia uma fila de jovens – e outros não tão jovens assim – querendo brincar de graça.

Assim que largou a sua prancha imaginária, com um sorriso involuntário, deparou-se com um rosto conhecido entre a garotada que esperava a vez de jogar. Destacando-se pelo colete marrom e os cabelos negros, encarava Anderson com os braços cruzados.

– Ah... Ei, Pedro!

– Divertindo-se? – perguntou o garoto, com gelo na voz.

– Bastante! Você deveria experimentar esse trem, jogar sem controle é tão esquisito...

– Eu nunca joguei um videogame.

As palavras de Pedro saíram afiadas, acusadoras. Como se Anderson fosse responsável por todas as mazelas de sua vida... fatos dos quais Pedro nem se dava conta, mas que o mineiro soubera por intermédio de Tina.

– Uai – começou Anderson, tentando um diálogo com aquela criatura – A primeira vez pode ser hoje. Vamos, entre aqui na fila, eu espero com você e...

– Eu não posso, tenho que fazer a coleta. Já estou parado aqui há tempo demais.

– Que é isso, o pessoal não vai ligar se você tirar um tempinho pra você.

– Errado, riquinho – rosnou Pedro, e toda a boa vontade de Anderson em tratá-lo com respeito afundou em um pântano de irritação – O pessoal não vai ligar se *você* tirar um tempo. O pessoal não vai ligar se *você* não quiser ler. O pessoal não vai ligar se *você* não fizer nada e ficar apenas pensando o dia inteiro na morte da bezerra. E ainda assim, você vai ter as suas bugigangas de *playboy* pagas pelo Patrão. Vai ter a sua casa, com seu leite quente feito pela mamãe e sua internet paga pelo papai!

– Agora pode parar, Pedro – falou Anderson, ficando roxo de raiva. Talvez sua voz tenha soado um pouco alta, pois algumas pessoas na fila de espera do game se voltaram para os dois garotos – Você já está começando a me desrespeitar, não estou gostando disso! Você mal me conhece!

– Não, eu te conheço bem! Você é uma nova versão do Anselmo, que chegou como quem não queria nada e depois entrou de vez para a Organização, só que com muitos privilégios!

– Mas você é desaforado demais da conta! E outra, pensei que o Anselmo era seu amigo...

Pedro pareceu perdido. Não imaginava que Tina houvesse feito um resumo da vida na Organização para Anderson.

– Ele... ele era. E era uma das poucas pessoas que me entendiam, apesar de ser o queridinho do Patrão. E você está tentando ser o novo Anselmo!

– Pare com isso, seu babaca! – gritou Anderson, à beira de perder as estribeiras. Algumas pessoas se aglutinaram ao redor dos dois, achando que uma briga estava para começar – Eu não quero ser ninguém e nem conheci o Anselmo! E não existe *queridinho* na Organização, eu que cheguei ontem já percebi isso. Talvez você fosse mais querido por lá se não fosse tão idiota!

A verdade dói, sempre dizia dona Regina Coelho. Anderson sabia disso e havia se arrependido de ter passado dos limites com Pedro, por mais enfadonho e incorrigível que o garoto fosse. Ao menos ele havia ficado quieto, e parecia pela primeira vez pensar nas consequências de ser alguém intragável.

– Para com isso, cara – murmurou Anderson, vendo que Pedro havia descruzado os braços. Será que ele nunca havia percebido o quão desagradável ele era? – Ninguém aqui é queridinho.

– Ah, aí está você! E Pedro também! – disse uma voz vinda de trás de Anderson: Zé, carregando uma sacola que era metade de seu tamanho – Imaginei que você estivesse aqui, perto da entrada. Eu queria que você testasse o seu novo *notebook* e a câmera digital, não entendo nada dessas coisas...

Anderson enrubesceu. O anão não poderia ter chegado em pior hora, ou dito nada que agravasse mais a situação. Pedro, que antes parecia ter dado trégua à sua revolta, fixou os olhos na sacola na mão de Zé e lançou o mesmo olhar frio para o garoto mineiro. Então, chacoalhou a cabeça e girou nos calcanhares, diluindo-se entre a multidão da rua Santa Ifigênia.

– Valeu, Zé. Agora ele vai me amaldiçoar pra sempre – disse Anderson, antes de sair no encalço do menino. Não deveria, mas agora se sentia culpado pela infelicidade de Pedro.

– Volte aqui, garoto! Você vai se perder, não conhece os arredores! A sua mãe não iria gostar se eu voltasse com estes prêmios e sem você!!!

Os gritos agudos de Zé na entrada do shopping de estandes só fazia que Anderson se envergonhasse e acelerasse ainda mais o passo. Em alguns segundos, já havia se misturado à multidão de sacoleiros e transeuntes da Santa Ifigênia. Por não ser muito alto, tinha dificuldade em procurar pelo topo espinhado da cabeça de Pedro, que era ainda menor que Anderson.

Tinha medo de que o órfão fizesse alguma bobagem. "A maioria dos erros são cometidos por pessoas intempestivas que tomam atitudes impensadas". Essa era do seu Álvaro Coelho. O pai de Anderson adorava citar frases longas para dar pequenos exemplos. Que Pedro era revoltado e intempestivo, Anderson já sabia. Também sabia que o garoto havia cometido pequenos delitos antes de ser abraçado pela Organização. Agora se perguntava se ele seria capaz de fugir, incomodado com a presença do mineiro.

Mesmo que ainda o considerasse um babaca – essa ideia não mudaria tão rapidamente – Anderson gostaria de pedir desculpas a Pedro, para amainar a situação. Não queria causar qualquer turbulência durante sua rápida passagem pela Organização. E, se o garoto fugisse por sua causa, um estrago irreparável estaria feito.

– Pedro! – gritou uma única vez, após perceber que era inútil chamar o nome do menino em meio ao caos de vendedores ambulantes, na calçada e no meio da rua, e às buzinas dos veículos, os quais não conseguiam passar por causa dos ambulantes.

– Olha a caneta, a caneta, a CA-NE-TA! – berrou um homem atarracado na orelha de Anderson, com sotaque nordestino e esticando seu produto na direção do garoto – Compra aí, meu bom! É cinco em um, tem tinta azul, tinta vremeia, tinta que só dá pra ver no escuro, lanterna de luz negra e infravremeio pra você aporrinhar seu professor mais odiado. Só cinco real, promoção relâmpago pra você que tá apressado!

– Me desculpe, é que eu estou procurando um amigo... não viu passando por aí um moleque de colete marrom?

– Ah, um desses que saem por aí pedindo pra não jogar porcaria no chão? Vi vários deles hoje, um deles até me deu um saquinho de sementes. O cabrinha tinha as sobrancelhas juntas e a cabeça parecia um ouriço.

– Ele mesmo! – disse Anderson – Você o viu agora mesmo passando por aqui?

– Oxi, você tá com sorte. Acabei de ver o sujeito entrando naquela travessa ali, correndo.

– Nossa, obrigado! – agradeceu Anderson, colocando-se prontamente a correr.

– Não vai querer uma caneta, não? Pra me ajudar a tomar um caldo de mocotó mais tarde!

O sujeito havia sido solícito e Anderson gostaria de comprar algo do homem como agradecimento. Enfiou as mãos nos bolsos e encontrou umas moedas, que não chegavam a três reais.

– Eu só tenho isso, moço! Até queria comprar, mas...

– Tudo certo, passa pra cá essa prata que a caneta é sua! – disse o homem, sem pestanejar – O produto é bom, tem garantia de cinco anos!

Anderson não imaginava como encontraria novamente o ambulante caso sua caneta falhasse nos próximos cinco anos, mas resolveu não contestar o papo de vendedor. Guardou a caneta em um dos inúmeros bolsos de sua calça e se afastou correndo na direção da travessa indicada pelo vendedor, que no segundo seguinte voltava à sua tática espalhafatosa de anúncio viral ("Olha a caneta, a caneta, a CA-NE-TA!").

Aos tropeços, chegou na travessa, consideravelmente mais vazia em comparação com a rua Santa Ifigênia. O cheiro forte de urina rescendia até suas narinas, e muitos mendigos dormiam próximos às paredes, enrolados em cobertores incolores. A ruazinha não era muito extensa, mas o silêncio repentino era, de certa forma, intimidador. Alguns mendigos levantavam suas cabeças e olhavam na direção de Anderson, os olhos tristes e conformados com a existência na pobreza. Um deles fumava uma bituca de cigarro que provavelmente teria encontrado no chão em estado reaproveitável e lançou um sorriso sujo e neurótico na direção do garoto.

Apertando o passo, Anderson saiu da travessa e chegou a rua dos Andradas, paralela à Santa Ifigênia. O som da algazarra comercial não alcançava aquela parte repleta de imóveis decadentes, lojas fechadas e uma longa murada de um terreno baldio onde lixo, caixas de madeira e restos de paletes eram amontoados por toda a sua extensão. Algumas motos passavam rapidamente e pedestres evitavam a calmaria sinistra daquele lugar.

Olhou para os dois lados e nenhum sinal de Pedro. Teria se detido tanto tempo com o vendedor das canetas para que o emburradinho se afastasse demais da conta?

Então, ele ouviu um choro vindo do amontoado de lixo recostado ao muro. De pronto pensou que era Pedro, escondido entre as caixas quebradas e as madeiras compensadas que se empilhavam. Sentiu-se culpado no mesmo instante, o coração mais apertado que sapato novo em batizado de família. Mas então, chegando mais perto, Anderson notou que se tratava de uma mulher, provavelmente idosa, abraçada aos próprios joelhos enquanto se acabava em lágrimas.

As roupas eram encardidas e os cabelos tinham a cor de palha seca. Estava descalça e usava um casaco longo e puído, cheio de furos e remendos. Sentada sobre o que um dia havia sido a metade de um colchão, ela não percebeu a aproximação do garoto.

– Olá! A senhora está bem?

Ela não se mexeu. Anderson chegou mais perto e tocou o ombro da mulher. Ela ergueu a cabeça assustada, ao mesmo tempo retraindo o corpo. Pensou se tratar de alguém que queria lhe fazer mal. O gesto abrupto deu a entender que já havia sofrido o suficiente nas ruas, para pensar dessa maneira acerca de qualquer um que se aproximasse de seu corpo frágil.

Anderson a encarou, com benevolência. E a primeira coisa que notou foram olhos profundos e verdes, como esmeraldas cravadas propositalmente em um cálice de barro, para embelezar algo tão rústico. O rosto era marcado, sulcado. Mas estava longe de ser feio, e tampouco era o rosto de uma idosa. Tratava-se de uma mulher jovem, maltratada e abatida. Ela balbuciou algo ininteligível, estendendo uma mão magra e de unhas longas para o garoto de pé a sua frente.

– Senhora... digo, moça! Eu não estou entendendo o que você diz...

Mais uma vez ela choramingou, e grandes lágrimas se formaram nos cantos dos olhos, dando a impressão de que eles eram maiores do que o normal. Anderson sentiu uma pena aterradora daquela pobre criatura. Ela deveria ser muda, não conseguia sequer suplicar comida para alguém.

– Você está com fome? – perguntou o menino – É isso?

Ela balançou a cabeça em afirmativa. Anderson estendeu a mão para ela, sem se importar com a sujeira que escurecia sua pele. O toque da mão magra foi frio, e seus dedos se fecharam sobre o punho de Anderson. "Que mão grande!", pensou ele, refazendo o caminho de volta e conduzindo a mulher até a Santa Ifigênia.

– Tenho alguns amigos que com certeza poderão arranjar alguma coisa para você comer – disse ele, pensando até em pedir para que Chris ou Zé levassem a mulher para o casarão. O único adulto da casa era o Patrão, não vira mais ninguém por lá com mais de dezessete, dezoito anos. Talvez Chris tivesse uns vinte, mas agora Anderson suspeitava que o rapaz pudesse apenas estar um pouco acabado e cansado. De qualquer forma, quem sabe a mulher não poderia encontrar abrigo por lá e passar a ajudar a Organização?

A mendiga dava passos desajeitados, como se houvesse aprendido a andar há pouco tempo. A preocupação de Anderson com Pedro se esvaíra. Ele não podia abandonar aquela mulher ali. As lágrimas dela o tocaram profundamente, sem maiores explicações.

– Calma, moça! – disse Anderson, ao atravessar a Andradas. Lembrou de uma frase que seu pai sempre dizia quando acabava com a fome após uma refeição particularmente farta – Logo você vai matar quem quer te matar!

Assim que pisou na calçada, sentiu um solavanco no braço. A mulher havia estacado atrás de Anderson, e fazia um som chiado e estranho. Não parecia mais com um choro.

O garoto virou-se, sem largar a mão da moradora de rua. Não porque quisesse continuar agarrado a ela, mas porque ela estava segurando o pulso do garoto com força um pouco acima do comum. Assim que botou os olhos no rosto da mulher, Anderson notou algo que fez seu sangue congelar. Ela sorria agora, alterada após a menção da palavra *matar*. Um esgar diabólico, uma promessa de dor. Não parecia mais debilitada, frágil, e muito menos inofensiva. Sua sombra agigantava-se sobre o garoto, que não conseguia se afastar daquele sorriso que parecia estender-se mais e mais, os cantos dos lábios subindo em direção às orelhas. As pupilas dos olhos lacrimejantes haviam se transfigurado em fendas verticais.

Anderson chacoalhou a cabeça. O que quer que estivesse acontecendo ali, era o mesmo tipo de ilusão que ele experimentara com o urso faiscante. O tipo de loucura que o fazia enxergar cenas impossíveis sobrepostas à realidade. Olhou ao seu redor, e não havia ninguém por perto, para variar. Ninguém para confirmar a sua teoria de que estava enlouquecendo mais uma vez.

A transfiguração da moradora de rua continuava. Suas unhas tornavam-se negras, arranhavam e perfuravam a pele dos pulsos de Anderson. Ele mordeu os lábios para não gritar, esperando que a dor também fosse fruto de sua imaginação. Testemunhou a pele suja da mulher dando lugar a escamas grossas e esverdeadas que começavam a cobrir toda a extensão de seu tronco, inclusive o busto e o pescoço. Acima do sorriso maldoso e cheio de pontas, um nariz projetava-se para frente, assim como o maxilar que se agigantava. Os longos cabelos que antes pareciam com palha seca, agora eram dourados, ondulados e caíam até a cintura daquela mulher-coisa. Daquela mulher-crocodilo. Sim, esse era o melhor nome que o cérebro assustado de Anderson pôde inventar para classificar o terror à sua frente. Escamas, pupilas verticais, lágrimas falsas, dentes de faca e, novidade, uma cauda grossa que agora escapava por baixo de seu longo casaco arruinado.

– Eu tô sonhando – Anderson deixou escapar, desviando os olhos da figura – Só posso estar sonhando, alguém me belisca...

Anderson não foi beliscado por ninguém. Ao invés disso, foi atingido por um poderoso golpe de cauda no meio do peito, que o arremessou de volta ao amontoado de lixo e madeira onde a ex-mendiga estivera agachada. A dor do golpe e da queda foi bem real e o convenceu de que ele estava bem acordado. Mais acordado do que nunca.

Levantando-se com dificuldade no meio dos destroços e tábuas – e o peito ardendo como se houvesse sido açoitado com uma mangueira de bombeiro – o garoto viu aquela mulher-réptil caminhando em sua direção, uma risada sibilante vazando por entre os dentes de seu sorriso congelado. Estava determinada a matar a fome com aquele garoto de pele escura. Comida mineira em pleno coração paulista.

Anderson não estava mais pensando se o que via era absurdo, ou se deixava de ser. Sua única preocupação havia se tornado sobreviver. Seu cérebro gritava para que ficasse atento aos movimentos da *coisa*, principalmente a cauda mortífera. Seu coração batia forte, bombeando o sangue com velocidade. Todos os seus sentidos estavam alertas ao seu redor, mais do que quando ele enfrentava um mestre de *dungeon* em Battle of Asgorath.

A breve lembrança de seu alter ego virtual pareceu surtir efeito em Anderson. Entre as porcarias espalhadas ao seu redor, encontrou um cabo de madeira. Escorou-se sobre ele para colocar-se de pé, logo segurando a vassoura decapitada como uma lança. A crocodila pareceu achar graça na pretensiosa figura minúscula do garoto, e resolveu brincar com sua presa: deu um bote incrivelmente rápido com sua cabeça, a mandíbula estalando a centímetros do rosto de Anderson.

O que a criatura não esperava era a reação do menino. O cabo zuniu no ar e atingiu em cheio a lateral de sua cara esverdeada. Anderson foi prudente e voltou à posição de guarda, pronto para uma nova investida.

Ofendida com o golpe sofrido, a criatura girou o corpo, lançando a cauda musculosa novamente contra o oponente. Desta vez, Anderson pulou para trás e tentou aparar o golpe com o seu bastão. A vassoura não aguentou o impacto e partiu-se ao meio, em dois pedaços quase idênticos que permaneceram nas mãos do garoto.

Aquilo havia se tornado ainda mais parecido com Battle of Asgorath. Anderson segurava os dois pedaços de madeira como se fossem duas espadas, lâminas gêmeas, as armas de corpo a corpo preferidas de Shadow, o elfo. A crocodila era a guardiã daquela *dungeon* e o espólio que ele ganharia se escapasse daquela masmorra seria a oportunidade de continuar vivendo.

Anderson deu alguns passos para trás, como quem se encurrala por conta própria, sem enxergar saída para uma emboscada. A monstrenga flexionou as pernas. Estava pronta para saltar e, quando pusesse as garras no garoto, tudo estaria acabado. Ele escorou-se na parede e ali deu a entender que não teria mais para onde ir.

A crocodila saltou, a boca imensa escancarada e pronta para partir o pescoço de uma criança de doze anos com facilidade.

A criança de doze anos em questão rolou para o lado com habilidade, como se estivesse pressionando 'Shift + seta direcional esquerda'. A mulher-réptil estatelou-se contra o muro e desabou sobre as tranqueiras empilhadas. Começou a se debater, arremessando caixas e paletes para todos os lados, e durante toda a sua atrapalhada recuperação Anderson correu como se todos os *orcs* de Blaisengard estivessem em seu encalço.

Ganhou uma boa distância do monstro assassino, conseguindo voltar pela travessa repleta de mendigos. Gritou para que eles corressem, mas nenhum deles sentiu-se inclinado a abandonar o sono sobre os seus cobertores acinzentados. Sem largar as suas metades de vassoura, Anderson continuou correndo, entrando aos tropeções na Santa Ifigênia movimentada e dando de cara com um colete marrom. Olavo, que segurou o garoto pelos dois ombros e se abaixou o suficiente para que seus olhos ficassem da mesma altura.

– Que correria é essa, velho? Onde você estava?

– Tem um... uma... um negócio loiro e dentuço vindo aí atrás! – esbaforiu-se, completamente apavorado – Corre, Olavo! Nós precisamos falar para essas pessoas darem o fora daqui, senão todo mundo vai...

– Opa, opa! Que história é essa, Anderson? Andou bebendo daquela cachaça do José? – o rapaz franziu as sobrancelhas sobre os seus olhos apertados de oriental – O Zé e o Chris estavam te procurando, inclusive, ali dentro daquelas lojas...

Um urro medonho veio da travessa que acabara de catapultar Anderson de volta para a Santa Ifigênia. Ele sabia que aquele som fora feito pela mulher-réptil, que em questão de milésimos de segundo iria irromper na multidão e saltar sobre ele e Olavo.

– Cara, ela tá chegando – choramingou Anderson, vendo muitas pessoas olharem para a direção do ruído animalesco – Ela vai matar todo mundo, nós temos que fazer alguma coisa...

– Eu acho que o seu negócio loiro e dentuço é apenas uma mulher feia – disse Olavo – Você tem que se acostumar, cara. São Paulo tá lotado de gatas, mas o que tem de tribufu não é brincadeira.

Antes que pudesse protestar, o tribufu de Anderson fez uma triunfal entrada na rua, saltando sobre um táxi que avançava em meio à multidão de pedestres e amassando o capô consideravelmente. Quando os gritos começaram e a histeria tornou-se o estado de espírito comum entre todos os presentes, Olavo empurrou Anderson para o meio da multidão, sem rodeios.

– É uma Cuca! Ela não vai descansar nem ferir ninguém até que você vire refeição. Misture-se e se esconda, RÁPIDO!

Com a ligeira impressão de ter ouvido o colega dizer a palavra *Cuca*, Anderson correu entre a selva de pernas que fugiam do monstro. Antes de se abaixar atrás de um carro que fora abandonado logo após o início da correria, viu que Olavo estava ajoelhado no meio da rua, encaixando e montando habilmente algo que se desdobrava e aumentava de tamanho: um pequeno arco retrátil.

Anderson decidiu não se afastar tanto do epicentro do perigo. Correu para a proteção de outro carro pouco mais distante e notou que Elis, a menos de cinco metros de distância, orientava as pessoas a fugirem com segurança. Ao mesmo tempo, uma das mãos dela foi elevada à têmpora, como se ela se concentrasse febrilmente em algo.

Olavo terminou de colocar a corda na roldana de seu arco desmontável e em seguida já puxava uma flecha na direção da monstrenga, que revirava latas de lixo e carros vazios à procura de seu petisco fugitivo. O projétil cravou-se no flanco da coisa loira e ela nem pareceu registrar dor. Estava furiosa, possessa, erguendo os veículos e contêineres de entulho com suas mãos retorcidas do tamanho de raquetes de tênis.

Olavo, em pose atlética, disparou outra flecha, e desta vez a criatura olhou em sua direção, com aquelas pupilas verticais sobre fundo verde luminoso. Anderson sentiu um aperto no estômago: ela iria parar de ignorar o arqueiro e substituiria o seu torresmo mineiro por um *teriaki*.

– Ei, coisa feia! – gritou Anderson, saindo de trás de sua proteção e chamando a atenção de sua perseguidora. Um vento súbito ergueu o casaco longo do monstro e fez os seus fios loiros esvoaçarem. Pensando bem, ela realmente tinha um quê da Cuca do Sítio do Pica-Pau Amarelo – Vem me pegar, sua *paquita* do inferno!

Imprimindo toda a força que tinha em suas pernas, Anderson correu. A Cuca esqueceu Olavo imediatamente e sequer notou a terceira flecha cravada em seu ombro. Saltando de carro em carro, ela alcançaria Anderson em questão de segundos.

O garoto não havia pensado no que fazer após chamar a atenção da coisa para si. Seu plano havia sido feito às pressas, somente para impedir que Olavo fosse devorado por sua culpa. Gritou por impulso, uma atitude bem esperada de pessoas teimosas como Anderson Coelho. A partir dali, sabia que precisava correr, mas não sabia para *onde*. O fato de não conhecer a cidade de São Paulo só piorava a situação.

Notou que a rua Santa Ifigênia terminava em um largo, onde uma igreja podia ser vista. A ideia de se esconder lá lhe pareceu atraente em primeira instância: já que estava em uma rua com nome de santa, recorrer a uma ajuda divina não deveria ser coisa tão absurda assim. Afinal, nada mais justo do que rezar após ser atacado por uma criatura reptiliana em pleno centro da cidade.

Anderson correu em uma linha reta até as escadarias da igreja, sentindo por duas vezes as garras da Cuca mutilando o ar às suas costas. Ao subir os primeiros degraus, sabia que a boca da coisa estava para se fechar em seu pescoço, pois o hálito da morte arrepiou todos os pelos de seu corpo. Em um movimento de puro reflexo, ergueu um de seus bastões por cima de seus ombros e ouviu um grito de agonia feito por uma garganta inumana: havia espetado o olho bulboso da coisa com seu cabo de vassoura quebrado.

A mandíbula imensa estava aberta em um grito de ira e dor, expondo o céu da boca úmido enquanto as mãos gigantescas subiam até o olho ferido. Anderson, que naquele momento juraria ter orelhas pontudas, saltou na direção da Cuca em uma estúpida e inexplicável injeção de coragem, o braço armando um golpe definitivo contra a demoníaca guardiã daquela *dungeon*.

A arma improvisada enterrou-se na carne rosada e quebrou-se ao meio quando os dentes pontiagudos se fecharam e partiram a madeira, como se fosse espaguete cru. Em um ato de desespero, a Cuca chicoteou o ar com a cauda e conseguiu atingir o rosto de Anderson com força. Mil pontos brancos explodiram nas vistas do garoto, que desabou nos primeiros degraus da igreja, bem aos pés de unhas negras da monstrenga.

Anderson estava à beira da inconsciência, o Largo da Santa Ifigênia rodopiava. Seu peito e sua cabeça, os dois locais atingidos por golpes de cauda, ardiam e doíam severamente. Desmaiar naquele momento seria uma boa opção para Anderson, não fosse o fato de que estaria totalmente vulnerável à lagartona furiosa. Fez força para manter-se acordado, mas parecia que quanto mais tentava permanecer ligado, maior a força com que o mundo girava. Antes de tudo começar a escurecer, Anderson pôde reparar que algumas pessoas corriam desesperadas pelo Largo, com Elis no encalço de algumas delas. Também notou que Olavo fazia mira na Cuca, mas que parecia hesitar em atirar. Anderson perguntou-se se estaria na linha de disparo. Não sabia. Não saberia nem dizer seu nome completo naquelas condições.

A última cena que viu antes de apagar era tão inacreditável que deveria ser resultado da pancada em sua cabeça: Zé, saltando sobre a nuca da coisa e agarrando-se com força aos seus cabelos amarelos, como um peão de rodeio; e um grande cachorro avermelhado, de orelhas pretas e papada branca, que mordia os tornozelos escamosos da Cuca com ferocidade.

Em seguida, tudo aquilo se transformou em um sono sem sonhos.

< capítulo 8 >

DO FOGO AO VENTO, E O SONO FINAL

– Eu acho que ele está acordando – disse uma voz que terminou em um grasno.

– Está nada! Com uma pancada daquelas na cabeça, é bem provável que ele durma até amanhã de manhã...

Anderson reconheceu a segunda voz. Era de Tina. Abriu um pouco os olhos e sua visão embaçada só lhe permitiu divisar dois contornos. Um era o da garota, de pé ao lado da cama. O outro era azulão e estava sobre os seus joelhos. Sua inteligência demorou a pegar no tranco e se recordar o nome do bicho... Kuara! Era isso.

– Olha aí, não disse?

– Xiu! – fez a menina.

– Você tá... conversando com o seu bicho? – balbuciou Anderson, tentando se levantar e sentindo uma ardência muito forte no peito.

– Quem, eu? – a menina fez uma cara de "não seja ridículo!" e fez um gesto displicente com a mão – Claro que não, Kuara só estava tagarelando. Não é, Kuara?

A arara demorou um tempo para esboçar qualquer reação. Perdeu alguns segundos olhando para a dona e então abaixou a cabeça.

– Kuara. Café. Kuara quer café. – grasnou o animal, totalmente desanimado.

– Eu pensei que vocês estavam conversando... de verdade... – disse Anderson.

– Ah, deve ter sido a pancada na sua cachola – cogitou Tina, erguendo os ombros – Tá dolorido?

– Um pouco zonzo... E Pedro, ele está bem?

Levemente surpresa, Tina sorriu e permitiu um vislumbre de seu aparelho.

– Está, sim. Você tinha ido atrás dele, né?

– Tinha, sim. Nós tivemos uma discussão e ele saiu correndo... Fiquei com medo de que ele não voltasse mais, por minha culpa.

– Pedro é complicado – suspirou a garota, sentando-se na beirada da cama e fazendo carinho no bico de sua mascote – Muitos perderam a estribeira com ele mais cedo. E você até se preocupou com ele!

– É... e talvez seja teimosia e burrice de minha parte. Ele não parece querer ajuda.

– Teimosia, talvez. Burrice nunca. Ainda está para nascer a pessoa que não precisará de ajuda neste mundo, Anderson. Todos precisam. Eu, você, Pedro. O planeta que é tão poderoso e os animais que são tão autossuficientes, precisam de todos nós.

– E eu precisei de vocês mais cedo. Para me salvarem daquela *coisa* – Anderson sentou-se na cama, de mau jeito, e inclinou o travesseiro para que apoiasse as costas – O que era aquilo, Tina? Por favor, eu sei que tem alguma coisa muito grande rolando por aqui, mas que ninguém quer me contar... E eu sei que mendigos normais não são verdes e nem possuem rabo de jacaré.

– Conta logo! – disse Kuara, com uma voz irritada.

– O quê, conta logo o quê?! – perguntou Anderson, os olhos saltando da ave para a menina – Fala, Tina!

– Não é nada, Anderson – Tina levantou-se, completamente vermelha, abraçando o bicho de um modo brusco e prendendo o seu bico com uma das mãos – Essa arara fica repetindo o que os outros falam. Não dê bola, ok?

– Mas Tina, eu não sou um idiota! Eu sei que araras não repetem coisas, quem faz isso são os papagaios...

– É, é... só que o Kuara tem mãe arara com pai papagaio... E saiu assim, azul e tagarela!

– E desde quando isso existe na natureza?!

– Ah, o mundo animal não tem esses preconceitos que os homens têm – ela abriu a porta do quarto de Anderson e empurrou Kuara para fora sem cerimônias. – Bom, preciso ir! Estávamos revezando os turnos para ver quando você acordava e para dizer que seu novo computador está ali, próximo à janela. Só não sabemos ligar os cabos corretos, então deixamos isso com você. Se quiser mais espaço no quarto para trabalhar, eu levo essas caixas para o porão...

– Não! – disse Anderson bem depressa, um alarme mental aparentemente sem motivo disparando em sua cabeça. Ele queria dar mais uma olhada nos antigos pertences de Anselmo – Pode deixar tudo aí, tenho espaço o suficiente neste quarto. Eu não o divido com ninguém mesmo. Mas eu ainda quero saber o que era aquela coisa. E eu tenho a impressão de que você pode me dizer.

– E você não poderia? Era uma mendiga com, sei lá, alguma doença que a deixou verde – Tina mordia os lábios, torcia os nós dos dedos e dançava sobre as pontas dos pés, totalmente aflita com o rumo daquela conversa. Parecia se arrepender de estar lá sozinha, sem ninguém para ajudá-la com aquelas perguntas insistentes – Depois você fala com o Patrão, eu... eu sou só uma garota que gosta de bichos, não entendo de mendigas!

Ela estava prestes a sair, metade do corpo para fora da porta, e Anderson levantou-se. Por um segundo experimentou uma leve labirintite, mas logo se firmou sobre os pés descalços.

– Se você gosta de bichos, então pode começar a me explicar alguma coisa sobre esse: que tipo de urso vive no interior de Minas, com o focinho sem pelos e que dispara chispas azuis no ar?

Do vermelho pimentão, Tina tornou-se cor de nabo, o sangue sumindo de seu rosto.

– Você viu um Mão-Pelada?!

Anderson ia dizer alguma coisa, mas a menção do nome o calou. Tina bateu com a mão na testa, arrependendo-se de ter esboçado tanta surpresa, e sumiu das vistas do mineiro.

Foi atrás da garota, que subiu as escadas de três em três degraus para os dormitórios do andar de cima.

– Tina, espera aí!

Ela entrou em um dos dormitórios e fechou a porta com estrépito, e o garoto ficou a chamar por seu nome na soleira. Sem resposta, decidiu bater com os nós dos dedos insistentemente, mas parou quando ouviu uma espécie de rosnado aos seus pés – um roedor do tamanho de um cão, encarando-o com jeito de poucos amigos e pateando o chão como um touro. Anderson sabia que se tratava de uma capivara e supunha que normalmente aqueles animais eram dóceis. Mas como todos os animais da Organização que conhecera até aquele momento eram esquisitos ou tinham comportamento anormal, resolveu disparar escadaria abaixo, deixando o bicho arisco na frente da porta de Tina.

Parou na sala comunal, respirando aliviado ao notar que a capivara não o seguira. Talvez não soubesse descer escadas, o que tornava um mistério o fato de ela se encontrar no segundo andar do casarão. Talvez Tina a tivesse carregado para lá, já que ela gostava tanto de animais.

Procurou por Chris, Zé, Elis ou o Patrão por toda a casa e pelo quintal, mas não encontrou ninguém. Queria a resposta definitiva sobre aqueles mistérios, esclarecer de uma vez por todas o ataque da mendiga-crocodila – inclusive, as dores dos ataques da cauda no seu peito e em seu rosto ainda não haviam aplacado. Seu maxilar estava um pouco inchado onde a pancada o nocauteara.

Poucas crianças passeavam para lá e para cá, ocupadas demais para lhe dar atenção. A única que parecia ter algo a lhe dizer era um garoto de dreads chamado Haroldo, que tirava leite de Márcia e enchia um balde metálico. Quando ele viu Anderson passando, chamou-o pelo nome e entregou-lhe um bilhete dobrado que estava em um dos bolsos de seu colete. Em uma caligrafia bonita, o papel dizia:

Reunião sobre a missão hoje à noite após a janta, na cozinha. Compareça com suas ideias.

Patrão.

Anderson levantou os olhos para Haroldo, mas ele já se afastava com o balde cheio de leite. Márcia mugiu, e Anderson passou a mão em sua cabeça.

– É, malhada. Hora de virar *hacker* à força.

Após dez minutos de instalações de fios, Anderson já estava navegando na internet, procurando tutoriais de como criar o seu próprio vírus de computador. Usava um modem portátil 3G para a conexão, também adquirido por Chris e Zé na Santa Ifigênia. A parte ruim da coisa era que a velocidade da internet 3G ainda era muito baixa para que ele jogasse online. Com isso, sabia que o Esmagossauro se afastaria muitos níveis de Shadow durante sua ausência em Asgorath. Daria tudo por uma *raid* de dez minutos, só para aplacar a inquietação de sua privação de games. Outra desvantagem da coisa era a oscilação do sinal. Ele não era linear, como a conexão por fibra ótica. Virava e mexia, as páginas travavam, e Anderson precisava fechar e reabrir o navegador.

Enquanto uma reportagem sobre a vulnerabilidade dos firewalls carregava lentamente em um site de vídeos sobre tecnologia, Anderson espreguiçava-se na cadeira de sua escrivaninha, atirando o pescoço para trás. Ficando um bom tempo naquela posição, reparou nas manchas amareladas no teto, assim como as manchas das paredes. Voltou a atenção para o monitor e o vídeo ainda nem começara a rodar: o sinal havia caído mais uma vez.

Com um palavrão, Anderson deslizou pelo quarto nas rodinhas de sua cadeira, pensando em como tudo seria mais fácil em *seu* computador, no *seu* quarto, com a *sua* internet. Girou no próprio eixo por alguns segundos na sua cadeira, do jeito que todo mundo faz quando está sozinho e sentado em uma cadeira de rodinhas. Quando começou a sentir uma leve vertigem, parou. E bem de frente para as caixas empoeiradas atrás da porta. Os pertences de Anselmo.

Olhou desnecessariamente para os lados com um leve sentimento de culpa – logo suprimido pelo pensamento de "se eu não pudesse olhar, não deixariam no meu quarto". Lá estavam as coisas da primeira caixa: fios, mouse, teclado. Onde estaria todo o resto do computador? Na segunda caixa, o material de pintura do finado garoto. Sob as telas em branco e os pincéis e bisnagas espalhadas, viu o caderno com a capa manchada em imitação de couro. Da primeira vez em que fuçara aquelas coisas, Anderson sentira-se tentado a folheá-lo, mas havia sido interrompido pelo grito que o assustara – e que agora imaginava se tratar de Kuara, no quarto de Tina.

Desta vez pegou o caderno. A brochura estava com pequenas ranhuras e amassados, como se já houvesse sido aberto e fechado diversas vezes. Anderson abriu-o aleatoriamente, curioso em saber como era a arte do antigo ocupante do quarto de hóspedes.

– Uai!

Não pôde deixar de sentir-se decepcionado ao constatar que as folhas estavam em branco. De trás para frente, de frente para trás, deslizou as páginas em seu polegar e nada encontrou. Achou curioso, já que o caderno estava bem maltratado para estar em branco. Aparentava ter sido utilizado à exaustão, mas as folhas vazias diziam exatamente o contrário.

Porém, um escrito na contracapa chamou sua atenção. Espremida no canto esquerdo havia uma frase curta em caneta preta, em letra de forma tão caprichada que parecia ter sido datilografada.

Logo abaixo, entre parênteses, uma única palavra que era extremamente familiar para Anderson e para qualquer pessoa que não estivesse isolada em uma caverna ou em um armário sob a escada nos últimos anos.

(YouTube)

A cadeira com rodinhas disparou até a mesa do computador, o caderno aberto no colo de Anderson com a frase exposta. Começou a digitar na barra de navegação o endereço do site de vídeos, pronto para procurar algum vídeo que levasse o nome de "O Legado Folclórico", ou algo parecido. Mas para a infelicidade do mineiro, o canto inferior direito de sua tela apresentava um ícone com a forma de um computador e um X vermelho sobre ele. Um pop-up de informação dizia que não havia conexão disponível no momento, ou que o sinal 3G estava muito fraco. Segurando-se para não arremessar o modem pela janela do casarão no meio do Bixiga, Anderson largou o caderno em branco ao lado do teclado, sabendo que a batalha contra a internet estava suspensa, por hora.

Mas sua curiosidade não poderia mais ser deixada de lado – mais uma vez. Ultimamente, estava sendo perseguido por termos folclóricos. Boto, Saci, Cuca. O último não era somente um termo, quase fora a sua morte. E não iria deixar a sua terrível experiência na Santa Ifigênia de lado, como fizera com o urso do terreno baldio. Como Tina o havia chamado? *Mão-Pelada*? Anotou cada uma das palavras no bloco de notas do computador. Assim que a internet parasse de frescuras, iria tirar algumas dúvidas de uma vez por todas.

Tina também havia dito que Anselmo fora descoberto pela Organização por causa dos vídeos que ele postava no YouTube. Anderson tinha a certeza de que aquele tal de Legado Folclórico teria uma ligação direta com o rapaz. Gostaria de tirar sua dúvida imediatamente, mas não iria conseguir com aquela conexão.

Então decidiu que não iria esperar pela reunião noturna com o Patrão.

Anderson desceu as escadas do porão e viu Zé em uma das raias de tiro. Porém, não portava um arco, tarefa que seria árdua para um anão. Sua mão esquerda segurava dardos curtos e coloridos entre os dedos e a direita atirava os projéteis em um dos alvos sobre um cavalete colocado a cerca de seis metros do homenzinho.

– Olá, rapaz! – disse ele, sem olhar para trás e mandando um dardo quase no centro – Quer jogar um pouco comigo? Ou, se quiser, pegue um arco e monte um cavalete, o Olavo não iria se importar.

– Não, obrigado... Eu até procurei pelo Olavo, mas não tem quase ninguém pela casa.

– Ah, sim – outro dardo bem colocado – A essa hora, todo mundo deve estar em aula.

– Aula? Do quê? – perguntou Anderson franzindo a sobrancelha e parando ao lado de Zé.

– Ué, aula. De português, matemática, ética, ciências... Estão aprendendo, como você lá na sua escola, em Rastelinho.

– Nunca tive aula de Ética no Zeferina Risoleta.

Zé interrompeu um disparo e guinchou para o garoto?

– Onde?!

– Ah, é o nome de minha escola. Zeferina Risoleta de Jesus.

– Oh, sim... Exótico. Mas você sabe o que é ética, não?

– Acho que não sei explicar o que é, mas devo ter isso daí em mim. Meu pai e minha mãe vivem dizendo que precisamos ser éticos.

Zé foi até o cavalete e arrancou os dardos cravados no alvo. Voltou e entregou alguns na mão de Anderson, para que ele também atirasse enquanto conversavam.

– Pois, é... Mas aquelas crianças não possuem um pai ou mãe para dizerem isso a elas.

Anderson engoliu em seco, ruidosamente. Zé percebeu o desconforto do garoto, deu um riso tranquilizador e fez sinal para que ele fizesse uma tentativa.

– A palavra ética vem do grego e significa aproximadamente "algo que vem do caráter". Não costuma ser uma disciplina ensinada em instituições. O normal é que ela já esteja no *pacote operacional* do ser humano, falando na sua "ciberlinguagem".

Anderson riu. Zé sabia levar uma conversa. Talvez só falhasse na hora do chat em Battle of Asgorath, quando era pomposo demais. O anão prosseguiu.

– Apesar de a ética advir do caráter, o caráter em si é moldado, e muitas vezes radicalmente modificado, durante a nossa infância.

– Certo, então a ética é a nossa moral – disse Anderson, atirando um dardo e errando por muito. Em seguida, Zé cravou o seu no centro.

– Não é bem por aí, Anderson. A moral é algo delimitado por regras, costumes, por expectativas alheias. A ética está acima disso. Ela é a sua atitude e o seu modo de viver e pensar corretamente, baseados na sua percepção de vida e no respeito à vida alheia, não às expectativas. No respeito a toda a forma de pensamento. Sem que ninguém lhe diga que o correto é algo que lhe foi imposto, mas algo que surge de você.

– De nosso caráter – completou Anderson, mandando dois dardos seguidos, e ao menos os acertando no círculo externo do alvo.

– Exato. Viver corretamente não é seguir um conjunto de normas, de costumes. De leis criadas por interesses de terceiros. Mas sim viver de acordo com o bem gerado pela vontade, sem a necessidade de forma alguma de opressão.

– Seguindo este raciocínio, a ética não poderia ser ensinada. Ela deveria ser compreendida.

Zé abriu um grande sorriso e deu uma gargalhada aguda e satisfeita antes de acertar mais um dardo na mosca.

– Gostei, você questionou a minha explicação! E é assim que fazemos em nossas aulas da Organização. Todos os alunos são levados a debaterem sobre assuntos, a terem as suas próprias opiniões. Português, matemática, geografia... essas matérias são realmente dependentes da instrução de um professor. Agora, quanto à ética... prefiro dizer que ela é *apresentada* às crianças, não ensinada. Damos a mesma quantidade de argila para cada uma, e o que cada uma irá moldar com o material oferecido será por conta exclusivamente delas e de suas capacidades de compreender o mundo e o próximo.

– Não entendi, você concordou comigo?

– Muito melhor que isso. Nós chegamos a um consenso, Anderson: a ética deve ser apresentada, e quem puder compreendê-la, que o faça. No fim das contas, ela irá aflorar de dentro para fora. E não de fora para dentro de nossas mentes, como o português e a matemática.

– Nem me fale nessa última. Teoricamente, eu estou no meio de uma Copa de Matemática, lembra?

– E como eu poderia esquecer? Depois de nosso passeio tão agradável da tardezinha e de todos os seus prêmios de participação comprados!

As costas e o maxilar de Anderson latejaram como lembrete. Zé só poderia estar sendo muito sarcástico.

– Taí uma coisa que eu queria saber. De onde veio aquele *trem* loiro com cara de crocodilo? A Cuca?

– Aaah, verdade! A moradora de rua doida que te atacou. A propósito, você está melhor?

Anderson piscou estupidamente.

– Sim, bem melhor, mas...

– Nossa, foi um susto mesmo, não? Quem diria que alguém pudesse ser tão agressivo assim com um estranho.

– Alguém?! Era uma baita de uma...

– Uma mulher grande, sim. Eu precisei acalmá-la para que ela não o acertasse novamente com aquele bastão...

– Era uma cauda! – exasperou-se Anderson, enfiando as unhas no couro cabeludo.

– Não, não uma cauda – discordou Zé, com muita calma – Agora eu preciso ir, Anderson! Chegou a minha hora de dar aula. Eu faço o papel do professor, sabe?

– Eu quero falar com o Patrão, chega dessa palhaçada!

– Também não será possível agora, rapaz. Ele está com as crianças, aula de matemática. Eu assumo agora com filosofia, mas ele vai ficar até mais tarde nas aulas de reforço. Mas temos reunião na cozinha depois da janta, não se preocupe! O Haroldo te avisou, né?

Não tinha jeito. Todos eles, sem exceção, só poderiam estar de complô. Após ser deixado a sós no porão por Zé, com os livros e os alvos de arco e flecha por companhia, decidiu retirar-se para o seu quarto novamente, torcendo para que todas as suas respostas fossem sanadas na reunião logo mais à noite, e para que a internet houvesse voltado ao normal.

E ela havia.

O vídeo levou tempo para ser carregado, mas ao menos já estava pronto para ser assistido. Ele possuía o exato mesmo nome que estava anotado na contracapa do caderno e que Anderson nem havia precisado consultar para fazer a busca. "O Legado Folclórico – do fogo ao vento, e o sono final" era um nome marcante o suficiente.

De início, nada aconteceu no vídeo. Tudo estava escuro, mas a barra de tempo já estava se movimentando.

Então, uma suave melodia de piano fez-se ouvir pelos alto-falantes do computador. Em seguida, a escuridão iluminou-se em tons purpúreos e um desenho surgiu no centro do vídeo, em roxo néon. Era um pontinho, que cresceu na tela até tornar-se uma ilustração estilizada do planeta Terra. Ela girou até parar com a América do Sul voltada para Anderson e então o mapa do Brasil ganhou um *zoom in*. A música tornou-se mais densa, e o que parecia uma serpente irrompeu pela beirada do que seria o nordeste do país, se afastou do mapa e passou a rodear uma fogueira. Tudo monocromático, feito da mesma tinta luminosa que o pontinho inicial.

A cobra ondulou para longe da fogueira, e em uma bela transição de traço e música seu corpo transformou-se nas curvas de um rio. Uma sereia saltou das profundezas da água doce, ladeada por dois golfinhos – ou melhor, *botos*. Pelo que Anderson sabia, os golfinhos só viviam nos mares – fizeram uma firula em pleno ar e voltaram a mergulhar em seu habitat, esparramando água para todos os lados.

Foi a vez de uma grande gota de água receber o seu *zoom in* e modelar-se na forma de um cão correndo por alguma planície. Ou seria um lobo? Uma silhueta de traços simples apareceu correndo ao seu lado, um homem correndo lado a lado com o animal quadrúpede. E a música seguia perfeitamente sincronizada com as imagens, que lembravam desenhos pré-históricos gravados nas paredes de uma caverna.

Lobo e homem interromperam sua corrida e se transformaram em nuvens que ainda lembravam vagamente suas formas anteriores. Pássaros revoaram no céu violeta de nuvens iluminadas, que foram tomando um aspecto espiral, como se ventos fortes as soprassem. Logo, um tornado dançava na tela, acompanhado de uma música igualmente tempestuosa. Um homem sem rosto saltou de dentro da caricatura do fenômeno natural. Ele só tinha uma perna. Um cachimbo era desenhado em sua boca inexistente, mas em vez de soltar fumaça, ele tragava o desenho do furacão para dentro do fornilho. A tempestade se escondeu dentro do cachimbo do saci.

Então, quando tudo parecia que ia acabar ali, com o desenho de uma perna só e seu cachimbo engolidor de tornados, a trilha sonora desacelerou até se tornar uma música de ninar. Estrelas começaram a surgir por trás do saci, feitas da mesma cor que a figura. Ele se deitou, a cabeça apoiada nas mãos. Então ressurgiram a cobra, os botos e a sereia, o lobo e o homem, e todos pareciam dormir no cenário de estrelas, pequenas letras Z saindo de suas cabeças.

Grandes olhos apareceram por trás das estrelas, observando o sono de todas aquelas figuras. A cobra, os botos, a sereia, o lobo, o homem, o saci... todos eles começaram a diminuir, até que cada um deles se tornasse mais um pontinho, outra estrela naquele céu dominado pela vigília de olhos que nunca dormem e nunca piscam.

A música de ninar chegava ao final e a cada nota aguda do piano uma estrela se apagava. Até sobrarem apenas os olhos. E na nota final da música, eles também se fecharam. A luz violeta se apagou. Escuridão. Fim do vídeo.

Bonito e perturbador. Esta era a opinião de Anderson, que estava profundamente tocado por aquela animação, mesmo sem ter entendido o contexto de todas aquelas alegorias. Sabia que o desenho estava repleto de significados ocultos, tinha certeza. O vídeo tinha pouco mais de mil exibições e havia recebido cinquenta e tantos "joinhas" dos usuários do YouTube. Comentários parabenizavam o autor da animação, muitos feitos em outras línguas.

Anderson abriu novamente o caderno em branco de Anselmo. Lá estava o nome do vídeo na contracapa. Lembrou-se da manhã daquele mesmo dia – que após tantos acontecimentos parecia ter acontecido há semanas – em que ele e Tina conversavam em frente à placa memorial de Anselmo Ferro Júnior. Ela dizia que o falecido era o expert em informática da Organização e que havia sido descoberto através de vídeos e animações feitas no YouTube. Seria aquele vídeo de autoria do rapaz?

Com tanta curiosidade, havia se esquecido de verificar o mais óbvio: o nome do usuário que havia postado o vídeo no canal. Nos vídeos relacionados, havia mais animações postadas pelo mesmo indivíduo. Mas antes de assisti-las, Anderson olhou para o nome abaixo da tela de exibição.

Postado há 8 meses atrás, por esmagossauro93

Leu mais uma vez o nome do usuário. E mais uma vez. Seu coração queria saltar do peito, rasgando ossos e pele à força. Quantas pessoas no mundo usavam o *nickname* Esmagossauro?

Um turbilhão assolava a mente de Anderson. Anselmo havia anotado em seu caderno em branco o nome de um vídeo de que ele gostava, feito por um terceiro que coincidentemente era a pessoa por trás do primeiro colocado em Battle of Asgorath? Ou aquele vídeo era seu e, logo, Anselmo era o Esmagossauro?

– Não, não pode ser – disse Anderson, balançando a cabeça e olhando para a contracapa do caderno em branco. Não costumava falar sozinho, achava que aquilo era coisa de maluco. Mas aquela ocasião permitia uma esquisitice de sua parte – se Anselmo fosse o mesmo Esmagossauro do BoA, o troll teria sumido do jogo há quatro meses atrás, quando ele morreu. Só pode ser coincidência. Uma baita de uma coincidência!

Digitou "Esmagossauro" no Google. Muitos resultados. Trechos de conversa no fórum de Battle of Asgorath, onde jovens idolatravam o líder do ranking. Contavam casos de quando tinham sido derrotados pelo jogador, sem clemência alguma. Muitos contestavam sua superioridade, dizendo que ele tinha vantagem porque ele deveria ser rico, e comprava os itens *premium* oferecidos pelo servidor. Outros diziam que a compra de créditos premium fazia parte do jogo, e aquilo não era trapaça. Os mais radicais afirmavam que Esmagossauro era um *cheater*, que hackeava em benefício próprio e que não tinha mérito algum em ser líder do ranking. Muitos chegavam a citar o nome de Shadow Hunter como o verdadeiro número um. Anderson não pode deixar de sorrir ao ler estes comentários.

O garoto de Rastelinho sabia que ninguém poderia trapacear em BoA. O *server* da Hawkwind reconheceria os códigos desonestos e daria um belo de um *kick* no traseiro gordo do Esmagossauro, ou de qualquer *player* que ousasse ser desonesto na rede. Recordou-se dos dois encontros entre o seu elfo Shadow e o troll. No primeiro embate, há cerca de seis meses atrás, Shadow fora o vencedor e ficara há poucos *levels* de distância do líder. Luta difícil, e Anderson tinha a certeza de que não houvera tentativa de trapaça do troll. Ele até recebera um sucinto parabéns de Esmagossauro como mensagem particular, e retribuiu com um "obrigado, você é muito bom".

No segundo encontro, há três meses, Anderson e Esmagossauro não compartilharam daquele reconhecimento silencioso. Sob as ruínas de um templo na Floresta Negra, Shadow o cumprimentou pelo chat antes da batalha e Esmagossauro, sem emitir um simples sorrisinho de emoticon, o agrediu de forma brutal e pulverizadora. Uma derrota humilhante para Shadow, que se sentiu na obrigação de mandar um gelado *Parabéns* por mensagem particular, mas não recebeu mais nada em troca.

Dois comportamentos diferentes de um mesmo player, mas mesmo assim Esmagossauro não poderia ser Anselmo. Seria MUITA coincidência.

Em outros resultados do Google, esmagossauro93 aparecia novamente. "Canal de vídeos postados por esmagossauro93", "mais vídeos postados por esmagossauro93". Em meio a tantas notícias, havia um blog que falava sobre artes e animações que citava o usuário procurado por Anderson. O dono do blog falava sobre os seus vídeos de animação preferidos no YouTube, em um texto longo demais para o gosto de Anderson. Limitou-se ao trecho que o interessava:

> "[...] apesar de se esconder sobre a alcunha de esmagossauro93 e de nunca responder aos meus e-mails, eu gosto dos vídeos deste misterioso artista daqui do Brasil. Existe um que me atrai em particular, chamado "O Legado Folclórico – do fogo ao vento, e o sono final". Nome estranho para um vídeo bonito e instigante, feito com a velha técnica de *flip book* e desenhado inteiramente com uma tinta especial, que só pode ser visualizada com lâmpadas UV, a famosa *luz negra*. Vale a pena conferir aqui. Outro artista que tem uma boa seleção de vídeos no YouTube é o mascarado Banksy, que espalha seus protestos [...]"

Imediatamente, Anderson sentiu algo em um de seus bolsos da calça. Lembrou-se. Estava lá o tempo todo, desde que comprara do vendedor ambulante na Santa Ifigênia. Mas agora, a caneta cinco em um parecia gritar para que o garoto desse uma boa olhada nela. Tinta azul, vermelha, tinta invisível, infravermelho e... luz negra!

O caderno de capa manchada esperava por aquilo. Apagou a luz do quarto e desligou o monitor do computador, para que o breu dominasse o ambiente. A tampa de sua caneta tinha um pequeno botão que a transformava em um pointer de infravermelho em um clique. No segundo clique, a lanterna acendia em um tom violáceo. Luz negra.

Anderson sabia o que era um *flip book*, termo que o blog havia citado na postagem que acabara de ler. Eram aqueles livros em que desenhos e figuras são exibidos sequencialmente, para que o folhear das páginas dê a impressão de que a imagem está em movimento. Abriu a primeira página do caderno, pronto para passar todas aquelas folhas em branco a toda velocidade. Apontou o feixe de luz negra para a primeira folha e nada aconteceu. Começou a soltar as páginas.

Um pequeno ponto de tinta (até então) invisível apareceu. E a animação do YouTube repetiu-se ao vivo no quarto do casarão.

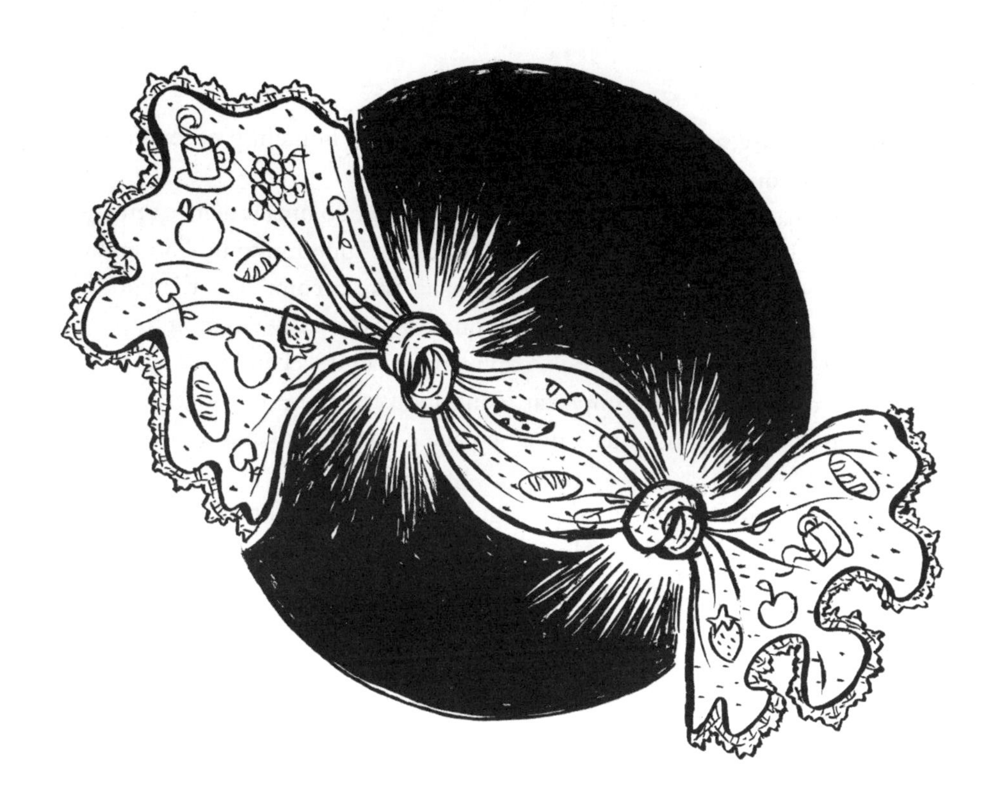

< capítulo 9 >

NÓS, AS LENDAS E OS NÓS

Anderson não apareceu para o jantar com todos os membros da Organização. Não que seu estômago não tivesse protestado com roncos profundos, mas porque sua fome de saber era mais forte naquele momento.

A refeição parou de ser servida e algumas crianças foram para a sala assistir televisão. Outras desceram para a biblioteca no porão, onde Olavo se dirigiu para sua costumeira prática noturna de arco. Na mesa, sobraram apenas José, Chris, Elis e Patrão. Ao notar que o mineiro ainda não havia aparecido como combinado, o velho se impacientou e acendeu o seu cachimbo, pronto para praguejar. Mas antes de qualquer resmungo, Anderson chegou. Parecendo seguro e confiante, cumprimentou a todos com vivacidade. Foi até efusivo demais no "Boa noite" atirado ao homem mais velho da mesa.

– Espero que esse sorriso no seu rosto signifique que nosso gasto com suas bugigangas não tenham sido em vão – falou o Patrão, sentado à ponta da mesa. Desta vez, a rabugice e a desconfiança do homem pareceram não abalar Anderson.

– Ah, não foi mesmo – disse Anderson, arrastando uma cadeira e sentando ao lado de Chris, e de frente para Elis e José – Tudo muito útil! Só tenho que agradecer a todos vocês. Ia até perguntar sobre o computador antigo de Anselmo. Algumas peças ainda estão no quarto, mas a CPU e o monitor...

– Eles sumiram, na verdade – explicou o anão, recebendo um olhar de censura do Patrão. Sem se importar, continuou falando – Nós ficamos sem entrar no quarto dele por quase uma semana e quando voltamos... não estavam mais lá.

– Não queremos acreditar que alguém de dentro da Organização tenha cometido um roubo – disse Elis, chateada – Mas esperamos que o larápio tenha se arrependido, ao menos.

O garoto anotou mais uma informação em seu bloco de notas cerebral. Patrão perguntou a quantas andava o desenvolvimento do vírus e Anderson tranquilizou-o, dizendo que estava ficando melhor do que o esperado por ele mesmo. O que era uma grande lorota. Passara as últimas horas fuçando no Google, na *Wikipedia* e outras 'trocentas *pedias*' e páginas de um tema muito específico que nada tinha a ver com informática.

Conversa vai, conversa vem, e a reunião parecia que nunca iria começar de fato. Aquilo era apenas um bate-papo entre amigos – Chris contava piadas, Elis e José riam, e o Patrão às vezes permitia um lampejo de sorriso no canto de sua boca que estava livre do cachimbo. Então, como uma nota grave de trombone tocada inoportunamente dentro de uma igreja, Anderson resolveu fazer uma pergunta.

– Patrão, como o senhor perdeu a perna?

Silêncio na cozinha. Ninguém ousava sequer respirar. O velho repousou o cachimbo sobre a mesa e encarou Anderson, ao mesmo tempo surpreso e irritado. O garoto não demonstrou qualquer tipo de constrangimento. Pelo contrário, parecia até satisfeito em fazer aquela pergunta indiscreta.

– Não é da sua conta, moleque!

– Tem razão. Falta de educação, a minha. – concordou Anderson, carregado de sarcasmo. Mostrou as palmas das mãos em um gesto de desculpas e levantou-se de sua cadeira.

– Anderson, aonde você vai?

– A lugar algum, Elis – respondeu, indo até a pia, acompanhado pelo olhar pesado do Patrão. Parou ao lado do escorredor de louças, e puxou o pano de prato pendurado na parede – Só estou procurando um modo mais educado de resolver um amontoado de suspeitas.

Anderson deu as costas aos quatro e abaixou a cabeça, fazendo alguma coisa oculta pelas suas costas. Ninguém na mesa entendia 'lhufas'. Zé parecia preocupado com a atitude do garoto e buscava apoio no olhar de Elis. A garota, por sua vez, pedia uma ajuda silenciosa a Chris. O Patrão nem tocava no seu cachimbo. Sua atenção era toda de Anderson.

O garoto virou-se de frente e atirou ao chão o pano de prato que havia retirado do gancho na parede, em uma atitude totalmente inesperada. O pano, porém, estava todo torcido.

E com dois nós bem no meio dele.

Um novo silêncio, respirações sendo seguradas. O arrastar aflitivo e apressado de uma cadeira. O Patrão pareceu resfolegar, olhos fixos no pano. Com agilidade e equilíbrio descomunais, cruzou a cozinha em três saltos mais rápidos que qualquer atleta olímpico de salto triplo com duas pernas.

O velho caiu de joelho e suas mãos escuras começaram a desatar os nós no pano compulsivamente. Sequer olhou para Anderson ou para seus companheiros, apenas tentava de forma ferrenha desfazer aquele nó, como se sua vida dependesse daquilo. Livrar o tecido daquele aperto.

Anderson permanecera de pé, braços cruzados. Elis, Zé e Chris o contemplavam da mesa, assustados demais para esboçarem qualquer reação. O anão tentou tomar a palavra, descendo de sua cadeira e dando um passo na direção do garoto.

– Veja bem, Anderson...

– Estou vendo muito bem, Zé. Até demais. Vendo e ouvindo coisas que eu jamais imaginaria nem em meus sonhos de nerd.

Elis fez menção de dizer algo, mas Chris colocou a mão no seu ombro e meneou a cabeça. Neste momento, o ofegante Patrão erguia o pano de prato com os nós desfeitos e não parecia nada feliz. Anderson se aproximou dele, e dirigiu-se com surpreendente calma.

– Quando vocês iriam me contar?

– Quando nós bem entendêssemos! – ralhou o Patrão.

– Ah, e até esse dia chegar, eu seria atacado quantas vezes pela Cuca? – rebateu Anderson, o indicador apontado para o rosto do homem de uma perna só – Você acabou de me confirmar, Patrão: você é um saci. Não sei como, mas você é.

O Patrão levantou-se sobre sua perna. Sua voz soava como uma lixa.

– E como você pode afirmar isso?

– Negro, uma perna só, fuma cachimbo e não pode ver um nó bem dado na sua frente que já se derrete todo – falou Anderson – E ainda usa uma boina vermelha. Não é um gorro, mas é vermelho. E com essa camisa xadrez você parece, sei lá, um afro-irlandês. E você não deve ser o único. Não sei quanto a vocês três, mas normais é que vocês não são. O Zé outro dia mudou de cor e eu posso jurar isso de pé junto...

– Eu sou um meio-caipora – disse o anão de forma quase que displicente, sentando novamente em sua cadeira – Quando eu bebo, me aproximo mais de meu lado caipora e minha pele escurece. E não confunda caiporas com curupiras. Eu sou da terra, da mata. Os *pés-invertidos* são do fogo!

Anderson tinha os olhos arregalados. Mais um pouco e eles saltariam das órbitas e rolariam pelo chão da cozinha. Ele havia começado com aquele *verdade ou desafio* e agora não podia mais reclamar. Tentou disfarçar o espanto na sua voz e parecer normal, mas falhou imensamente.

– Muito bom, temos aqui um caipora! Agora, Elis, além de namorada do Boto Beto é o que mais?

– Filha de sereia de água-doce – disse ela de forma tediosa, apoiando os cotovelos na mesa – E sou *noiva* do Boto, não namorada.

– Certo, certo. Normal. Normalíssimo! – os olhos nervosos de Anderson recaíram sobre o único que ainda não havia se pronunciado com uma declaração absurda – Deixe-me ver... Chris! Também não imagino o que você possa ser.

O rapaz deu um profundo suspiro e sentenciou com ar grave.

– Eu sou o Visconde de Sabugosa.

Anderson arqueou as sobrancelhas.

– Sério?

Pausa.

– Claro que não, né.

– Sei lá, não duvido de mais nada...

– E o que mais você pensa que sabe sobre nós, moleque? – impacientou-se o Patrão, que também atendia por Saci.

– Esse negócio dos nós eu ouvi da minha vó lá em Rastelinho, ela dizia que pra pegar Saci eu deveria dar um...

– Não me refiro aos malditos nós que você deu no pano, moleque! – esbravejou o velho, levando seu cachimbo novamente à boca – Digo nós, as lendas, criaturas folclóricas, ou seja lá diabos como você nos classifique. Você afirma que eu sou um saci com a propriedade de um antropólogo do fantástico e não passa de um garoto enxerido e teimoso. O que você sabe realmente sobre lendas?

– Err... tudo o que ouvi durante minha infância, do Boi da Cara Preta à Mula Sem Cabeça, um bocado que aprendi com um antigo MMO brasileiro chamado Erínia e mais tudo o que a internet pôde me ensinar em algumas horas, até agora há pouco.

Patrão passou a mão nos olhos e voltou para a sua ponta da mesa. Não parecia nada satisfeito com o rumo daquela conversa, que supostamente deveria ser uma reunião sobre uma invasão.

– Sente aí e abra esses ouvidos. Hora de aprender um pouco de história oculta do Brasil.

Anderson não conseguiu conter o entusiasmo, agitando-se imediatamente.

– Posso pegar uma caneta? Tô vendo que vou ter coisa pra caramba pra jogar no Google depois dessa conversa.

Elis, sentada em sua frente, pôs a mão em seu braço, transmitindo aquela estranha serenidade que acompanhava sua voz e seu toque.

– Primeiro, lindinho, comece a usar o Eco4Planet de vez em quando. Parece com o Google, mas eles plantam árvores a cada *xis* números de buscas realizadas. E, segundo, nada de caneta. Apenas ouça. Da boca para o ouvido, como o velho folclore sempre foi transmitido e nunca deixará de ser.

Anderson sentiu o peito arder de expectativa. Ele estava realmente prestes a ter aquela conversa? E antes que o Patrão começasse a falar, perguntou a si mesmo se Anselmo teria tido aquela mesma conversa quando se engraçara com a Organização.

Quantos dos passos do seu desafortunado antecessor Anderson estaria copiando ao longo daquela empreitada?

– Não existe apenas *um* curupira, *um* caipora, *uma* mula sem cabeça – disse o Patrão – Como qualquer outro animal da natureza, os fantásticos também possuem espécies. Raças. A diferença é que estes, os "folclóricos", podem sintonizar-se mais completamente com a força que rege a vida selvagem. São guardiões de suas moradas, que nunca se esquecem de seus deveres. O homem é o único ser que deixou a sua conexão primordial com as forças naturais e resolveu se voltar contra o que o gerou.

Anderson agora entendia o porquê do Patrão ser o professor das crianças da Organização. Ele era um educador nato. Sua voz, seus gestos, sua inflexão na voz... até a boina vermelha. Tudo aquilo contribuía para que Anderson mergulhasse naquele novo mundo que era desenrolado aos seus pés. E, desta vez, não precisaria usar um *headphone* nem criar um avatar.

– Estas espécies de criaturas raramente se afastam de seu habitat – continuou o Patrão – Só o abandonam em caso de destruição do lar, de desequilíbrio ecológico. E, ultimamente, elas andam aparecendo em lugares nada convencionais. E você sabe disso, pelo que andei ouvindo

– A Cuca – disse Anderson, sombriamente.

– Patrão, eu já disse o que penso – reclamou Chris, em tom firme – Aquela Cuca era domesticada. Foi enviada a mando de alguém.

– Aquela *coisa* era domesticada?! – espantou-se Anderson, sentindo uma leve dormência nas pernas ao se lembrar do confronto – E quem iria querer me matar?! Como assim?!

– Já conversamos sobre isso, Chris. – disse Patrão – Não há motivos suficientes para acreditarmos que alguém *já* queira fazer mal a Anderson. Devia ser apenas uma criatura desgarrada de seu habitat, por causa do desmatamento contínuo da Mata Atlântica próxima à cidade. Muitas dessas criaturas vêm parar nas regiões metropolitanas e acabam tendo o mesmo fim que os rejeitados pela sociedade. O abandono. As ruas. Você também é prova disso, Chris. Você é um resultado desta equação, que foi acolhido por nós.

– E eu não estou reclamando – falou o rapaz, com um sorriso de canto de boca – Só acho que aquela Cuca estava determinada demais a acabar com o nosso mineirinho aqui.

Anderson levantou a mão, como se estivesse na escola.

– Olavo disse alguma coisa para mim na hora da confusão, para que eu me escondesse, pois a *coisa* não machucaria ninguém até que eu virasse refeição. O que... ele quis dizer?

– Cucas são criaturas da terra, neuróticas por natureza – começou Zé, fazendo também o seu papel de professor – E imagino que uma Cuca perdida em São Paulo, onde seu elemento está totalmente encoberto pelo asfalto e concreto, seja uma neurótica elevada ao cubo. Elas não sossegam até acabar com o desafortunado que as perturbou, ou com a presa que elas escolheram para aplacar o apetite. São como...

– ...como mísseis teleguiados – completou Anderson de pronto, lembrando-se dos mísseis térmicos Hellfire em seu Chopper Simulator – Eles travam em um alvo e seguem em sua cola até que ele... bum!

– Mais preciso, impossível! – guinchou Zé, feliz, mesmo sem ter a mínima noção do que seria um míssil Hellfire – Aposto que você foi atraído pela forma humana dela. Loura, bonita...

– De início, não – respondeu Anderson – Fui atraído pela *condição* dela. Ela estava chorando, dormindo no lixo, só vestida com trapos e toda suja. Fiquei com... pena. Dó. Quem não ficaria? Mas aí, quando me ofereci a ajudá-la, ela ficou diferente. *Quase* bonita. Aí a transformação começou a acontecer e... Minha nossa, não acredito que estou tendo essa conversa...

– Acostume-se. – disse o Patrão, gélido – É assim que elas agem. Você experimentou a Lágrima de Crocodila, a maior arma de uma Cuca. Te pega pela compaixão, pelos sentimentos. Bem quando você baixa a sua guarda, o ataque acontece. E as únicas lágrimas verdadeiras derramadas serão as de seus entes queridos no funeral do pouco que sobrou de você.

Anderson enfiava as unhas na palma das mãos. A narração do Patrão parecia mais terrível que a criatura em si.

– Dê um crédito para o Anderson, Patrão – disse Elis – Ele sobreviveu, e estava se saindo muito bem sozinho até nós o salvarmos e a mocreia fugir.

– Verdade, boa estocada com aquele cabo de vassoura – exaltou Chris – Você tem fibra para a ação. Na próxima, só não vale desmaiar.

– *Próxima*?!

– Chris, é melhor você não falar mais nada. – disse Elis, com um gesto suave da mão.

– Pode parar, Elis. Suas palavrinhas de sereia não funcionam comigo!

– Elis, eu já disse para você não tentar encantar seus colegas – rosnou Patrão.

– Eu não tentei! – protestou a moça – Só achei que ele estava amedrontando o Anderson, mais do que você já o assustou, chefinho.

– Mentira, ela tentou sim. – rebateu Chris, apontando e rindo – Senti aquela coisa esquisita no cérebro.

– Deve ser a carência de neurônios. Normal, no seu caso.

– Parem, *crianças* – disse Zé, também rindo timidamente.

– Você pode encantar alguém? – Anderson perguntou para Elis – Você fez alguma coisa com meus pais para eles aceitarem a minha viagem?

– Bem de leve. Só os induzi a uma aceitação pouco maior do que o normal.

– Também me fez dormir na van durante a viagem.

– Ah, isso também. É o meu lado sereia, me dá certo poder telepático. Depois que engravidei então, meus encantamentos só ficaram mais aguçados. Me permitem uma área maior de alcance e um maior número de mentes – Elis, mexeu em uma das cutículas, falando casualmente sobre *domínio mental* – Foi assim que consegui convencer as testemunhas da Santa Ifigênia de que elas não viram uma Cuca, e sim um louco armado. Eu alterei a percepção de realidade de quase todos eles, em um raio de muitos metros.

– Quase todos? E se alguém não foi atingido pelo seu feitiço?

– Prefiro que você use o termo *encantamento*. Não sou feiticeira, sou encantadora – disse Elis, fazendo charminho com os olhos. Enquanto a ouvia, Anderson pensava que, para conseguir uma garota daquelas, somente sendo um Boto mesmo – As testemunhas que escaparam à mágica vão sair contando que viram uma criatura estranha no centro da cidade e... bom, as outras pessoas não vão acreditar, correto? Não gosto de deixar pessoas sentindo-se loucas, birutas, mas isso acontece, invariavelmente.

– Ah, deve acontecer. Imagine só, deixar alguém se imaginando completamente pinel por ter visto uma crocodila em corpo de madame, ou um urso no terreno ao lado da escola!

Elis fez uma careta.

– Urso?

– É, ou Mão-Pelada, como a Tina o chamou antes de sair correndo. Acho que ela sentiu que me contou coisas demais.

– Você viu um Mão-Pelada??? – perguntaram Chris, Zé e Elis, em uníssono.

– Vi, um dia depois que o Zé conversou comigo no jogo... Não tinha nada a ver com vocês? Peludinho, focinho curto, meio que um guaxinim fermentado, todo elétrico...

– O Mão-Pelada é, assim como todas as criaturas fantásticas, um ser em extinção. – explicou o Patrão – Talvez ele esteja mais próximo do desaparecimento que as mulas sem cabeça. Vive em mata fechada e normalmente foge quando humanos se aproximam.

– Não foi o caso daquele. Ele teria me trucidado, se não fosse por aquela bola murcha...

– O coitadinho deveria estar com muita fome para se aventurar ao lado de uma escola cheia de crianças barulhentas. Que dó! – disse Elis, aflita – Isso não teve nada a ver com a gente, meu bem. Foi o seu primeiro contato em terceiro grau com uma criatura fantástica!

– Que por pouco não me torrou. O que são aquelas faíscas?

– É a forma de defesa dele. – falou Zé – Assim como gambás exalam mau-cheiro, Mãos-Peladas emitem eletricidade. As chispas azuis do bicho também servem para hipnotizar a sua presa. Um mecanismo de defesa natural. Ele é uma criatura que transita entre a família da terra e a do fogo. E é dessa última espécie de criaturas que seria importante você aprender alguma coisa de imediato, Anderson. Amanhã pedirei para que Tina explique mais sobre estes seres para você, e que lhe indique bons livros a respeito.

– Certo. E quais são as criaturas do fogo, além do gambazão piromaníaco?

– Entre as mais conhecidas, as mulas sem cabeça, os curupiras, que eu já citei para você, o boitatá...

– Esse eu conheço! É tipo uma cobrinha de fogo.

Todos pareceram desconfortáveis por um momento antes de Zé continuar.

– Mais ou menos. Eu tiraria o diminutivo *cobrinha*. Enfim, ligado ao elemento fogo temos também a Mãe D'Ouro, que é uma criatura que não é vista há tempos. Temos notícia apenas de uma, recentemente, a que talvez seja a última de toda a espécie.

– Certo – murmurou Anderson, afundado até a cintura naquele mundo absurdo – E onde ela está?

Zé estava prestes a responder, com o seu jeitão didático e cauteloso. Mas o Patrão resolveu cortar o barato do meio-caipora e dar a notícia ao seu modo.

– Sabe o cofre que será aberto na empresa que iremos invadir? A Mãe D'Ouro está lá dentro.

< capítulo 10 >

O MAIOR TEXTO JÁ ESCRITO POR ANDERSON COELHO

De: Anderson Coelho <ancoelho_shadow@yuppie.com.br>

Para: Renato Hellhammer <hellnato@bmail.com.br>

Assunto: Eu juro que não tô louco

Esta mensagem contém arquivos anexos: legado_folclorico.wmv

Fala, Renato.

Tô te mandando este e-mail por dois motivos. Não, três.

1 - organizar meus pensamentos. Ouvi tanta coisa desde que cheguei em SP que preciso começar a colocar por escrito, para ver se me organizo.

2 - preciso de uma testemunha caso eu desapareça ou morra queimado no domingo. Você já vai entender o porquê.

3 - é que eu vou precisar também de uma ajuda sua, e queria que você ficasse por dentro do meu probleminha.

Começando pelo pessoal daqui, os que me levaram embora naquele carro verde. Eles são legais. São uma mistura de ONG, orfanato e um grupo de pessoas libertárias que quer levar a vida sem a influência da alienação causada pelo capitalismo. Falei bonito, né? Pena que eu mesmo ainda não compreendi isso perfeitamente.

Não, eles não vão vender os meus rins ou qualquer outra parte minha. Eles não são maus. São apenas diferentes... Ok, dane-se se você não acreditar, mas eles são tipo criaturas folclóricas. É, isso mesmo. Leia de novo o título da mensagem. Eu juro que não tô louco. O líder desse trem aqui chamado Organização é um tal de Patrão, que na verdade é um Saci-Pererê. Ele traz crianças órfãs e perdidas para esse casarão, as educa, ensina – melhor, apresenta – temas como ética e moral, e se responsabiliza por elas até que elas cheguem à idade de trabalhar e de decidirem seus próprios rumos. Negócio legal. O Patrão também recruta uns indivíduos que possuem parentesco com criaturas fantásticas. Peraí, cara! Continua lendo. Eu descobri isso tudo agora há pouco também, fiquei da janta até as quatro horas da manhã ouvindo absurdo atrás de absurdo. Não vai fazer mal você ler um pouco.

Sim, criaturas fantásticas. O José da Silva Santos, lembra dele? O halfling level 1 que apareceu na minha cozinha me convidando pra Copa de Matemática. Ele é um meio-caipora. A mãe dele é uma criaturinha selvagem ligada ao elemento terra, e o pai dele é humano. Resultado: Zé. Gente boa demais da conta. Quando bebe começa a mudar de cor, fica mais escuro do que eu.

Aí tem a Elis. Ai, ai, Hell... Gata que só vendo. Filha de sereia com pai humano também. Não tem cauda de peixe, mas você não duvidaria de mim se desse uma olhada na garota. Ela tem poderes para induzir os pensamentos dos outros. Mais ou menos que nem aquele filme com o DiCaprio que a gente assistiu, A Origem, lembra? Ela faz meio que aquilo, planta ideias na cabeça das pessoas, mas com elas acordadas. Hipnose, indução, sei lá. Foi ela que facilitou a viagem com os meus pais. A propósito, Elis está grávida. E sabe de quem? Do Boto. É, esse eu não conheci, mas é um cara essencial na nossa missão de invadir a Rio Dourado. Putz, você não tá entendendo nada, né?! Já chego lá.

O Chris é até agora o cara que mais me identifiquei aqui da Organização. É ligado a alguma lenda também, mas ainda não descobri à qual. Ele fez mistério quando perguntei. Amanhã de manhã – na verdade, hoje, daqui a pouco – vou pegar uns livros na biblioteca para me inteirar sobre criaturas fantásticas e ver se descubro o que Chris é além de pianista e motorista de um carro elétrico. Uma menina daqui vai me ajudar com as leituras. Valentina. Ela é meio doidinha, inteligente, tem uma arara que fala e uma capivara que rosna. Especialista em bichos folclóricos. Tem cara que vai ser veterinária de monstros. Mas a Tina não é filha de criatura nenhuma, é só uma das muitas órfãs que vivem aqui. Assim como o Pedro, um gurizinho insuportável, e o Olavo, amigão do Chris e instrutor de arco e flecha. Ele me ensinou a atirar com um de verdade! E cara, eu devo ter sangue de elfo, sou um arqueiro nato. Acertei quase tudo no alvo logo na minha primeira aula. Sou o primo negro do Shadow Hunter!

Já o Patrão, ele é um saci meio intelectual e ranzinza. Não é alto, mas é durão. Parece ser forte como um touro, para a idade que tem. Nem ouso perguntar sobre a história dele, se a mãe ou o pai eram saci e tal... Mas quer saber, ele mesmo parece um saci original. Não pude perguntar nada sobre a espécie saci, não deu tempo. Acredito que eles sejam do elemento ar, com todas aquelas histórias que contam pra gente sobre os redemoinhos e tal... As crendices populares sobre criaturas lendárias têm um fundo de verdade, no final das contas!

Vou economizar algumas histórias para quando eu voltar. Depois eu te conto sobre a Cuca que tentou me matar no centro de Sampa, e sobre a rua que tem lá. Santa Ifigênia. Vou começar a rezar para essa daí...

Pulando para a parte que interessa: o meu trabalho aqui. Eles querem que eu plante um vírus no computador central de uma empresa. Ha! Eu tô baixando tudo quanto é tutorial pra poder fazer isso, Hell. Eu não sei criar um vírus. Não manjo NADA. Acho que eles confundiram geek com hacker. Vou precisar de uma mãozinha sua nisso, para ver se você consegue me ajudar a desenvolver algo rápido, que fique pronto antes do domingo.

É, porque a missão é no domingo. Eu e os meus amigos filhos de lendas vamos invadir uma empresa chamada Rio Dourado, que enriqueceu às custas de uma criatura do fogo raptada anos atrás. Ela está trancada em um cofre especial, segundo um espião nosso infiltrado na segurança da empresa. Esse cofre vai ser aberto em uma hora que ainda será passada para nós. Não sei como, pois quem lida com o espião diretamente é o Patrão.

Mas enfim, essa criatura aprisionada se chama Mãe D'Ouro (desculpe contar essas coisas tão de supetão, mas foi dessa forma que descobri também). De acordo com a lenda – e com a Wikipedia – ela é uma bola de fogo flutuante que é atraída por veios de ouro e minerais preciosos, dedurando a localização de riquezas naturais. A função destas criaturas, as Mães, era proteger as jazidas da exploração predatória. Aí vem a parte que aprendi com o Patrão. A raça das Mães começou a ser extinta nos primeiros séculos após o descobrimento, quando um homem conseguiu aprisionar uma delas, forçando-a a mostrar-lhe a localização de ouro subterrâneo. Aí a caça dessas criaturas virou sensação e muitos senhores de terras tinham as suas Mães em cativeiro. Muitas zonas de garimpo no Brasil só foram iniciadas desta maneira suja. Homens abandonavam a pobreza de uma hora para outra – a existência destas criaturas do fogo despertando sonhos de riquezas eternas.

As coitadas das Mães não aguentavam a brutalidade da escravidão e a distância de seu habitat e das outras criaturas, suas irmãs no fogo. E foram se apagando, uma a uma. E as que ainda se encontravam livres na natureza não eram páreo para as hordas de monstros bípedes gananciosos que invadiam as matas dia e noite, desmatando e queimando tudo até encontrarem as últimas remanescentes daquela raça. Triste, cara. Triste saber que o dinheiro, que traz felicidade pra uns, causa a tristeza da própria Natureza.

O nome Mãe D'Ouro tornou-se folclore, então. Até o Patrão e seu esquadrão de mitos acreditavam que ela agora ocupava o posto oficial de lenda. Aí é que a Rio Dourado entra na jogada, Hell.

A Rio Dourado é uma empresa que atua no ramo de exploração de minérios e metais preciosos. Nunca tinha ouvido falar nela, deve ser o tipo de nome que só aparece naqueles cadernos de economia nos jornais que nossos pais leem. Deve ser familiar pros engravatados das bolsas de valores. Zé me disse que os investidores e concorrentes nunca entenderam a rápida ascensão da Rio Dourado no mercado e que cada vez mais ela se firmava como uma das principais empresas e exportadoras de minérios do país. Os negócios deles andam tão bem que a Rio passou a atuar em outros setores, diretamente ou em parceria com outras empresas de investidores: possuem braços no ramo de restaurantes fast foods, hipermercados e até na indústria automobilística.

A empresa prodígio é comandada por um cara chamado Wagner Rios, um sujeito carismático e que cada vez mais atrai a admiração dos investidores. Wagner pareceu sempre fazer a aposta certa em suas manobras corporativas, e isso chamou a atenção de muita gente. Inclusive da Organização. Segundo o Patrão, o segredo do sucesso de Wagner não é somente sua inteligência, sua ousadia empresarial. É algo mais.

O filho da mãe encontrou o que seria a última Mãe D'Ouro. E adivinhe o que ele fez com ela? Se você respondeu cativeiro, sua resposta está correta. A Rio Dourado anda perfurando a torto e a direito todo o solo entre São Paulo e o Espírito Santo, incluindo cidades do interior de Minas. Pelos mapas que a Elis me mostrou, o crápula passou muito perto de Rastelinho, escavou muitas das cidades vizinhas nossas.

E o negócio é esse, Renatão: nós vamos entrar naquela porcaria da Rio Dourado e levar a Mãe D'Ouro à força. Os meus parceiros aqui possuem uma ligação com as outras criaturas dos elementos, e pressentem que não resta muito tempo de vida à nossa querida bola de fogo. Deseje-me sorte, pois vou fazer uma raid de verdade. Por mais que eles tenham me garantido um zilhão de vezes que eu não vou correr perigo, sinto que a coisa não vai ser tão simples. E o pior de tudo? Eu QUERO fazer isso. Parece que tomei essa causa para mim, proteger a Mãe D'Ouro.

E proteger a natureza. Acho que estou me sentindo parte deste grupo, mesmo estando aqui só há dois dias. Agora eu entendo aqueles babacas de reality shows que ficam uma semana na casa e já saem dizendo que são amigos e irmãos para a vida toda. Acho que aconteceu esse fenômeno comigo, eu simpatizei com todo esse pessoal logo de cara. E já me sinto parte dessa loucura, mesmo não sendo órfão ou filho de criaturas lendárias. Falando nisso, que saudade dos meus Coelhos. Estou só esperando o sol raiar aqui pela janela do casarão, que eu vou até o orelhão ligar pros velhos.

Ainda tenho dois milhões de dúvidas em minha cabeça, sobre Wagner Rios, sobre a Organização e tudo o mais. Não consigo deixar de pensar no "Por que eu?". Tanta gente por aí que poderia servir a Organização de forma muito mais eficiente, e eles me chamam um viciado em games menor de idade. E pelo jeito, vou ter que me contentar com as respostas em doses. Isso aqui parece Lost: a cada pergunta respondida, ganho mais um caminhão de dúvidas e mistérios.

Pra finalizar, porque meus dedos estão doendo – acho que nunca escrevi nada tão longo em minha vida, com exceção daquela pesquisa gigantesca que fizemos em dupla sobre a Inconfidência Mineira – estou te enviando um vídeo que está me deixando louco. Quem postou ele no YouTube foi um tal de esmagossauro93. Aqui está o link para o canal dele. Quero saber se esse daí tem alguma ligação com o nosso compadre troll do Battle. Se descobrir qualquer coisa, me avisa!

E como anda a guilda? Evil e Rider se comportando?

Abraço, cara. Se tudo der certo, segunda tô de volta da minha suspensão e da minha "Copa de Matemática".

Anderson

PS: não vou conseguir entrar no BoA, estou com conexão 3G. Impossível!
PPS: não acreditou em uma palavra do que eu digitei? Tô nem aí! Só eu sei o que passei com aquele diabo de Cuca.

< capítulo 11 >

O SENHOR DOS CACHIMBOS

– **A**lô?

– Alô, mãe?

– Filho!!! Que saudaaaaaaaade...

– Nossa, eu também... Parece que eu tô longe de você e do pai há mais de um mês!

– Ah, meu lindo, pra mim já parece que faz um ano! Não estou acostumada com o meu bebê longe de mim...

– Haha, não exagera, mãe! E aí, tudo joia com você e o pai?

– Ele foi entregar uma encomenda em outra cidade, saiu bem cedinho, ainda estava escuro. E eu estou bem, com saudades, mas fazer o quê... E me conta, como é São Paulo?

– Er... eu não sei direito eu fico muito tempo aqui dentro do, hã, hotel. Estudando. Saí ontem para uma volta no centro, mas voltei logo.

– Foi legal o passeio?

– Super.

– Ah, que ótimo, filho! E a Copa?! Preparado pra final?!

– Não sei direito, mãe...

– Mas eu sei, e tenho certeza que você vai trazer essa taça! Escuta, estava até pensando em passar no Zeferina e falar com seus professores, pedir que me informem sobre a sua lição de casa...

– NÃO!!! Não, mãe... quero dizer, não precisa! Eu já pedi pro Renato fazer isso, nem se incomode...

– Ah, é? Bom, se você diz...

– Mãe, agora preciso ir. Estou em um telefone público aqui na esquina, e o cartão que você me deu já está acabando. Interurbano come crédito rápido! Além disso, estou perto de um viaduto aqui, tudo meio deserto, não quero ficar dando sopa...

– Então vai, filho. Estuda bastante, e se precisar de qualquer coisa é só ligar. A mãe e o pai te amam!

– Também amo vocês. Ligo de novo amanhã!

– Tchau, meu bem.

– Tchau...

Subiu as escadas, e cumprimentou Reinaldo antes de entrar no seu quarto. O garoto descia para o café, que Anderson havia tomado antes de quase todo mundo, junto com Olavo e Haroldo. O instrutor de arco havia lhe chamado para praticar mais alguns tiros naquela manhã, e Anderson prometeu comparecer ao porão.

Guardou seu cartão telefônico próximo ao caderno da animação de Anselmo e da sua caneta cinco em um. Quando ligou o computador para dar continuidade à sua pesquisa sobre vírus, alguém bateu à sua porta.

– Pode entrar!

Era Valentina. Seu rosto apareceu pela fresta, radiante. Kuara espiava por cima de sua cabeça, empoleirada no boné que a garota utilizava.

– Soube que você descobriu! – saltitou até Anderson, completamente eufórica – Não preciso mais disfarçar sobre tudo, e agora posso te perguntar sobre o Mão-Pelada! Estava TÃO curiosa!

– E eu não preciso mais fingir que sou um papagaio – secundou Kuara, planando até a cama bagunçada do garoto – Toda aquela encenação estava me fazendo mal.

– Calma lá. Que tipo de animal mágico é você, então? – perguntou Anderson.

– Sou uma pura e genuína arara-azul. Não cuspo fogo e nem faço chover. Só que nasci falante, ué. Pessoas falam, e algumas nascem mudas. Araras não falam, e algumas nascem falantes. Simples!

Anderson olhou do bicho para Tina, e ela apenas ergueu os ombros.

– Bom, uma arara falante é um absurdo mínimo perto de tudo o que ouvi ontem. Ainda nem consegui dormir direito, passei a noite em claro.

– Quer um chá de maracujá? – perguntou Kuara, solícito.

– Não, agora preciso ficar acordado, e... – Anderson olhou para o pássaro, como se o estivesse vendo pela primeira vez – Vem cá, e quem faria o chá? Você?

– Claro que não, está louco? Eu iria pedir pra alguém lá embaixo. Como eu iria encher o bule de água, ligar o fogão... Olhe para essas asas! Elas se parecem com mãos de cinco dedos?

– Kuara, chega vai... Anderson, agora me conta! O Mão-Pelada é fofinho mesmo?

– Olha... Não tive tempo de achá-lo bonitinho. Ele não foi muito sociável comigo...

– Tadinho, ele devia estar tão assustado...

– Ele, né?

– Eu queria tanto ver um de verdade... Só tenho umas ilustrações feias em livros antigos. – Tina estalou os dedos e puxou Anderson pelo braço – Falando nisso, pediram para eu te levar na biblioteca e separar alguns livros para você começar a compreender melhor os animais fantásticos e as lendas, sob a ótica folclórica popular e sob a versão de estudiosos que já foram membros da Organização.

– Bom, eu acabei de ligar o computador, não dá pra gente baixar esses livros?

– Esses que eu falei você não vai encontrar em lugar nenhum, pode ter certeza. Folhear um livro, pesquisar, ler e reler... faz parte do nosso ritual. A internet te entrega tudo mastigado, não faz você pensar.

Anderson não sabia o que pensar desta última declaração de Tina. Ele não se considerava alguém com preguiça de pensar. Mas se as coisas podiam ser mais fáceis, porque complicar?

Decidiu acompanhar a garota, já que ela havia pedido com jeitinho. No caminho, Anderson levou um susto ao ter o calcanhar beliscado por algo. Gritou ao ver a capivara que havia rosnado para ele no dia anterior. Tina se ajoelhou para abraçar o animal, que fez festa ao redor dela como um cão.

– Anderson, apresento-lhe Capivera, minha capivara!

– Hã... oi, Capivera. Tudo bem com você?

O bicho não respondeu. Apenas fremiu o nariz e mostrou os incisivos salientes, alheio à pergunta de Anderson.

– Ela não fala. – avisou Tina, sem jeito.

– Uau, agora sim estou surpreso. Um bicho normal.

– Na verdade, eu acho que ela pensa ser uma cadela em algumas ocasiões. Costuma pegar as bolinhas e gravetos que eu jogo longe, e dorme em uma casinha que fica no corredor do meu dormitório. Mas no geral, ela é bem normal. – e então assumiu um tom tatibitate, acarinhando o focinho redondo da roedora – Né, Capivera?? Vem aqui com a mamãe, vem...

– Você faz trocadilho com os nomes de todos os seus animais?

– Só com os que têm nome.

– Uai, mas você tem algum que não tem nome?

A garota olhou para o teto, como quem recordasse.

– Não – respondeu, com um sorriso – Agora vamos aos livros!

Cumprimentou Olavo ao descer as escadas para o porão. Antes de começarem as buscas pelos livros de folclore, Tina e Anderson pegaram dois arcos juniores na parede para realizarem uma rápida disputa. Olavo preparou dois cavaletes e distribuiu flechas para cada um. Corrigiu o posicionamento de pés da garota e apenas lembrou a Anderson para que ele não fechasse um dos olhos na hora de mirar.

– Os dois olhos, sempre abertos! Com um deles fechado, você pode ter a noção errada da distância ou posicionamento do alvo.

O resultado foi bom para Anderson, que surpreendeu Olavo. Apesar de mandar cinco de quinze flechas para fora do alvo, o garoto foi consideravelmente melhor que Tina, que praticava quase todos os dias em suas horas vagas.

– Melhor que ontem, pior que amanhã – disse Olavo, batendo nos ombros de Anderson – Esse é o meu lema. Já está bem melhor que a sua primeira série de tiros. Agora, fiquem à vontade para atirar e pegar livros. Eu preciso dar uma saída.

– Aonde vai, Olavo? – perguntou Tina, pendurando o seu arco na parede.

– Arranjei um emprego. Temporário – explicou, parecendo pouco à vontade de falar a respeito de si – Um bico que vou fazer. Bom, até mais para vocês, nos vemos à noite.

Anderson esperou alguns segundos após os passos deixarem os degraus de madeira da escada do porão e virou-se para a amiga.

– Ele pode trabalhar fora? Não é meio que *contra* o pensamento daqui? Tipo, ele ganha uma grana para alguma coisa, começa a gostar de fazer compras, passa a querer mais dinheiro para comprar mais ainda...

– Anderson, isso aqui não é uma ditadura – disse Tina, em tom descontraído. Ela falava enquanto vasculhava as lombadas dos livros nas prateleiras, à procura de algum em especial – O Patrão só evita o nosso contato com uma vida mais... mundana, digamos assim, pois ele acha que o consumismo só atrapalha na formação de um cidadão. E enquanto não completarmos dezesseis anos e pudermos arranjar um trabalho, ele é o responsável por nós. Então, na idade certa, estamos livres para experimentar a vida que quisermos. Se o Olavo quiser trabalhar para juntar uma quantia e fazer algo da vida, não há problemas. Desde que ele não esqueça tudo o que ouviu aqui dentro. Pelo bem dele. Ah, aqui está!

Ela estendeu um livro grosso para Anderson, que tremeu ante a possibilidade dela lhe pedir que ele o lesse de cabo a rabo. O nome do autor, quase apagado na capa, era engraçado.

– Luís da Câmara Cascudo – leu o garoto, em voz alta – *Cascudo*, haha. Quem é ele?

– O maior estudioso do folclore e dos costumes regionais que o Brasil já viu. – Tina sentou-se em um pufe de frente para Anderson – Sabia mais sobre as criaturas fantásticas de nosso país do que todos os livros desta biblioteca juntos. Correu o Brasil de norte a sul, anotando tudo o que via e ouvia sobre mitos populares e os compilou em dezenas de livros e estudos detalhados, encontrados em livrarias e bibliotecas de qualquer cidade, e alguns poucos mais secretos, sem a máscara *folclórica* colocada nas edições para *pessoas normais*. Faleceu na década de oitenta, com quase noventa anos e plenamente lúcido. Esse exemplar que você tem em mãos foi feito especialmente para a Organização, pela sua amizade com o velho Saci. Peça única! Ele conta *a real* sobre muitos dos mitos que ele mesmo tratou de camuflar em seus estudos para a área de antropologia. Tinha medo que homens de má-fé procurassem estas criaturas para fins maldosos.

– Homens como Wagner Rios, por exemplo – disse Anderson – Com sua Mãe D'Ouro em uma coleira.

– Ah, eles te contaram sobre ele ontem, né?

– Uma pequena parte. Todas as informações daqui de dentro chegam até mim em doses econômicas, já estou acostumando. Mesmo assim, eu acho que já detesto esse cara e a empresa dele. Fale mais do nosso amigo *Casca-Grossa*, aqui.

– É *Cascudo*. Bem, ele queria evitar este tipo de coisa que Wagner Rios acabou fazendo. Preferia que muitas de nossas riquezas e magia, culturais e naturais, existissem apenas como mito aos olhos dos outros. Melhor que os tesouros continuassem enterrados, longe de serem saqueados, entende?

Tina ainda pegou uns três livros das prateleiras e os empilhou no colo de Anderson. Os dois continuaram conversando, até Chris aparecer no porão, descendo as escadas.

– Bom dia, marujos. Tina, acompanha o Zé na coleta de hoje? É aqui pelo centro mesmo, o Carro Verde tá recarregando na garagem.

– Beleza! Vem comigo, Anderson?

– Claro, eu só vou...

– Na verdade, eu vou ter que levar o Anderson comigo, Tininha. – disse Chris, passando a mão na própria cabeça e bagunçando o que já estava bagunçado – Planejamento da invasão do domingo. Missão de reconhecimento.

– Ah, entendi – falou a garota, parecendo levemente desapontada – Tudo bem, até a noite, meninos.

Tina subiu as escadas correndo, desaparecendo da vista dos dois.

– Ela gosta desse negócio de coleta, né? – perguntou Anderson.

– Gosta sim, ela é boa nisso – respondeu Chris, esboçando um riso debochado – Se bem que ela parece gostar mais quando você vai junto...

Anderson sentiu o rosto esquentar. Baixou os olhos para os livros, fingindo estar interessado nas capas. Chris riu alto e mudou de assunto. Era um cara legal, não queria deixar o garoto constrangido.

– Vamos, preciso te levar até um lugar. Chamei o Olavo para ir junto, mas ele estava de saída. Quero que você conheça melhor Wagner Rios.

– Aonde vamos?

Chris inclinou a cabeça para trás, lançando um olhar sinistro ao mineiro. As suas olheiras pareciam aumentar naquela posição.

– Vamos almoçar com o inimigo.

Anderson tremia, sentado sob o guarda-sol da lanchonete, e não era de frio. Estava com o seu exemplar do Câmara Cascudo em mãos, aberto em uma página aleatória, mas seus olhos estavam por todo lugar, menos no livro.

– Calma aí, velho – disse Chris, tomando o seu suco de melão sem pressa alguma – Quando ele chegar eu dou um toque. E o seu livro está de cabeça para baixo.

Anderson praguejou e inverteu o livro. Ainda mal havia tocado no seu suco.

– Tem certeza que ele vem comer aqui? É uma lanchonete legal, mas simples demais – observou Anderson, que havia gostado da Vila Madalena logo à primeira vista. Ruas arborizadas, calçadas limpas e muita gente passeando com cães – Um ricaço que nem ele...

– Na verdade, de acordo com o nosso infiltrado, ele vai almoçar nesse restaurante da frente – disse Chris, apontando com o nariz o estabelecimento requintado do outro lado da rua – Mas eu tenho boa audição, e te conto o que ele estiver conversando.

Anderson olhou para o outro lado da rua. Não pôde evitar uma olhadela para a orelha do amigo, que parecia perfeitamente normal. Abaixou o seu livro.

– O que você é, Chris? Conta logo, vai.

– Prefiro não dizer e continuar sendo o seu amigo, meu chapa – respondeu ele, terminando com o seu suco. – As pessoas possuem o hábito de se afastar de mim quando descobrem a verdade. Estou bem assim. Agora, pare de ficar olhando para todos os lados como um radar doido, você vai nos denunciar.

– Foi mal. – desculpou-se Anderson, lembrando-se de que o seu suco existia – Eu estava procurando algo sobre sacis nesse livro do Cascudo e não encontrei nada sobre a *espécie* saci. Será que eu pulei alguma parte?

– Não pulou, não. Isso porque o saci é único. Só existe o Patrão.

– Como assim? E todas as histórias de saci pelo Brasil todo, de travessuras e tal?

– Todas originadas do nosso terrível chefinho. Foi um período meio rebelde dele, digamos assim. Muito tempo antes de surgir a ideia de montar a Organização. Eu menti para você quando disse que não sabia nada sobre ele, mas também não acho justo te contar desta maneira. É algo muito... pessoal. Para ele. Se um dia o Patrão quiser que você saiba de tudo, ele mesmo contará. Mas tenha em mente que as coisas não são tão simples quanto parecem. Wagner Rios não sequestrou apenas a última Mãe D'Ouro da natureza, o que já seria algo horrível o suficiente. E as motivações desse homem tiveram origem em sua vida muito cedo.

Era a primeira vez que Anderson ouvia alguém falar sobre Wagner Rios como uma pessoa, e não como uma ameaça. Como um nome por trás de uma empresa. Chris contou que Rios provinha de uma família de historiadores e antropólogos, que dedicaram suas vidas às pesquisas. Ainda pequeno – e indiretamente, sem escolhas – fascinou-se pela carreira dos pais, e os acompanhava em todas as viagens. Herdou o gosto pelas profissões que tentavam remontar o passado e os costumes do país. Seu pai, um homem naturalmente endinheirado, vivia comprando em leilões – e até no mercado negro – trechos de documentos históricos da época do Descobrimento. Escritos de Padre José de Anchieta e até de outros jesuítas menos importantes da coroa portuguesa. Estes últimos, que relatavam explicitamente contatos dos padres e suas comitivas com elementais e demônios em território brasileiro, foram importantes para a formação do caráter do fundador da Rio Dourado.

– Os Rios ficaram obcecados com a possibilidade de existência daquelas criaturas relatadas pelos jesuítas – explicava Chris – Bertoldo Rios, o pai de Wagner, gastava cada vez mais dinheiro para conseguir novos relatos, não se importando com os meios que eram utilizados na hora da aquisição dos documentos. Chegou a roubar de museus e acervos. Penélope, a mãe, no começo, desencorajava essas atitudes do marido. Dizia que aquilo era errado, que o crime não compensava e tudo o mais. Mas Bertoldo dizia que fazia aquilo pelo bem das raízes de nossa cultura. Pela verdadeira História do Brasil. Que aquelas provas eram importantes demais para serem trancafiadas em museus bolorentos para sempre, sem funcionalidade alguma. Aqueles pergaminhos, aquelas cartas, talvez se tratassem de chaves para um Brasil totalmente novo. Uma terra habitada por criaturas mágicas e fantásticas, que deveriam vir à tona mais cedo ou mais tarde.

– Então, o verdadeiro culpado foi o pai do Wagner Rios – concluiu Anderson.

– Penélope acabou concordando com o marido, e jogou voluntariamente metade da culpa para cima dos próprios ombros. O verdadeiro erro do casal foi começar a dar maior importância para suas novas descobertas, que cada vez mais os aproximavam daquele Brasil mitológico que tanto procuravam, e passarem a deixar o pequeno Wagner de escanteio. Em uma excursão para o nordeste, onde provas e documentos indicavam rumores promissores no Rio São Francisco, Bertoldo e Penélope decidiram que aquela viagem seria muito perigosa para seu filho. O deixaram com a governanta, em sua nobre residência aqui em São Paulo, a total contragosto da criança. Aí é que tudo deu errado.

Anderson flagrou-se com a boca entreaberta, os dedos dos pés recolhidos. Prestava uma atenção mortal em Chris.

– Os Rios nunca voltaram. Sumiram. Sem deixar vestígios, provavelmente naufragados no São Francisco, ou devorados pelos gorjalas do nordeste.

– Gorjalas?

– Gigantes, se preferir. Homens com mais de três metros de altura, sem nenhum senso de civilidade. Vivem em regiões áridas e curtem uma carne humana mal passada.

Anderson sentiu o habitual desconforto que sempre se manifestaria a cada novidade terrível que lhe fosse contada. Chris continuou a história do pequeno Wagner.

– O filho dos exploradores, que tinha cerca de dez anos, não aceitou bem a notícia de que seus pais haviam sumido. A coisa piorou quando o seu desespero transformou-se em raiva. Ele culpava os pais por suas próprias mortes, e os culpava por não o terem levado junto. Por terem-no abandonado em troca de monstros cuja existência sequer tinha confirmação. Fugiu de sua casa e da tutela da governanta, tornando-se um pouco pior a cada dia longe dos pais.

– Falando assim, ele me lembra um pouco o Pedro – disse Anderson – Ele também foi para as ruas?

– Foi, mas passou pouco tempo antes que as lendas voltassem a interferir em sua vida.

– Como assim?

Chris apontou as olheiras para o garoto.

– O Patrão o trouxe para a Organização. O acolheu, da mesma forma que fez com Pedro. É uma comparação bastante sensata, a sua. Sempre tivemos medo de que o Pedrinho trilhasse o mesmo caminho que Wagner Rios. Seus temperamentos, a revolta com a vida... Patrão sempre fez essa comparação, e nunca se esquece da possibilidade da história se repetir. De qualquer forma, o nosso porco-espinho já está por lá há mais tempo do que Rios ficou na Organização. Talvez o final da história seja diferente para os dois.

Ainda digerindo a informação de que Wagner Rios havia sido um órfão de colete marrom, Anderson falou com a voz tensa.

– Ele durou quanto tempo lá?

– Pouco mais de um mês, se não me engano – respondeu Chris, que seguia com os olhos todos os carros que paravam em frente do restaurante em frente – Mas foi há muito tempo, não foi da minha época. Claro.

– Sei lá. Para mim não é tão claro. Não sei que *trem* você é, talvez aparente menos idade do que tem...

– Não, tenho dezoito anos! Isso eu garanto. Mas soube disso tudo da mesma forma que você, agora. Ouvindo. Esse lance de escutar e repassar para alguém é muito importante para nós, as lendas. Ou meia-lendas. Dessa maneira eu soube do primeiro passo de Wagner Rios para o lado negro da força: ele roubou uma coisa do Patrão e fugiu.

– Mas o que ele roubou? – perguntou Anderson, com pressa em descobrir tudo de uma vez.

– O Cachimbo de Ouro.

Anderson piscou rapidamente, como se o sol estivesse em seus olhos. Não era o caso.

– Tipo, "Cachimbo é de ouro, bate no touro"...

– É, a mesma peça que originou a cantiga.

– Isso vai ficando cada vez mais bizarro...

– O Cachimbo foi de Patrão há muito tempo. E para seu conhecimento, ele sim aparenta muito menos do que realmente possui.

– O Cachimbo?

– Não! O Patrão. Ele é *bem* velho.

– Mas velho *quanto*?

– O suficiente para conhecer a dura realidade de ser um escravo.

Anderson passou a mão pela cabeça. Parecia estar se certificando de que não saía fumaça dela. Mais uma informação daquela e seu cérebro entraria em combustão.

– Deixe-me ver se entendi, Rios se tornou um cara mau e saiu barbarizando geral só porque roubou um cachimbo? Tá, ele era de ouro. Ele por um acaso o chamava de "meu precioso", ou ficava cada vez mais maligno quando o acendia?

– Não, e também não se denominou o Senhor dos Cachimbos. Mas o artefato não era algo comum, como você deve imaginar.

– E o que é comum, quando o assunto é vocês?

– O Cachimbo de Ouro torna quem o possuir invencível.

– INVISÍVEL?! – engasgou-se Anderson, pronto para sai correndo e gritando com os braços acima da cabeça, rumo ao hospício mais próximo.

– Não, *invencível*! Invulnerável, na verdade. E calma lá, Frodo. Você não está na Terra Média!

"Não mesmo", pensou o garoto. "Se eu estivesse, Gandalf já teria aparecido para me ajudar a criar o vírus de computador. O que facilitaria muito a minha vida".

– Então, o Patrão era invencível?

– Não sei até onde a invencibilidade do Cachimbo se estendia ou o que ela significa para o seu portador, mas sim. Deve fazer uma gigantesca diferença para um homem comum – Chris pareceu farejar o ar, fez uma careta e voltou a falar, parecendo muito mais alerta agora – Acho que o cachimbo teve alguma participação na hora de Wagner capturar a última Mãe. Afinal, o ouro do objeto foi dado ao Patrão através de uma delas. Ele é que o moldou na forma de um cachimbo e o pintou, para disfarçá-lo.

Chris levantou a mão para um dos atendentes do balcão e sinalizou para que ele trouxesse mais dois sucos. Parecia mais agitado agora, o que também fazia com que Anderson se incomodasse.

– Wagner fugiu do casarão em certa noite, levando o Cachimbo no bolso. O Patrão ainda foi atrás do garoto, pronto a perdoá-lo e trazê-lo de volta. Mas o futuro empresário tinha a sua primeira arma para se vingar de todas as criaturas que haviam estragado sua vida. Por causa das lendas seus pais o haviam deixado de lado. Por causa das lendas ele havia sido largado no mundo, sozinho. Fugindo com o Cachimbo, Wagner estava matando em uma única tacada a sua última chance de voltar a ter uma família, por mais doloroso que fosse aceitar que seus pais haviam morrido, e também a sua inocência e infância. A partir dali, não existia mais uma criança. Existia a pura amargura com braços e pernas, que só descansaria quando suas vontades passassem a abarcar a tudo e a todos. Essa foi sua motivação para virar um dos homens mais poderosos do Brasil, e talvez deste mundo.

– Só acho estranho nunca ter ouvido falar dele – disse Anderson.

– Os verdadeiros poderosos sempre estão acima de nosso campo de visão, cara. Atrás das cortinas. Famosos e ricaços que saem o tempo todo em capas de revistas, exibindo as suas gostosas turbinadas em vestidos curtos e seus carrões, são apenas marionetes das reais ameaças econômicas. Escudos que os protegem dos olhos perigosos da sociedade.

Chris parecia querer dizer mais alguma coisa, mas então realmente farejou o ar, sem disfarçar. O rapaz da lanchonete pousava na mesa os dois copos de suco e encarou o rapaz com estranheza, franzindo as sobrancelhas. Anderson o agradeceu e o dispensou com um sorriso perdido, já que Chris estava completamente alienado aspirando o ar ao seu redor.

– Este cheiro... tem alguma coisa errada!

– Não fui eu...

– Isso não está certo.

Um Land Rover preto parou do outro lado da rua, na frente do restaurante chique, e um manobrista de gravata borboleta se materializou para abrir a porta do passageiro, com um sorriso tão branco que poderia ofuscar todo o pessoal da lanchonete se estivesse no ângulo certo em relação ao sol.

– É ele. Disfarce – murmurou Chris, completamente afetado por algo que não podia ser percebido por Anderson.

Do banco de trás do carro, saiu um homem de terno cinza e caro. Os cabelos eram compridos e com grandes mechas prateadas que reluziam com o sol do meio-dia, presos em um rabo de cavalo meio frouxo. Era um homem jovial e de movimentos ligeiros, que parecia estar próximo dos quarenta anos. Ofereceu um sorriso aos funcionários do restaurante que organizavam a entrada dos clientes, e então começou a falar sozinho. Anderson demorou a perceber que o empresário conversava com alguém por meio do viva-voz e do pequeno aparelho Bluetooth preso à sua orelha direita.

Desceram também do Land Rover mais três homens de ternos e óculos escuros. Dois muito parecidos entre si, praticamente gêmeos: meio que encurvados dentro de suas vestes, cabelos também compridos e escuros – muito mais longos que os do chefe deles – e compleição física de lutadores do UFC. O terceiro, o motorista, era careca, grandalhão, mas parecia um colegial magricela perto dos outros dois brutamontes. Anderson tinha a leve impressão de que ele parecia intimidado com a presença deles, apesar de estarem no mesmo *time*.

– Estes seguranças, não são normais. – rosnou Chris, tentando não olhar diretamente – Os dois cabeludos são capelobos. Certeza.

– São o quê?!

No mesmo instante, a dupla de seguranças fez o mesmo que Chris havia feito há pouco: farejaram o ar.

E olharam diretamente para a mesa na lanchonete do outro lado da rua.

– Eles estão olhando para cá. – gemeu Anderson.

– Finja que está lendo. – cochichou Chris.

Mesmo com o canto dos olhos, os dois rapazes viram que um dos cabeludos (ou *capelobos*, seja lá o que aquilo significasse para Anderson) foi até Wagner Rios e disse algo em seu ouvido. O empresário interrompeu a conversa que estava tendo por meio do Bluetooth e deu uma rápida olhadela na direção da lanchonete. Foi o suficiente para que Chris soubesse que ele estava ciente de suas presenças.

– Ele está dizendo ao *vallet* que vai querer apenas um lanche hoje, e perguntou se poderia deixar o carro estacionado com eles. – disse Chris. Anderson não conseguiu ouvir nada àquela distância, mas pôde divisar uma nota de cinquenta sendo passada da mão de Wagner Rios para o bolso no peito do manobrista de dentes brancos. Gorjeta gorda.

– Eles estão vindo para cá...

– Aja naturalmente. – disse Chris, ele mesmo não conseguindo fazer o que pedia ao garoto.

Wagner atravessava a rua flanqueado pelos gêmeos, enquanto o motorista careca cuidava de sua retaguarda, dizendo algo para um microfone oculto em sua lapela. Ele era o único que usava fone de ouvido para comunicação com a central de segurança. O empresário entrou na área da lanchonete e escolheu a mesa que ficava atrás de Anderson e Chris, sentando-se preguiçosamente em uma das cadeiras de plástico. Não parecia estar descontente com a falta de glamour do estabelecimento, comparado ao restaurante da frente.

– Sentem-se, rapazes – disse Wagner, indicando as outras três cadeiras na mesa com guarda-sol. Sua voz era gentil, mas firme – Relaxem um pouco, comam comigo.

O careca obedeceu ao patrão prontamente, e os outros dois demoraram um pouco a seguir a ordem. Não por insubordinação, mas porque pareciam preferir fazer o papel de gárgulas nos ombros de Wagner Rios. Então, sentaram-se também, sem tirar os óculos escuros.

– Rapaz – Wagner chamou o atendente da lanchonete, que se aproximou com bloco e caneta. Anderson escutava o homem, fingindo ler o seu livro, e sentia que apesar de toda aquela educação, cada palavra dita por Rios carregava algumas gramas de sarcasmo – Eu quero um bauru e uma tônica, por gentileza. E vocês, rapazes?

– Um x-salada e uma coca – pediu o motorista, dando a deixa para os gêmeos.

– Hambúrguer – grunhiu um deles, sem olhar para o atendente, que ficou meio perdido.

– Ahn... Só pão, hambúrguer e queijo, senhor?

O cabeludo virou a cabeça para o funcionário, que engoliu em seco. O outro capanga também fez o mesmo, e parecia encarar o atendente como se ele fosse o hambúrguer pedido.

– Pode trazer oito hambúrgueres para eles, meu rapaz. Sem pão mesmo, em um prato. – disse Wagner Rios, entrelaçando os dedos e sorrindo de forma tranquilizadora – Mal passados serão bem-vindos por meus amigos, aqui.

O rapaz assentiu com um sorriso sem graça e correu para a cozinha. Anderson não se surpreenderia se ele estivesse saltando o muro de trás da lanchonete naquele momento, para ficar o mais longe possível daqueles homens assustadores.

Ergueu os olhos de seu livro por um momento para espiar Chris. Ele suava em bicas, a cor de suas olheiras saindo do roxo e entrando no preto. Respirava rápido e parecia febril, a ponto de entrar em colapso. Anderson o fitou assustado, parando de escutar a conversa entre Wagner e seu motorista – já que os cabeludos não diziam uma palavra. O garoto tinha a sensação de que todos os olhos daquela mesa estavam colados à sua nuca.

– Chris – murmurou, certificando-se de que seus vizinhos não o escutassem – Você tá...

– Preciso ir ao banheiro – arfou o rapaz, levantando-se de supetão e entrando na lanchonete. Anderson ficou a sós na mesa, observando Chris subir uma escada de ferro que provavelmente levaria aos sanitários. Então, seus ouvidos se voltaram totalmente para Wagner Rios. Ele falava novamente usando seu Bluetooth, deixando seus seguranças em *stand by*.

– Eu já disse, quero câmeras cobrindo o terraço inteiro. Se eu perder um segundo de filmagem por mau posicionamento das lentes na hora do evento, me certificarei que este seja o último serviço prestado por vocês.

Agora Rios não parecia mais tão amistoso. Ele não gritava, e muito menos parecia irritado. Mas a ameaça em seu tom de voz controlado parecia ainda mais perigosa naquela situação. Anderson não gostaria de ser a pessoa do outro lado daquela linha, causando desagrado a um dos homens mais poderosos do país. Ele acabou de expedir suas ordens por telefone enquanto o atendente da lanchonete trazia todos os pedidos de sua mesa equilibrados em seus braços. Dispunha tudo na frente dos quatro, como se estivesse morrendo de pressa de sair dali.

– Ok, falem com meu assistente para resolver essa parte. Eu estou almoçando, ele pode resolver isso para vocês. Já o autorizei a adiantar o pagamento do contingente de vigilantes extras. Não se esqueçam de orientar os pilotos dos outros helicópteros sobre as normas de segurança. Obrigado.

Wagner arrancou o aparelho da orelha e o enfiou no bolso do terno, atacando o seu lanche sem rodeios. Os gêmeos apunhalavam os hambúrgueres quase crus nos pratos e os enfiavam na boca em dois tempos, mastigando de boca aberta. O empresário não parecia se incomodar com a falta de etiqueta de seus funcionários.

Chris demorava a voltar do banheiro. Anderson começava a ficar preocupado, suas mãos suavam tanto que a capa do livro que segurava estava molhada. Para seu terror, ouviu um dos brutamontes cabeludos resmungar em voz rouca.

– Banheiro.

Os dois empurraram suas cadeiras para trás e levantaram-se ao mesmo tempo, como se um precisasse do outro para fazer suas necessidades. Subiram as escadas de ferro, por onde Chris havia desaparecido há alguns minutos.

Wagner passou a ter uma conversa animada com o motorista careca, falando de futebol e outras trivialidades. O empregado mais ria do que falava, parecendo querer agradar o chefe com aquilo. Anderson não conseguia mais prestar atenção em Rios. Temia que os dois brutamontes tivessem ido atrás de Chris. Tinha a certeza de que eles haviam causado aquele comportamento perturbado no amigo. Talvez pelo fato de serem... como se chamavam mesmo? Capelobos?

– Com licença – uma voz próxima ao seu ouvido e uma mão repousando em seu ombro arrancaram Anderson de seus devaneios medrosos – Não pude deixar de perceber o que você está lendo.

Wagner Rios, sorrindo de maneira simpática, fazendo contato visual direto com o garoto. Suas feições eram incomodamente familiares. Certamente já havia esbarrado com seu rosto na internet ou na televisão. Olhando bem de perto, Anderson notou que pequenos pés de galinha enrugavam os cantos dos olhos acinzentados do maior inimigo da Organização, e que esse detalhe, mesmo somado aos fios grisalhos no cabelo longo, não tiravam a jovialidade do homem.

Pensou nisso tudo sentindo que aquela seria uma boa hora para ir ao banheiro. Sua bexiga implorava por aquilo.

– S-sim, é um livro de... folclore – gaguejou Anderson, enquanto Wagner se levantava de sua cadeira e sentava na desocupada por Chris, deixando seu motorista sozinho na mesa atrás de Anderson. Aquilo não significava coisa boa, por mais que ele estivesse sendo tão amável – É... meu amigo está sentado aí...

– Ah, claro! Só enquanto ele não volta do banheiro, eu prometo. É difícil ver alguém tão jovem lendo Câmara Cascudo.

– É... eu gosto.

Wagner sorriu, apoiando os cotovelos sobre a mesa. O suco de Chris permanecia na frente do homem, que parecia muito satisfeito em estar ali, naquela lanchonete tão simples, com um garoto tão simples.

– Eu também gosto muito.

"Eu sei", Anderson respondeu em pensamento, tendo que amarrar a língua.

– E o que você está achando da leitura? Faz muito tempo que não vejo um exemplar deste livro que está em suas mãos. Muito tempo mesmo.

– É que existem poucos volumes deste aqui. É uma edição... rara.

– Aposto que sim. Feita por Cascudo para um grupo especial, se não me engano.

Anderson sentiu que poderia vomitar todo o suco que havia tomado naquele terno cinza. Se não podia liberar o medo por baixo, sairia por cima mesmo...

– Foi – a única coisa que conseguiu dizer.

Wagner o avaliou por um instante e estendeu a mão sobre a mesa.

– Prazer, meu nome é Wagner.

Anderson hesitou em retribuir o cumprimento. Mas decidiu que não poderia levantar suspeitas, que deveria agir com a mesma tranquilidade que o empresário.

– Pedro – disse ele, com o primeiro nome que lhe cruzou a mente, e retribuiu o aperto de mão. Aquela era uma situação estressante, e o Pedro da Organização era uma pessoa estressante. Talvez esta tenha sido a associação feita pelo inconsciente do garoto.

– Pedro – repetiu Wagner, como se estivesse guardando o nome em sua memória definitivamente – É um prazer conhecê-lo, Pedro. Você tem quantos anos?

– Doze.

– Tenho um filho da mesma idade. Gostaria que ele tivesse o gosto por essas leituras, mas a área de interesse dele é outra. Conhecimento é poder, Pedro. Quando você busca entender os mistérios de nosso país, por exemplo, você passa a ter controle sobre parte dele.

– Acho que não entendi. – falou Anderson.

– O conhecimento está sempre lá, parado no mesmo lugar, disponível para quem quiser abraçá-lo. Quando você decide se apossar dele, ele o leva a um nível mais alto, o faz enxergar as coisas com mais sabedoria. E um homem sábio tem poder sobre os outros homens, comuns.

– Um homem sábio deveria ajudar os homens comuns a se tornarem tão sábios como ele. – disse Anderson, em um arroubo de sinceridade. Poderia fingir que Pedro era seu nome real, mas não conseguia esconder o que pensava sobre aquela observação de Wagner Rios.

– Talvez, meu caro Pedro. – Wagner coçou o queixo liso, parecendo um pouco surpreso pela resposta do garoto – Isso pode soar bonito em palavras. Mas na prática, os homens sempre precisarão de um líder. Se todos se tornarem iguais, não existe mais sistema. Sem sistema, as engrenagens que movem a humanidade param, a sociedade se estagna. Deixa de funcionar por completo. Você consegue imaginar um mundo onde todos fossem pobres? Igualmente pobres, sem distinção. Consegue?

– Seria algo horrível, no mínimo – disse Anderson, olhando para as escadas. O que teria acontecido a Chris?

– Sem dúvidas. Tão horrível quanto um mundo onde todos fossem igualmente ricos. Que milionário aceitaria trabalhar para outro?

Wagner afrouxou o nó de sua gravata. Mesmo abaixo do guarda-sol, o calor estava intenso. Ele continuou com seu raciocínio.

– É necessária a distinção entre as pessoas, e o conhecimento o torna diferenciado. Não é o dinheiro que traz poder. É o conhecimento que traz o dinheiro. – se debruça para frente, e completa em voz baixa, como se contasse um segredo de Estado para o menino – E o dinheiro é só uma ferramenta usada pela sabedoria. Um artifício para você manter o equilíbrio. Para você se certificar de que alguns *precisam* ser pobres, para que outros tenham sua chance de enriquecer. E que estes afortunados tomem providencias para que os que estão nas camadas baixas continuem recebendo o que os mantém vivos: a diversão, o entretenimento, o prazer mínimo que este mundo possibilita a seus viventes.

Wagner se empertigou novamente, os olhos fixos em Anderson.

– Essa foi a aula mais rápida e curta sobre o poder do conhecimento e o equilíbrio que você jamais terá novamente.

Anderson não se moveu. Também parecia mais aflito. Havia bebido das palavras do magnata, de todo aquele raciocínio de que o sistema precisava ser mantido para o bom funcionamento das coisas.

Havia bebido, mas não engolido.

– Acho que uma sociedade equilibrada seria um lugar onde cada um de nós soubesse o seu papel no mundo. – Anderson disparou em uma onda de eloquência digna do caipora Zé. Pensava na Organização e naquelas crianças que conviviam em uma harmonia totalmente fora do comum – Onde todos tivessem o conhecimento e o utilizassem em consenso para que a sociedade inteira melhorasse. Não um grupo seleto. Não alguém. Melhorar o mundo, para que todos tirem o melhor dele. E não esperarmos que alguém *tire o nosso melhor* para entregá-lo de bandeja a alguém atrás das cortinas.

Wagner riu alto, parecendo feliz. Anderson juntou as sobrancelhas e cerrou um dos punhos. O empresário parecia prestes a aplaudi-lo.

– Você fala muito bem, garoto. Poderia comandar pessoas, um dia. – Wagner se levantou lentamente e enfiou as mãos nos bolsos da calça de tergal. Não parecia mais o homem simpático que abordara Anderson há pouco. Mostrava um lado frio, afiado como uma navalha – Tomara que acorde logo e perceba que esse discurso libertário não o levará a lugar algum. Se quer um conselho de alguém que sabe muito bem o que você está passando neste momento, escute: pegue o seu conhecimento e o leve para um lugar bem alto, bem acima do nível da ignorância social. Se diferencie enquanto ainda há tempo, para não ser varrido com toda a porcaria igualitária que entope os bueiros do mundo e impedem o avanço da sociedade. O rolar da engrenagem.

Wagner Rios contornou a mesa de volta para a companhia de seu motorista. Anderson deveria ter irritado o homem. Abaixou a cabeça, satisfeito por não ter se calado e por ter mantido o nível. Torcia ferrenhamente para que Chris aparecesse logo e que os dois pudessem dar o fora dali. Mas o empresário tinha mais algo a dizer, enquanto cortava um pedaço de seu bauru e bebericava sua tônica.

– E se quiser alguma compreensão mais imediata das coisas, – disse ele, de boca cheia – dê uma olhada na página 42, se não me engano, deste seu livro.

Automaticamente, Anderson procurou a página indicada por Wagner Rios, imaginando que ele deveria ter estudado aquele livro velho em sua curta passagem pela organização, há muito tempo atrás. Ele ainda lembra até dos números das páginas?

A página 42, que estava maltratada pelo tempo e pelo uso, começava da seguinte maneira:

Capelobo:
Uma variante do lobisomem, de origem totalmente nacional. Ora animal, ora em formato humano, é um ser transmorfo que lembra uma mistura de lobo e tamanduá. Aperta a vítima num abraço mortal, vara-lhe o crânio e, pondo a tromba lá dentro, suga toda a massa encefálica. Só pode ser morto com um ferimento no umbigo. De cabelos longos e negros, o capelobo não tem amizade com o homem. É simplesmente uma fabulosa máquina de matar...

Fechou o livro com um estalo apavorado e virou-se para Wagner, que mal o olhou. Continuou com sua tônica, parecendo ter se esquecido completamente do garoto com quem acabara de conversar.

– Eles vão matar meu amigo – arquejou Anderson, levantando-se. O motorista careca fez menção de levantar-se em resposta, mas Wagner fez um sinal com a mão para que ele continuasse sentado.

– Se eu conheço bem os capelobos, e eu os conheço, a essa altura seu amigo já deve estar sem os miolos – disfarçou um arroto e repousou os talheres sobre o prato vazio sujo de ketchup e mostarda – Corra enquanto há tempo, Anderson. A escolha é toda sua.

Anderson.

Ele sabia o seu nome verdadeiro. Sentiu até os pelos da nuca se levantarem, carregados de espanto, medo e incompreensão.

Antes que Anderson pudesse esboçar qualquer reação, um grande estardalhaço veio da direção das escadas de ferro. Algo peludo e esfarrapado descia os degraus, rolando e derrubando engradados de refrigerante e cerveja. Rosnados, urros e gritos, e o próximo a descer foi Chris, suas roupas rasgadas e cheias de buracos.

– Corra! – gritou, enquanto o segundo gêmeo aparecia no topo da escada, os clientes gritando e correndo em pleno desespero. Antes de obedecer a ordem do amigo, Anderson teve um vislumbre da forma transformada dos dois seguranças de Wagner: seus ternos estavam rasgados e apenas pendurados na grande forma encurvada que os caracterizava como capelobos. Braços longos e musculosos que terminavam em garras curvas, pescoço troncudo e uma espécie de nariz enorme de tamanduá, conforme a precisa descrição de Câmara Cascudo. Uma espécie de lobisomem com tromba e língua vermelha sibilante.

Anderson agarrou seu livro velho e de capa marcada como se o encadernado fosse sua única salvação. Acertou-o em cheio na lateral do rosto do motorista careca, que se atirou sobre o mineiro na tentativa de contê-lo. Pego desprevenido, o homem caiu sobre a mesa de plástico com força, quebrando os copos de suco com o corpo. Uma rápida mancha vermelha borrou o campo de visão do garoto, indicando que o careca tinha se machucado significativamente.

Wagner Rios levantou-se, enfiando uma das mãos em um bolso interno do paletó. Anderson sabia que ele poderia sacar uma arma e acabar com tudo ali mesmo, na frente de todos aqueles clientes e funcionários que fugiam das duas criaturas que atacavam o jovem nas escadas da lanchonete. As pessoas passavam correndo pelo dono da Rio Dourado e o garoto mineiro, derrubando cadeiras e guarda-sóis, como búfalos em um estouro de manada. Ninguém ligaria para um coroa armado e bem vestido em meio daquele caos.

Em um ato de reflexo, Anderson agarrou o prato que havia sido utilizado por Wagner durante seu lanche, e o arremessou na direção do rosto do homem, como se fosse uma versão mirim do Capitão América. A mão do magnata ainda não havia emergido de seu bolso quando o disco de louça se espatifou contra sua ponte do nariz, espalhando cacos por todos os lados imagináveis.

No mínimo, Anderson esperava que sangue jorrasse do lugar onde o prato havia atingido. Não foi o que aconteceu.

Foi como se a louça tivesse explodido em uma parede de concreto. Wagner, incólume, apenas sacudiu a cabeça após o impacto e voltou a encarar Anderson. Sorriu, sem um mínimo arranhão ou corte no rosto. Sua mão voltou de dentro do paletó e repousou ao lado do corpo. Estava fechada em torno de um objeto curioso que emitia um brilho dourado opaco.

O Cachimbo de Ouro.

Com a recente conversa com Chris ainda fresca em sua memória, Anderson sabia que enquanto o empresário estivesse de posse daquele artefato, um Boeing 747 poderia despencar sobre seu corpo e ainda assim o único prejuízo que ele teria seria o de um belo terno arruinado.

– Se quiser, pode tentar novamente – zombou Wagner, apontando para os outros pratos sobre a mesa. Alguns talheres haviam caído no chão, inclusive o garfo e a faca que ele usava para comer o seu bauru. Anderson preferiu a faca, e a agarrou ao mesmo tempo em que o motorista careca levantava-se, apoiando-se em uma cadeira de plástico. Parecia estar morrendo de dor, os cacos de vidro cravejados no abdome.

– Pegue o garoto, seu imbecil – Wagner disse ao funcionário, ignorando os seus ferimentos e se posicionando de modo que Anderson não pudesse correr para a rua. O garoto nem pensaria em fazer isso, considerando que se encontrava em um bairro completamente desconhecido com inimigos em posse de um Land Rover – Por Deus, é um moleque com um livro e um talher!

Antes que ele conseguisse se colocar de pé, buscando sua pistola em um coldre secreto sob o paletó, algo gigantesco desabou sobre o homem. Era um dos capelobos, que parecia ter sido arremessado sobre o careca. Anderson olhou para trás e viu que Chris agora saía no braço com o monstro que sobrara de pé. Tentava afastar uma das trombas com uma mão, enquanto agarrava os cabelos negros na tentativa de imobilizar o adversário.

"Chris *jogou* o capelobo sobre o motorista?", espantou-se Anderson, reparando que o amigo tinha um porte atlético, mas não era lá muito musculoso. De qualquer forma, era um rapaz de dezoito anos contra dois capatazes do tamanho de guarda-roupas. E parecia estar se saindo muito bem, apesar dos inúmeros cortes e machucados por todo o corpo.

– Suba pela escada, Anderson! – gritou ele, conseguindo aplicar um mata leão no inimigo, que seria eficiente por alguns segundos – A janela do banheiro! Corra! Eu vou logo atrás!

Dispensando um último olhar para o tímido fulgor dourado na mão de Wagner Rios, Anderson deu meia-volta e correu, antes que o outro capelobo esperneando aos seus pés se desenroscasse do careca e conseguisse se levantar.

Passou por Chris em seu caminho na direção da escada, e ele imobilizava o oponente com um golpe de luta greco-romana. Parecia exausto, e não aguentaria aplacar por tanto tempo a selvageria daquela criatura.

– Vai logo, tá bem difícil aqui! – gritou do chão. Anderson percebeu que havia um ferimento gigantesco em seu antebraço, causado pela garra do bicho. Olhou para trás, e o outro capelobo vinha aos saltos na sua direção

– Mas e você?!

– Eu vou dar um jeito, agora VAI!!!

O capelobo agarrado se contorceu, e parecia prestes a se libertar. Sua barriga cinza ficou exposta por um segundo, e Anderson lembrou-se do trecho do livro de Câmara Cascudo lido há pouco, quando a lanchonete ainda não estava completamente destruída.

Só pode ser morto com um ferimento no umbigo.

Ainda levava a faca em uma das mãos. Sem hesitar, e sentindo o mesmo ímpeto heroico que havia experimentado ao enfrentar a Cuca, apunhalou a cavidade no meio do abdômen do bicho.

O urro foi horroroso, e sangue negro brotou do buraco onde a lâmina afundara. Sem esperar o resultado de seu feito, subiu a escada de três em três degraus, enquanto um ruído horroroso de ossos sendo esmagados foi ouvido.

"Que não sejam os de Chris, que não sejam os de Chris", choramingou mentalmente, sem olhar para trás. Entrou no banheiro e fechou a porta atrás de si, empurrando a tranca de ferro para ganhar algum tempo.

Lá embaixo, o uivo de dor do capelobo havia cessado. Talvez aquilo fosse bom, significando que o primeiro monstro estava liquidado... mas ainda havia o outro...

BLAM!

A porta do banheiro quase voou das dobradiças. Não iria suportar tantos golpes daquele. Anderson passou a toda velocidade pelas torneiras que gotejavam e pelas cabines de vasos sanitários, seguindo a orientação do amigo de fugir pela janela. Apesar de a abertura ser pequena, subiu em uma das pias e conseguiu se apertar para fora do buraco, caindo em uma espécie de laje cimentada onde o sol reluzia. Não largou o livro nem quando poderia se mover melhor com as duas mãos livres.

BLAM! BLAM!

Ouviu o trinco arrebentar em um estalo. Sabia que um adulto não conseguiria se esgueirar pela janela minúscula, e aquilo o deixou com esperanças de que um dia voltaria a Rastelinho. Olhou ao redor e estava na altura dos topos das casas, em um mar de telhas avermelhadas. O que não era uma boa coisa. Chris queria o quê, que ele simplesmente saltasse de telhado em telhado, como nos filmes do Jackie Chan?

BANG! BANG! BANG!

Um braço envolto em tecido preto saía pela janela do banheiro, segurando uma pistola que fumegava e tentando fazer mira em Anderson. Era o motorista careca, que mandara os três projéteis bem rentes a orelha do garoto, que zunia absurdamente com os estampidos secos da arma.

BANG!

O quarto tiro abriu a fogo um buraco na capa do livro que Anderson segurava, e outro buraco fumegante na contracapa. O próximo poderia fazer o mesmo, só que com sua cabeça.

Então, sim, Anderson saltaria de telhado em telhado.

Mais dois tiros atingiram o chão da laje bem onde ele estava parado há segundos. Caiu sobre as telhas do vizinho da lanchonete, temendo que elas não aguentassem o seu peso, mas no final das contas ele era um garoto de doze anos magricela, e conseguia correr pelo caminho irregular sem problemas.

Saltou para o próximo telhado, e para o próximo. Os tiros haviam cessado, mas ele sabia que ainda estava em perigo. Não conseguia sossegar com a ideia de que Chris pudesse estar realmente morto àquela altura. Havia gastado muita energia com o primeiro capelobo para conseguir sobreviver ao segundo...

Seus pensamentos ruins só ganharam força quando as telhas onde pisava começaram a escorregar, e quando segundo capelobo em questão apareceu escalando a casa em que Anderson estava no momento. Chris estava derrotado. Sentiu um nó na garganta e algo quente no estômago... Uma vontade imensa de cair no choro e gritar.

Equilibrou-se nas telhas soltas, decidido a não facilitar o trabalho para o bicho que subia em sua direção. Teve tempo de encarar os olhos cruéis do capelobo e a tromba irrequieta e viscosa, sedenta pela sua massa encefálica. Anderson nunca mais enxergaria um tamanduá da mesma maneira. As garras faziam força para alçar o corpo gigantesco para cima da casa, e Anderson decidiu lamentar o destino de Chris depois. Em Battle of Asgorath, muitas vezes precisava abandonar Hell, Dead e Killer ferido às hordas de *gnolls* e *orcs*, para que pudessem completar a missão da guilda. Precisava fazer o mesmo agora. Voltar à Organização em segurança e contar o ocorrido ao Patrão.

Sabendo que Chris não renasceria no último *save point*.

Olhou para a rua, que ficava a uma boa altura abaixo, e viu que alguns carros paravam para dar uma olhada na coisa que tentava alcançar o menino no telhado. Uns poucos motoristas boquiabertos ligavam as câmeras de seus celulares e iPhones, e provavelmente subiriam no YouTube seus vídeos do Chupa-Cabras da Vila Madalena imediatamente. E todos eles seriam repudiados pela comunidade científica, que arranjaria uma explicação plausível para os vídeos e os taxariam de fraudes.

A *besta-tamanduá* gritou. Estava quase lá. Anderson correu para a beirada oposta e viu que a próxima casa, de telhado reto e nivelado, ficava bem abaixo da altura do telhado em que se encontrava naquele momento. Afastou qualquer pensamento de precaução e bom-senso de sua mente e correu como um louco, sem tomar cuidado para não escorregar. Colocou toda a força que pôde nas pernas e saltou, gritando.

Aterrissou com os dois pés nas telhas, que cederam sob seu peso multiplicado pela força da queda. Anderson sumiu das vistas do capelobo e sentiu o braço bater em um caibro na hora que mergulhou de encontro ao forro da casa, perfurando-o e caindo por pura sorte sobre uma superfície macia.

Coberto de pó de cal, tossindo e sentindo o braço latejando absurdamente, percebeu que estava sobre o que um dia fora uma cama de massagens, agora também arruinada pelo peso de sua queda. Uma moça japonesa a baixinha fazia massagem (talvez do-in, shiatsu ou jiu jitsu... Anderson não conhecia nada sobre o assunto) nas costas de uma senhora que dormia, de tão relaxada que estava. Ela retirou as mãos das costas da cliente e começou a gritar como uma fã louca do Luan Santana. E nem assim a massageada acordou.

Anderson chacoalhou a cabeça e estendeu a mão para ela, pedindo calma. A massagista não conseguia parar de berrar e de dar pulinhos histéricos. Anderson decidiu que era melhor correr. Prendeu o livro baleado debaixo do braço machucado e partiu, mancando e gritando por sobre o ombro.

– Me desculpe! Procure a Rio Dourado para consertar o estrago!

Um casal de velhinhos aguardava na recepção do consultório, de braços dados, e apenas se entreolharam ao ver o garoto que passava por eles correndo embalado.

– No nosso tempo, sempre dizíamos "boa tarde" ao passarmos por alguém mais velho – disse a senhora ao marido, com um meneio lento de cabeça, mas Anderson não escutou. Já estava na calçada, fugindo de uma morte lenta e dolorosa. Decidiu que dobraria a próxima esquina, seja lá onde ela o levasse. Mas aí o Land Rover preto apareceu.

A picape negra derrapou em uma curva perigosa e subiu na calçada, bloqueando a fuga do garoto. Ele se virou para voltar pela rua, mas o capelobo já estava lá, rosnando, de tocaia. Anderson estava encurralado. A porta do carro se abriu e o próprio Wagner desceu do volante, arrumando o paletó com ar arrogante.

– Fim da linha, filhote – disse ele em tom muito baixo, estendendo a mão para Anderson. A mão esquerda, ainda dentro do bolso, provavelmente segurava o Cachimbo de Ouro por segurança – Venha comigo de boa vontade e prometo que encontrarei uma utilidade para você. A Organização não será mais um lugar seguro, acredite.

Anderson apertou os lábios. Olhou ao redor e não encontrou mais ninguém parado, filmando ou observando aterrorizado. A rua estava vazia, agora que o capelobo estava nela. Atrás do monstro – que parecia apenas esperar uma ordem para abrir a cabeça de Anderson como uma lata e jantar seu cérebro – um cachorro apareceu correndo. Era castanho-avermelhado, de porte grande, orelhas pontudas, e iria saltar sobre as costas do capelobo antes que Wagner Rios esboçasse alguma reação... mas acabou saltando por cima do capelobo, na direção de Anderson.

"Só faltava essa!", pensou, protegendo o rosto com um braço. Depois de todos aqueles inimigos, um cachorro louco ainda resolvia atacá-lo? Quando nada aconteceu e nenhuma mordida veio, apenas um rosnar raivoso que faria qualquer um tremer nas bases, ele abriu um olho, lentamente. E depois outro.

O cão estava posicionado na frente dele, rondando-o. Rosnando para Wagner e o capelobo, e mantendo Anderson dentro de sua linha de defesa.

– Você! – exclamou o garoto, lembrando-se de onde o cachorro era-lhe familiar. Na última ocasião em que o vira, estava à beira do desfalecimento, e não havia se lembrado dele ao acordar – Apareceu para me proteger da Cuca, na Santa Ifigênia!

O cão soprou ar pelo nariz, e o ruído soou estranhamente como um "yep!". Anderson sentiu-se mais confiante em resistir aos dois monstros, o corporativo e o verdadeiro, agora que estavam ao menos em igualdade numérica. Aquele cachorro tinha jeito de ser casca-grossa, cheio de machucados e arranhões pelo corpo.

– Mate – disse Wagner, indiferente, como se dar aquele tipo de ordem a terceiros fosse tão simples quanto dizer "Legal!".

O capelobo saltou e o cão protetor também. Engalfinharam-se em um embolado de pelos, dentes e patas, tornando impossível entender se alguém levava alguma vantagem no duelo. Wagner Rios, então, decidiu se adiantar até o garoto. Anderson afastou as pernas e cerrou os punhos, o livro debaixo do braço. O empresário esboçou no semblante algo que lembrava um sorriso, talvez em dúvida se a criança à sua frente era muito estúpida ou muito confiante.

Foi quando os ventos mudaram.

< capítulo 12 >

VENTOS E SOPROS

Algumas telhas voavam de cima das casas. Galhos, folhas e lixo espalhado pela rua também. Todo aquele prenúncio de tempestade e o céu ainda estava azul e limpo, sem uma nuvem sequer. Um saquinho plástico de mercado parou no rosto de Anderson e ele o arrancou com raiva, fazendo força para enxergar com tantos ciscos nos olhos.

O cão e o capelobo não tinham tempo para prestar atenção naquela mudança de ventos, já que rolavam pelo asfalto e arrancavam lixeiras chumbadas na calçada. Wagner Rios olhava para o alto e agora segurava o Cachimbo de Ouro com firmeza, enquanto os seus longos fios grisalhos voejavam.

Tudo muito rápido: a poeira da rua se condensou como no início de um pequeno tornado, bem ali, rodopiando entre o garoto e o empresário. E a poeira acabou tomando forma humana, em um processo de transição tão rápido que não poderia ser descrito por Anderson ou Wagner. O homem que surgiu do meio do cone de vento era negro, usava camisa xadrez e boina vermelha e tinha uma perna só. Patrão. Agarrou o seu hóspede do casarão pelo cangote e fitou Wagner Rios por um breve tenso segundo.

Anderson percebeu que o rancor e a rixa entre os dois era algo que necessitaria de muito mais que explicações.

– Patrão – disse Wagner, batendo uma continência zombeteira e provocativa com a mão que segurava o Cachimbo.

– Ainda é um moleque – esbravejou Patrão, com voz catarrenta.

O capelobo e o cão estavam ainda tentando matar um ao outro a alguns metros. Anderson foi arrastado pela gola de sua camiseta, sem gentileza alguma, até a direção da rinha, onde Patrão segurou a pele de cima do pescoço do cachorro e o levantou com a facilidade que ergueríamos um gatinho. Saci, cão e garoto sentiram a solidez do chão sumir de um segundo para o outro, enquanto subiam na direção das nuvens em um redemoinho de poeira cor de burro-quando-foge.

Cerca de um minuto depois, com o ruído assustador do vento em seus ouvidos, já que não sentia mais os grãos de poeira girando ao seu redor e o açoitando, Anderson decidiu abrir os olhos: e nunca mais iria se esquecer daquela visão assombrosamente linda..

São Paulo em miniatura, tão bela e silenciosa.

Voavam tão alto, que o tornado que os circundava e os mantinha voando era completamente transparente, composto de ar quente e límpido. Patrão não parecia demonstrar sinais de cansaço ao segurar com rude firmeza Anderson e o seu cão salvador. Voava – ou melhor, era carregado pelo vento – com tanta segurança, que deixava bem claro já ter feito aquilo milhares de vezes em seus anos prolongados de vida.

Voltou a olhar para baixo, onde uma grande região arborizada chamou sua atenção. Um grande obelisco podia ser visto se destacando na região, próximo a um lago reluzente. Uma revoada de pássaros passou próximo ao trio, grasnando. O único som que quebrava a calmaria absoluta das alturas. Imaginando que talvez os emplumados estivessem se perguntando que raios de pássaros eram aqueles três, Anderson riu, sentindo os olhos com o vento frio e quente que se misturava naquele fenômeno causado pela criatura do elemento ar que ele chamava de Patrão

Ele estava vivo! Deu um grito de euforia, que fez o velho resmungar. Anderson gritou de novo, sentindo tardiamente a adrenalina de um voo livre pelos céus. Ele estava vivo! Escapara dos capelobos assassinos, do careca armado, do próprio Wagner Rios...

"Mas Chris não teve a mesma sorte", lembrou-se.

Lágrimas despencaram das alturas.

Era difícil se lembrar de como o pouso no minipomar do casarão sucedera. Anderson estava afundado em uma melancolia profunda, não conseguia parar de chorar. O tempo decorrido desde a hora em que haviam avistado os pássaros até aquele momento tinha sido estranho, apenas um fluxo contínuo de lembranças de Chris sacrificando-se para que ele pudesse ter uma chance de fuga.

Quando Patrão o soltou no chão, ao lado do cão castanho-avermelhado, teve a impressão de que todos os membros da Organização os aguardavam do lado de fora. Elis foi a primeira a se adiantar e abraçá-lo, acalentando-o com palavras tranquilizadoras às quais ele ainda não estava em condições de prestar atenção. Tudo aquilo era muita, muita loucura.

Outras crianças faziam um círculo em volta do cachorro, acarinhando seus pelos enquanto ele se deitava de lado no sol, exausto. Tina apareceu com uma maleta de primeiros-socorros para animais e começou a limpar os ferimentos do bicho. Enfim, o animal era também uma criatura da Organização... Já o Patrão parecia não querer participar daquela confraternização e decidiu se afastar até onde Márcia, a vaca, estava pastando. Ficou lá, pitando o seu cachimbo – que não era de ouro – e acarinhando o lombo do bovino.

Ainda abraçado a Elis, Anderson ouviu Zé se aproximar, solidário, pedindo que se acalmasse. Também ouviu uma voz que lhe dava nos nervos, a de Pedro, e teve que aturar o comentário mais infeliz que poderia ter escutado desde sua chegada a São Paulo.

– ...*playboyzinho* todo borrado de medo. E chorando! Que foi? Será que ele não tá acostumado a andar de avião?

Anderson não acreditou naquilo. Afastou-se dos braços de Elis e empurrou Zé da frente de seu caminho. Pedro ainda estava com um sorriso bobo no rosto, tentando ver um grau mínimo de aprovação ao seu comentário no rosto dos outros membros que estavam perto dele. Ficou verdadeiramente surpreso quando o seu desafeto veio em sua direção e o empurrou com tudo, fazendo-o estatelar-se de costas na grama.

– Tá louco, é?! – gritou, tentando se levantar novamente. Mas em um piscar de olhos Anderson estava em cima dele novamente, agarrando o seu colete e sacudindo-o com força.

– Louco é você, seu imbecil! Acha que estou chorando por medo de altura?! O seu amigo daqui da Organização morre e você fazendo piadinhas?! Ele morreu tentando me salvar!

Em meio aos safanões, Pedro conseguiu articular uma fase precária.

– Do que você... quem... morreu?

– O Chris! O Chris! – Anderson salivava, lágrimas de raiva misturando-se às de dor – Mas parece que você não se importa, não é mesmo?! Com essa sua cara de traseiro sujo e...

– Anderson, calma – Elis pôs a mão em sua cabeça e um leve torpor o acometeu, o suficiente para que ele parasse de agredir Pedro. Os poderes de sereia da garota, mais uma vez – Está tudo bem.

– Não está tudo bem – disse ele, a voz embargada, resistindo ao encantamento e deixando de esmurrar o peito do garoto aos poucos.

Pedro tossiu e levantou-se com dificuldade, sacudindo a grama e a terra das vestes.

– Então me diz uma coisa, ô espertalhão! O que você me diz desse lobo aqui?

Olhou para onde Pedro apontava. Para o cão avermelhado que vinha em sua direção, mancando. Sentou-se na frente do mineiro, ereto, e arfando amistosamente. Naquela posição era pouco maior do que Anderson, que fez carinho atrás de suas orelhas pontudas.

– Lobo?

– É, um lobo-guará. Fermentado, mas é. – disse Tina, parando ao lado de Anderson com seu kit de primeiros socorros – É o Chris.

– Esse lobo-guará é do Chris?

O canino fez um muxoxo, seguido de um latido fraco.

– Não! Esse lobo-guará *é* o Chris! – exasperou-se Elis – Você às vezes é bem desligado para um hacker, sabia?

"Eu não sou hacker!", pensou ele, dando um passo hesitante até o bicho, encarando-o nos olhos. O lobo tinha marcas ao redor deles, iguais às olheiras de Chris!

– C-chris? É... é você mesmo?

– *Auf!*

– Nosso amigo é um *lobisomem*, Anderson – disse Zé, em sua voz fina e feliz – Sétimo filho de uma sequência de seis filhas consecutivas. Lobisomens brasileiros não são como os seus primos europeus, seres caóticos com eterna sede de sangue. São criaturas do elemento terra, e seus atributos se adaptam ao clima e ambiente a que vivem. Ou seja, os nossos lobisomens são mais *temperados*.

– Ah, tá. Só acredito vendo ele se transformando de volta em humano.

O lobo-Chris revirou os olhos e deu meia-volta, em um caminhar claudicante na direção do casarão.

– Não com todos nós aqui. Se ele voltasse à sua forma, estaria pelado. – explicou Zé.

– Eu não me importaria! – disse uma menina de cabelos cacheados que estava mais atrás, e desatou a dar risinhos abafados com suas amigas. Anderson já as tinha visto pouco antes de descobrir a placa memorial de Anselmo, mas ainda não trocara uma palavra com elas.

– Controle-se, Laís – ralhou Elis, lançando um olhar sisudo para o grupinho de garotas – E vocês também!

– Lobisomem – murmurou Anderson, consigo mesmo – Lobisomem-guará.

Então, todos seus motivos para a tristeza foram eliminados como por mágica: Chris estava vivo! Não precisaria se entristecer, sentir-se culpado, afundar-se em lágrimas... pois tudo havia dado certo!

– Chris está vivo! – exclamou, seu pensamento saindo alto demais. – Hahaha, ninguém está morto! Ninguém teve o cérebro devorado por um tamanduá-monstro! Uhu!

Todo amarfanhado, Pedro chacoalhou a cabeça, incrédulo.

– Imbecil! – xingou, e saiu a passos duros. Se quase todo mundo da Organização não estivesse ali naquele momento, provavelmente teria revidado o ataque de Anderson, que agora se sentia bem idiota pelo *showzinho* que tinha dado.

Zé bateu palmas, fazendo todo mundo dispersar ou voltar para suas atividades.

– Muito bem, pessoal! Vamos procurar o que fazer, porque ainda temos muito que acertar para o dia do Grande Evento. Vamos, vamos! – e então acrescentou em voz baixa para Anderson – Você tome um banho, faça os curativos necessários e venha para a cozinha. O Patrão quer uma reunião urgente!

Anderson olhou para o velho Saci, recostado à vaca malhada. Ele o observava atentamente, com uma expressão tão neutra que ficava impossível adivinhar o que se passava por debaixo daquela boina vermelha. O garoto desviou o olhar e seguiu para o seu quarto, voltando a sentir as dores no braço e na perna. Teria muita coisa para perguntar e explicar na reunião. Inclusive o fato do exemplar único de Câmara Cascudo estar com um pequeno rombo que o atravessava.

A mesa da cozinha novamente. Anderson e Chris, agora em sua forma humana, usavam *band-aids* e tipoias. Revezavam um saco d'água térmico e tomavam um suco verde com gosto de mato. Tina havia preparado uma jarra daquilo e os fizera beber, alegando que o líquido ajudaria na cicatrização.

Anderson lembrou-se de que a garota era uma espécie de veterinária ou bióloga, e imaginou que estava tomando alguma coisa que não fora feita exatamente para humanos. Um pouquinho de Zelotril naquele suco, para lesões traumáticas, quem sabe. Talvez Chris, por ser parte lobisomem, se beneficiasse daquilo. Mas a verdade é que o negócio parecia estar ajudando mesmo na amenização da dor. Um leve formigamento percorria o braço que havia machucado na hora em que fizera sua entrada espalhafatosa e triunfal na clínica de massagem.

Além de Chris, também estavam lá os outros membros da reunião anterior: Elis, Zé, Patrão e seu cachimbo. Anderson reparou que, talvez por segurança, não havia nenhum pano de prato à vista na cozinha, e mais nada em que pudesse ser dado um nó. Um novo convidado na cozinha era o televisor da sala na ponta oposta da mesa, encimado por um velho aparelho de videocassete. Anderson não se lembrava da última vez em que havia visto um daqueles. A vinda dos leitores de DVD e Blu-Ray não deixara vestígios daquelas coisas grandes e barulhentas.

Todos se sentaram próximos uns dos outros, para que pudessem observar a tela quando necessário.

– Onde está o Olavo? – perguntou o Patrão.

– Deve estar para chegar do emprego novo dele – respondeu Zé, o único de pé. Sobre a cadeira.

– Começaremos sem ele, então – disse o Patrão, levantando-se e parando ao lado do televisor – Gravei em uma fita VHS alguns trechos dos jornais da manhã, e me perdoem se eu me atrapalhar um pouco. Ainda não aprendi a mexer direito com estas modernices...

Anderson teve que reprimir um riso. Estava explicado boa parte do porquê precisavam dele ali. Após uma série de *clics* e *clocs*, e tira e põe de fita que ninguém ousou oferecer ajuda ao orgulhoso Saci, o Patrão deu *play* no vídeo. Era um trecho de um noticiário matinal.

A cena que tomou conta da tela do televisor era aterradora: uma picape em uma estrada que cortava um canavial, tendo como pano de fundo uma imensa cortina de fogo e fumaça. Era como se todo o azul do céu fosse substituído por chamas e fuligem. Não havia horizonte. A plantação de cana queimava, trepidava e estalava, os ruídos horríveis captados pelo microfone da câmera do noticiário. Labaredas daquele tamanho só poderiam ser concebidas em filmes-catástrofe de Hollywood, era impossível que aquilo pudesse acontecer de verdade. Anderson era da opinião de que a visão de uma grande nave-mãe achatada pousando no planalto em Brasília não seria tão chocante quanto aquele flagra de incêndio.

– Onde isso aconteceu? – perguntou Anderson, chocado.

– Ainda está acontecendo – respondeu Patrão – Dificilmente conseguirão conter um acidente destas proporções tão cedo... Agora, termine de ouvir a notícia e segure essa língua um pouco.

A narração da repórter dizia que a cidade em situação de alerta era Diamantino, que ficava no interior do Mato Grosso, há mais ou menos 150 quilômetros da capital Cuiabá. Culpava o tempo seco da região pelo ocorrido, alegando que a temperatura havia atingido os inacreditáveis 49 graus. Algumas cidades vizinhas também sofriam com as chamas, e muitos moradores eram evacuados pelo Corpo de Bombeiros e levados até as cidades mais próximas, que ainda estavam seguras.

– Já chega – disse o Patrão, puxando o fio da tomada e desligando o televisor e o vídeo. Talvez ele não soubesse da existência do botão liga/desliga, pensou Anderson – Vimos o suficiente.

– Peraí, agora que o negócio estava esquentando! – reclamou Anderson, e recebeu um penetrante olhar de censura do Saci – Tudo bem, trocadilho infeliz. Foi sem querer...

– Eu só queria que você entendesse o que está acontecendo. Essa cidade não foi simplesmente incendiada pela temperatura.

– Não foi um desastre natural? – perguntou Anderson.

– Partindo do princípio de que foi o homem quem poluiu a atmosfera, jogou carbono nos céus e abriu um rombo colossal na camada de ozônio, não existe mais essa de *desastre natural*. O desastre *é* a própria humanidade. Quando um rio perde toda a vida que corre em suas águas, quando uma espécie é extinta... Tudo isso é o sadismo do homem aplicado à natureza. – por um momento, Patrão parecia capaz de enforcar todos os presentes na cozinha para vingar a Mãe Natureza. Mas a raiva fria em seu tom de voz era reservada a outro tipo de pessoas – Mas... o que eu queria dizer, é que essa queimada não foi resultado da alta temperatura, ou da baixa umidade. Esta plantação de cana simplesmente estava no caminho de alguma criatura do elemento fogo.

Anderson arregalou os olhos. Buscou apoio de Chris, Elis e Zé, mas nenhum deles manifestava a menor surpresa. Apenas um pesar silencioso em seus semblantes.

– Eu pedi para que você estudasse algo sobre as criaturas do elemento fogo – continuou o Patrão – Chegou a ler sobre todas elas?

– Não tive tempo suficiente, estava tendo uma aula prática sobre capelobos – retrucou Anderson, irritando-se de verdade. O Patrão fingiu não ter sido desaforado, o que era um comportamento raro no velho. Continuou como se Anderson houvesse dito "Sim, li tudinho!".

– Acho que eu já disse algo parecido, mas todas as criaturas com ligação direta aos elementos partilham de uma ligação invisível. Somos todos conectados ao campo magnético da Terra. Assim pressenti que Chris estava em perigo com os monstros amestrados de Rios. É por isso é que, ultimamente, eu, Zé, Chris e Elis andamos angustiados com a agonia da Mãe D'Ouro.

– E isso não é bom para o bebê – disse Elis, passando a mão sobre a barriga arredondada.

Patrão prosseguiu, tirando sua boina xadrez e vermelha e remexendo em seu interior.

– Mas as criaturas mágicas *selvagens* sentem toda essa situação em maior escala. Principalmente as do elemento fogo. Farejam o perigo próximo a uma de suas iguais, em qualquer lugar que estejam, já que o campo magnético abrange todo o planeta.

– Você quer dizer que este incêndio é coisa de algum bicho do fogo que tá *pê* da vida? – perguntou Anderson.

– Não só este incêndio. Ontem houve um terremoto em Aripuanã, próximo à divisa com o Amazonas.

Anderson sentiu o sangue gelar.

– Eu vi isso na tevê, lá na Santa Ifigênia! Quando eu estava na loja de games, passou em um noticiário, e...

– E muitas outras coisas seriam noticiadas, caso mais cidades estivessem na rota dessa criatura. – interrompeu o Saci, retirando algo dobrado de dentro da boina. Desdobrou-o em cima da mesa com um movimento amplo. Era um grande mapa do Brasil. – Vê? Aqui está Aripuanã. O incêndio de hoje está ocorrendo em Diamantino, bem *aqui*. Trace uma linha reta entre estes dois pontos e veja todas as cidades que cruzam o caminho. Pesquise mais profundamente e descubra que todas elas tiveram algum abalo sísmico ou incêndio misterioso em comum. Sorte que nesta rota de destruição havia muitas estradas e rodovias. Isso deve ter poupado dezenas de vilarejos e construções.

– Você diz rota de destruição – Anderson se debruçou sobre o mapa e sentiu um cheiro de naftalina vindo dele. Era um exemplar bem velho – E onde termina essa rota?

Patrão pôs o indicador sobre Diamantino e o arrastou em linha reta a sudeste.

Seu dedo parou sobre São Paulo.

– Estas criaturas não vão parar até chegar à Mãe D'Ouro e aos que a estão fazendo sofrer. Mas imagine que esta criatura não vai simplesmente vir caminhando por rodovias, pegar um ônibus e bater à porta da Rio Dourado. A linha reta irá continuar até lá, e assim teremos a devastação de grande parte da cidade. Praticamente não há lugar desabitado em São Paulo.

– O que significa milhares de mortos – disse Zé, a voz falhando.

– Wagner Rios não sabe disso?! – Anderson estava completamente alarmado. Imaginou o centro da cidade, com todas aquelas lojas construídas parede com parede, e todas aquelas pessoas abarrotando as ruas... Se uma Cuca fora o suficiente para causar uma histeria generalizada, não queria imaginar um *megaincêndio*. – Digo, ele não deve imaginar que está correndo um perigo absurdo, e que está colocando a vida de uma cidade inteira em...

– Você o viu hoje à tarde, cara – disse Chris – Ele não se importou em tentar matar uma criança. Aposto que também não ligaria para a destruição de milhares ou milhões.

– E eu duvido muito que ele não saiba que ao colocar a Mãe em perigo, ele desperte outras criaturas do fogo. Rios conhece muito bem as regras. – disse o Patrão, em um misto de ódio e tristeza – Tenho minhas suspeitas... Mas antes de compartilhá-las, quero saber se vocês viram ou ouviram alguma coisa durante o contato que vocês tiveram com Wagner mais cedo.

– Eu vi e ouvi *muita* coisa – disse Anderson. – Coisas demais, mais do que eu poderia considerar normal. Mas também ouvi algumas...

Então, Anderson contou sobre a conversa de Wagner com algum provável representante da empresa de segurança e vigilância, na mesa da lanchonete. Falou sobre o contingente extra de homens a serem contratados, e sobre os helicópteros que seriam necessários na operação. A cena ainda estava fresca em sua memória, e o garoto pôde reproduzi-la sem dificuldades. Quando chegou ao local das câmeras de vídeo instaladas no terraço, Patrão trocou olhares com Zé.

– Isso só aumenta minhas suspeitas. Ele parece querer documentar as imagens da hora da remoção da Mãe. Para exigir todo esse cuidado, só pode estar esperando que algo de *incrível* aconteça. Agora ele deve desconfiar que temos um agente infiltrado dentro do seu pessoal.

Pelo pouco que havia visto, Anderson sabia que Wagner Rios não era burro. Ele poderia ter soltado a informação na mesa ao lado em alto e bom tom para que Anderson corresse para contar a notícia ao Patrão. Talvez fosse um blefe que houvesse tantos homens na noite do evento. Algumas inverdades para impressionar a Organização, ou confundi-los. Ou as duas coisas, impressioná-los *e* confundi-los.

Mas também não podia esquecer que Wagner Rios o havia chamado pelo nome verdadeiro. *Anderson*. Passara um bom tempo perguntando-se de que maneira Wagner e os seus capangas capelobos tinham-no descoberto. O fato dos brutamontes terem farejado o cheiro de cachorro de Chris era inegável. Mas como o empresário descobrira o nome de Anderson, já que o garoto havia se anunciado como Pedro?

Uma ideia lhe ocorreu.

– Eles também não poderiam ter um espião entre nós?

Todos trocaram olhares, mas não demonstraram desconfiança um com o outro. Anderson deu um suspiro de alívio – não queria plantar o fruto da discórdia dentro da Organização. Patrão parecia fazer esforço para desacreditar aquela teoria apresentada. Não gostaria de admitir que o seu casarão pudesse estar maculado por olheiros de Wagner Rios.

– Não creio que isso esteja ocorrendo. – disse o Saci.

– Mas Patrão, faz sentido. – Chris se inclinava para frente enquanto baixava o tom de voz. – É o segundo ataque contra Anderson desde que ele chegou, há pouco tempo. *E se* alguém daqui for um informante?

– Desde que o informante não seja um agente duplo, a identidade de nosso espião está protegida. Só Elis, Zé e você sabem quem é o infiltrado, não revelei para mais ninguém.

Anderson sentiu um calafrio subindo as costas. E se o informante de Rios fosse Elis, Zé ou Chris?

Elis podia fazer alguma coisa com sua mente, enfeitiçá-lo, fazer que ele se jogasse da janela de seu quarto de cabeça. Causar qualquer coisa e fazer que parecesse um acidente. Mas ela já tivera muitas oportunidades, e nada disso havia acontecido.

Chris poderia ter facilitado as coisas para Rios na Vila Madalena. Ou ele mesmo teria dado cabo de Anderson quando estavam longe do casarão, em sua forma de lobo-guará. Outro descarte.

E Zé... Bom, ele era muito pequeno para ser uma ameaça, certo? Não sabia o que um caipora poderia fazer de perigoso, mas acreditar que o baixinho simpático era um espião seria mais difícil do que dormir com a cabeça dentro da boca de uma Cuca. Se não confiasse em todos os que estavam ali na mesa, seria melhor fazer as malas e voltar correndo para Rastelinho. Às vezes, acreditar cegamente era a única saída.

– Não temos provas ainda de que exista um espião, mas a partir de agora teremos cautela dobrada na hora de transmitir informações. – Patrão falava tão baixo que Anderson tentava ler seus lábios para entender as frases inteiras. – Montaremos nossa estratégia de ataque até mesmo longe de você, garoto. Eu já disse antes que não confiava em você.

– Essa é boa! – Anderson teve vontade de arrancar suas meias, dar bons nós em cada uma delas e atirá-las bem na carranca do Saci. – Eu quase viro comida de jacaré e de tamanduá, e mesmo assim continuei aqui! Quero ajudar a derrubar esse doido megalomaníaco do Wagner Rios com todas as minhas forças. Aturei todo esse papo de folclore, e eu que não sou de confiança? Para variar, você poderia depositar um pouco de confiança em mim, Patrão! Eu posso ajudar a trazer a sua Mãe Dourada...

– Mãe D'Ouro! – todos os outros corrigiram juntos.

– Que seja... Eu *quero* participar disso! Depois da conversa que tive com o bandido, sinto que não posso ficar parado enquanto uma pessoa com aquele tipo de pensamento continua criando tentáculos no país. Em nossas vidas. Ele é uma espécie de rei cruel, como os déspotas de alguns baronatos em Asgorath – Elis fez uma careta, como se não soubesse onde diabos ficava aquela terra – As ideias dele são sedutoras, convincentes, ele defende que o progresso só pode acontecer através de um equilíbrio maligno, no qual sempre alguém que já está perdendo, precisa perder ainda mais. Wagner Rios é um câncer, e *nós* seremos a cura!

Anderson empurrou sua cadeira para trás com força. Estava possesso, nunca havia ficado tão alterado em toda a sua vida. Nem quando estava quase no final de Call of Duty 4 e a luz de seu bairro acabara antes que ele conseguisse salvar o seu progresso no jogo.

Deixou a cozinha a passos duros e mancos – incômoda dor que trazia lembranças de seu almoço com Wagner Rios. Já que a confiança era algo que ele não poderia ter completamente no momento, Anderson iria fazer sua parte, desenvolvendo o vírus para infectar a Rio Dourado. Estava tão enervado que na hora de subir as escadas quase colidiu com Olavo, que acabava de voltar da rua e de seu novo emprego.

– Calma aí, rapaz! Que cara é essa? – perguntou o arqueiro.

– Seu Patrão. – resmungou Anderson, batendo a porta de seu quarto e sumindo das vistas de Olavo.

Na cozinha, quatro pessoas olhavam para a cadeira vazia de Anderson, com expressões indecifráveis. Chris foi o primeiro a quebrar o silêncio, com sorriso na voz.

– O garoto mandou bem demais.

– Inegavelmente! – concordou Zé, tamborilando com os dedinhos no tampo da mesa.

– Impossível não me lembrar do Anselmo – disse Elis, pensativa – Eles se parecem demais.

– Hum – fez o Patrão, encarando uma mancha de copo na madeira da mesa.

– Isso que vocês não o viram em ação hoje! – disse Chris, que era pura empolgação – Nocauteou um segurança com uma baita livrada daquele exemplar do Câmara Cascudo...

– Uh! – fizeram Elis e Zé juntos, lembrando-se da espessura do volume que há tanto tempo se encontrava na biblioteca da Organização.

– ...atirou um prato na cara do Wagner Rios e matou um capelobo que tava me dando uma trabalheira danada, com uma faca certeira no umbigo. Admita, chefinho: o moleque é *cascudo* também.

O velho levantou-se em silêncio, e pulou até uma fruteira. Abocanhou uma pera, sem cerimônias.

– Eu só gostaria que você racionasse seus encantamentos no moleque, Elis. Isso pode fazer mal para o cérebro de pitanga dele. Além de aceitar todas as revelações sobre as criaturas e elementais de maneira muito fácil, ele está muito empolgado em derrubar Wagner Rios, sendo que nem tem motivos suficientes para isso. Você está pegando pesado com sua magia de sugestão.

– Chefe – começou a moça, em um misto de divertimento e assombro na voz – por mais que isso também me assuste, eu não usei nem uma pitada de magia em Anderson após o dia em que ele chegou aqui. Ele está aceitando tudo isso *naturalmente*.

– Bom – exclamou o Patrão, tentando não parecer assustado também. Cada novo membro que chegava à Organização precisava de semanas para se acostumar à ideia de que o dono do orfanato era o Saci-Pererê. Acompanhamento psicológico e sugestão mental de Elis sempre se faziam necessários, sem exceção.

Aliás, uma única exceção até antes da chegada do novo garoto: Anselmo.

– Depois que tudo isso acabar – continuou o Patrão – provavelmente você precisará limpar a memória dele para que ele nos esqueça e realmente acredite ter participado de um concurso de matemática. E a indução de uma memória dessa complexidade pode ser um grande risco para a sanidade mental do garoto.

Elis pareceu murchar por um instante. Zé continuava a batucar os dedos, mas em um ritmo desanimado. Chris empertigou-se na cadeira, e parecia querer protestar. Patrão o calou com um olhar. Arremessou o miolo de sua pera em um latão de lixo orgânico que servia para adubar a horta no quintal.

– Não quero que o que aconteceu com Anselmo se repita. Chega de mortes por aqui.

Patrão não estava na cozinha, plantado sobre o seu único pé. Seu corpo talvez estivesse, mas sua mente vagava em algum lugar de um passado não tão distante, orbitando as lembranças de um garoto a quem ele se afeiçoara tanto, quase como a um filho...

Não. Não poderia repetir aquele tipo de dor.

Novos passos na cozinha, e por um momento pensaram se tratar de Anderson, voltando para mais esclarecimentos. Mas era Olavo, ao sopé da porta.

– O mineirinho passou por mim agora e estava uma arara com você, chefe. O que foi?

O velho suspirou, içado da grande lagoa de lembranças em sua mente. Foi até a mesa e dobrou o seu mapa velho do Brasil.

– Crianças, Olavo. O de sempre. Agora, cama. Todos vocês. Amanhã teremos muito trabalho pela frente.

A cozinha foi se esvaziando aos poucos. Zé, Elis e Chris extremamente melancólicos. Olavo não entendia o porquê de toda aquela atmosfera densa. Mas resolveu que seria melhor não perguntar. Tinha suas próprias preocupações para lidar. Patrão guardou o seu mapa dentro da boina e não respondeu ao "boa noite" de ninguém.

Pois aquela noite ele passaria em claro. Ele e seus demônios do passado.

< capítulo 13 >

PRIMAVERA SILENCIOSA

Anderson ligou o computador. Sempre era a sua primeira atitude quando se chateava com alguma coisa. Afogava as mágoas em Asgorath, lutando com algum chefe de *dungeon* terrível, ou convocando toda a guilda para uma missão suicida. Aquele era o tipo de diversão de Anderson. Mas ali, em São Paulo, em uma máquina com internet 3G e sem placa de vídeo, ele não poderia se conectar ao seu MMORPG. Precisava trabalhar, terminar o vírus. Concentraria todas as suas forças para criar o monstrinho de megabytes que paralisaria a Rio Dourado. Afastou de seu primeiro plano de raciocínio toda a confusão sobre criaturas de fogo, criaturas que morriam pelo umbigo e criaturas aprisionadas em cofres. Precisava submergir no mundo virtual.

Para retomar o seu plano, verificou a caixa de entrada de seu e-mail. Animou-se ao perceber que havia um de Renato, em resposta à sua imensa mensagem enviada pela manhã.

De: Renato Hellhammer <hellnato@bmail.com.br>

Para: Anderson Coelho <ancoelho_shadow@yuppie.com.br>

Assunto: Re: Eu juro que não tô louco

Blz. Eu li essa sua msg gigantesca 3 vezes. TRÊS! Sabe o que é isso?

Eu naum qro acreditar que vc esteja doidão. Fica difícil de duvidar com um e-mail tão gramaticalmente correto. Pq vc não escreve desse jeito nas provas de redação? Quem eh vc e o q fez com o Anderson q eu conheço?? Devolva o meu amigo, já!!!1!

Saiba q fiquei até encabulado, por isso vou tentar fazer que nem vc e escrever sem linguagem de chat a partir daqui.

O negócio é o seguinte: fica difícil de acreditar nessa história. Só que eu não acho que você mentiria para mim. O normal seria eu acreditar que você realmente acredita nessa sua situação, e não saiba que está completamente fora da realidade, e por isso acredita em algo que não é necessariamente verdade. Não sei se deu pra entender... Ah, nós somos amigos e não preciso ficar fazendo rodeios: você está louco, sim, mas não sabe que está. Então, você me contou uma mentira que é para ser uma verdade, porque realmente acredita nela. Droga, acho que não fui claro de novo.

Anderson chacoalhou a cabeça com uma careta. Renato era um pouco complicado quando queria se fazer entender. Antes de retomar a leitura, imaginou o que o Hell pensaria se contasse a respeito dos capelobos, da fuga pelos telhados da Vila Madalena e do seu amigo lobisomem. Provavelmente o marcaria como spam e dificilmente responderia as suas mensagens...

Voltou aonde havia parado.

Apesar de toda essa história de folclore ser absurda, eu procurei a respeito de Wagner Rios na net. Ficou difícil de acreditar em você com os verbetes dele no Wikipedia. Segundo as pesquisas, o cara é um santo! Doa uma grana preta para instituições, construções de hospitais... A surpresa foi quando perguntei dele pro meu pai. O meu velho soltou o verbo, fiquei surpreso. Disse que ele é um crápula que enriqueceu de forma inexplicável e que só poderia ter subido na vida de forma desonesta. Aí sim bateu com o que você me falou. Fazia tempo que eu não conversava com o meu pai, e tirei o atraso ouvindo uma hora de acusações e conspirações contra Wagner Rios. Ele disse que a Rio Dourado é a maior produtora de Etanol no Brasil da atualidade, e que a produção desse troço acaba com a biodiversidade de locais com vegetação nativa, abala o modo de vida da população do cerrado... além de que,(segue um CTRL C + CTRL V de um texto que encontrei) "grande parte do Etanol é exportada para as potências mundiais que juntas consomem 80% da energia produzida no mundo todo". Quer dizer, eles ferram com nossas plantas e bichos para "alimentar um bando de parasitas engravatados que sugam nosso sangue a distância, do outro lado do oceano". Bom, esse foi meio que um CTRL C + CTRL V do que o meu pai disse. Parece até trecho daquela HQ lá, "V de Vingança". Não sabia que o velho era tão inteirado nesses assuntos. Foi uma descoberta para mim, que achava que ele só sabia falar de futebol e reclamar da firma que trabalha. Ele pareceu ficar feliz que eu estivesse conversando com ele sobre essas coisas. Por mais que eu estivesse apenas ouvindo e não tenha aberto a boca para dizer um pio. A única hora que eu disse algo, questionando sobre as doações generosas da Rio Dourado, ele começou a balançar os braços que nem louco e dizer um monte de palavrões e coisas que eu não entendi muito bem. Algo sobre o dinheiro doado ser abatido dos impostos, e mais alguma coisa sobre lavagem de dinheiro. Sei lá, acho que não peguei a mensagem. Só a parte da lavagem de dinheiro que eu manjo. Tipo quando eu tenho aquelas notas de dois no bolso do uniforme e minha mãe coloca tudo pra lavar. Ela grita comigo depois, falando pra eu sempre tirar as minhas coisas das roupas antes de jogá-las no cesto de roupa suja. Acho que o problema do Wagner Rios deve ser esse também, só que com notas de cem e barras de ouro.

E pensei em seu problema com o vírus. Eu devo ser tão noobie com isso quanto você, mas tive uma ideia depois do papo com meu pai: já ouviu falar daquele grupo de hackers anônimos, o Silent Spring? São uns piratas ativistas que vivem numa eterna viagem de cyberpunk, e que vivem trollando sites de empresas e grupos que não cumprem suas partes nos códigos florestais, acordos de proteção ao meio ambiente e etc... Os caras são bons. Há um mês atacaram o sistema interno da Comissão Internacional de Energia Nuclear e invadiram a conta bancária do diretor da usina de Fukushima, aquela que vazou com o terremoto no Japão, lembra? Eles esvaziaram toda a grana da conta e transferiram para mais de mil contas de famílias das vítimas do acidente. Não ficaram com um centavo para eles.

Eu fucei em alguns fóruns da net e encontrei o suposto contato da versão brasileira da Silent Spring, o "Primavera Silenciosa". Fica meio frufru a tradução do nome, mas tá valendo. A idéia é boa. Enfim, mandei um e-mail pra eles com o seu contato, e disse que você estava querendo trollar o sistema central da Rio Dourado. Se você contar só um pouquinho sobre o Wagner Rios pra eles – tirando as partes de Sacis, Cucas e Bumba-Meu-Boi, pelamordedeus!!! – aposto que eles vão adorar participar da sua festinha no domingo. Depois me avisa se eles te procurarem.

Quanto ao Esmagossauro do YouTube... Sinistro demais. Dei uma entrada no BoA agora há pouco e nem sinal dele por lá. Eu estava a fim de chegar na cara-de-pau e perguntar qual que era a dele, mas o monstrengo provavelmente iria achatar o meu pobre anão. Vou continuar na busca, que isso me deixou curioso de verdade.

Se cuida, cara.

Saiba que, se eu pudesse, anexava um Gardenal para você nessa mensagem.

Renato (Hell)

Obs: nem pense em prolongar suas férias aí em SP. O professor tá me obrigando a jogar xadrez com o Wilson Caladão... Ontem o babaca faltou e o Silveira me fez jogar futebol! VOCÊ NÃO SABE COMO FOI HORRÍVEL!!!

Anderson se arrumou na cadeira. Ficou tão empolgado com aquela conversa sobre os hackers ambientalistas que não percebeu estar sentado na beirada dela, quase escorregando para o chão. Então, recebeu a notificação de uma nova mensagem que acabava de chegar à sua caixa de entrada. Leu o título do e-mail e sentiu o coração acelerar.

De: 51L3N7_5pr1ngBR@silentspring.com - Assunto: (sem assunto)

– Ok, ok! – Anderson olhava para os lados, completamente nervoso – Esses caras vão me ajudar, esses caras vão me ajudar...

Quando abriu a mensagem, esperava já encontrar muitas linhas, com os hackers concordando em ajudá-lo de pronto. Mas decepcionou-se com o teor econômico do e-mail.

Você quer realmente derrubar a Rio Dourado?

Anderson praguejou. Derrubar era uma palavra muito forte. Esperava causar um baita problema para eles, conforme o pedido do Patrão. Mas se os ativistas quisessem derrubar uma empresa que patrocinava a morte da natureza, por que não? Digitou uma resposta rápida, torcendo para ter resposta imediata.

Sim. Mas preciso da ajuda de vocês.

Enviou. Esperou dez segundos e começou a atualizar a página ininterruptamente, esperando pela nova mensagem não lida.

Então, um retângulo negro surgiu no meio de seu monitor. Anderson levou um susto, mas logo se recompôs. Havia um cursor branco piscando no canto superior esquerdo e nada mais. Parecia uma sinistra tela de MS-DOS, aquele sistema operacional jurássico da época dos computadores movidos a carvão.

Letras começaram a surgir na tela, uma a uma, e o cursor deslizou para a direita.

>VOCÊ É ANDERSON COELHO?_

"Uau, que eficácia!", pensou o garoto. O cursor foi para baixo da frase em letras brancas e uniformes. Anderson supôs que deveria responder por ali mesmo.

>SIM

>QUAL O NOME DO SEU AMIGO QUE NOS CONTATOU?

>RENATO. MAS EU O CHAMO DE HELL

>DE ONDE VOCÊS SE CONHECEM?

>DA ESCOLA_

A agilidade da conversa foi interrompida. Talvez a resposta de Anderson não tenha sido satisfatória. Os hackers provavelmente desconfiavam de que aquilo poderia ser uma tocaia de um empresário prejudicado por eles no passado. Apesar de não gostar da ideia de revelar coisas tão pessoais para alguém que poderia estar a quilômetros ou quadras de distância, decidiu que seria necessário abrir mão de algumas coisas para conseguir a ajuda daquelas pessoas.

>E NÓS TBM JOGAMOS BATTLE OF ASGORATH NA NET_

>DE ONDE VC FALA? ESSE IP DE SUA MÁQUINA É NOVO

>ESTOU EM SP. COMO VCS SABEM QUE O PC É NOVO?

>NUMERAÇÃO. ESTAMOS DENTRO DE SUA MÁQUINA AGORA.

Anderson franziu a testa. Se fosse o computador pessoal dele, estaria se sentindo extremamente desconfortável. Sua máquina era seu porto seguro. Usar o computador de outra pessoa parecia a mesma coisa que usar sapatos de um amigo. Não era a mesma coisa caminhar com o que você já está acostumado e caminhar com calçados emprestados.

Decidiu continuar para que seu interlocutor não fosse embora.

>O FIREWALL NÃO DETECTOU VCS

>NÓS TEMOS MEIOS DE CONTORNAR ESSAS BESTEIRAS. O SEU FIREWALL É TÃO EFICAZ QUANTO UMA CERCA FEITA DE GELATINA. JÁ A PROTEÇÃO DA RIO DOURADO, É OUTRA HISTÓRIA. INVADIR OS DOMÍNIOS DELES É BEM COMPLICADO. HÁ TEMPOS TENTAMOS NOS INFILTRAR NO SISTEMA DA EMPRESA, E NUNCA TIVEMOS SUCESSO

>EU POSSO AJUDAR_

Mais uma pausa por parte do hacker. As mãos de Anderson tremiam, fora de controle. O cursor se moveu, mais uma pergunta para o garoto.

>E COMO VOCÊ FARIA ISSO? NÓS JÁ TENTAMOS DE TODAS AS MANEIRAS. É COMO ACELERAR UM CARRO CONTRA A PAREDE DE CONCRETO MAIS ESPESSA JÁ CONSTRUÍDA. TODAS NOSSAS TENTATIVAS FORAM FALHAS. FIZEMOS INÚMEROS ATAQUES CONJUNTOS E SINCRONIZADOS, E NUNCA CONSEGUIMOS ALGO SEQUER SIGNIFICATIVO. ELES POSSUEM ALGUÉM MUITO BOM POR TRÁS DA SEGURANÇA VIRTUAL DELES. PROVAVELMENTE, UM EX-HACKER DE ELITE

>TENHO CERTEZA QUE VCS NÃO TENTARAM DE TODAS AS FORMAS

>?

>EU POSSO ENTRAR E "ABRIR AS PORTAS" PARA VOCÊS. POR DENTRO DA RIO DOURADO

>CAVALO DE TRÓIA?! VOCÊ QUER DIZER QUE VAI ENTRAR COM UM SIMPLES VÍRUS CAVALO DE TRÓIA? ACHA QUE JÁ NÃO TENTAMOS? ESTÁ NOS FAZENDO PERDER NOSSO TEMPO

>NÃO, ESPERE! EU VOU ENTRAR NA RIO DOURADO DE VERDADE. FISICAMENTE. TEREI ACESSO AO COMPUTADOR CENTRAL DELES NO DOMINGO_

As últimas palavras da conversa ficaram pairando por um bom tempo na tela negra, até os hackers continuarem a manifestar seu interesse na oportunidade.

>ISSO ESTÁ NOS CHEIRANDO À ESPIONAGEM INDUSTRIAL. NÃO NOS ENVOLVEMOS NOS JOGOS SUJOS DAS EMPRESAS. NOSSO COMPROMISSO É EXCLUSIVO COM O PLANETA E COM O MEIO AMBIENTE

>NÃO SOU DE EMPRESA ALGUMA, CARA. TAMBÉM ESTOU NESSA COM OUTRAS PESSOAS, MAS NÃO SOMOS UMA EMPRESA

>ENTÃO, VOCÊ FALA POR QUEM, SR. ANDERSON?_

Não sabia se era bom dizer. Não conhecia aquelas pessoas, tudo aquilo estava acontecendo muito rápido. *E se* eles fossem um grupo de *black hats* desonestos? *E se* as pessoas por trás daquele chat primitivo fossem ligadas a Rio Dourado, e estivessem envolvendo Anderson lentamente em uma teia?

E se Anderson deixasse passar a única oportunidade de conseguir cumprir a sua missão, já que criar um vírus sozinho estava totalmente fora do seu alcance?

>SOU DA ORGANIZAÇÃO. SOMOS ATIVISTAS TBM. TEMOS UM ESPIÃO DENTRO DA RIO DOURADO.

O cursor piscou várias vezes. Talvez eles estivessem procurando no Google algo a respeito daquele nome.

>ORGANIZAÇÃO? HAHAHA...

>QUAL A GRAÇA?

>SÓ PODE SER MUITA COINCIDÊNCIA

>PQ?

>NÓS JÁ TIVEMOS CONTATO COM VOCÊS

>E FOI UM BOM CONTATO?

>O MELHOR. PENA QUE NÃO TIVEMOS TEMPO DE DESENVOLVER NOSSO PROJETO A TEMPO. PERDEMOS UMA GRANDE OPORTUNIDADE E UM GRANDE AMIGO_

Anderson não entendeu logo de pronto. Tentava conectar as pontas soltas, como se estivesse próximo de entender algo muito importante, mas que se recusava a se mostrar para ele.

O hacker estava digitando. E conforme as letrinhas apareciam na tela negra em tempo real para Anderson, ele entendeu.

>VOCÊ CHEGOU A CONHECER O ANSELMO? CODINOME 'ESMAGOSSAURO'?_

Em algum lugar da casa, Kuara cantava a *capella* uma música do Jota Quest, a despeito de já ser tarde da noite. Tirando a voz do bicho falante, que era bem afinada para uma arara, outro ruído cadenciado poderia ser captado por ouvidos atentos da porta do quarto de Anderson: o martelar de seu coração.

Batia forte, como se quisesse abrir sua caixa torácica com um pontapé. Anderson sabia que estava prestes a descobrir algo grande, que mudaria muita coisa em sua convivência com a Organização. Unia dois fios soltos daquela história maluca que ele vivia nos últimos dias. A última frase postada pelo hacker do grupo Primavera Silenciosa ainda estava afixada em sua tela.

>VOCÊ CHEGOU A CONHECER O ANSELMO? CODINOME 'ESMAGOSSAURO'?_

Então, digitou em resposta:

>EU CHEGUEI AINDA ESTA SEMANA, MAS OUVI MUITA COISA SOBRE ELE

>NÃO OUVIU O SUFICIENTE. SENÃO NÃO ESTARIA TRANQUILO NESSA CASA_

Anderson não percebeu que havia se empertigado.

>COMO ASSIM?_

Passaram-se alguns longos segundos até o hacker responder, o que foi transformando o garoto em uma pilha de nervos.

>EXISTE UM ESPIÃO DA RIO DOURADO NESTA CASA_

– Eu sabia, eu sabia! – Anderson sentiu vontade de esmurrar o teclado. Não se questionava por que acreditava tanto naquelas palavras em Caps Lock do hacker anônimo. De qualquer forma, a telinha preta era a primeira que compartilhava de suas suspeitas.

>VOCÊ SABE QUEM É?

>NÃO. E NÃO PODEMOS FALAR MAIS NADA. QUANTO MAIS VOCÊ SOUBER, MAIS PERIGO VOCÊ CORRE!

>AGORA VC VAI FALAR. EU PRECISO SABER. COMO VCS SABEM QUE EXISTE UM ESPIÃO?

>PRECISAMOS NOS ENCONTRAR. VC PODE ESTAR SENDO OBSERVADO_

Anderson olhou para trás, para cima e para os lados neuroticamente.

>NÃO TÔ, NÃO!

>VCS AINDA FAZEM A TAL DA COLETA?

>SIM

>ONDE VCS ESTARÃO AMANHÃ A TARDE?_

Anderson começou a digitar que não saberia responder aquela pergunta, e que todos que poderiam esclarecer aquela dúvida já estavam dormindo. E também não sairia sozinho no vazio do casarão, com a possível hipótese de um espião de Wagner Rios estar sob o mesmo teto. Então, ouviu Kuara segurando uma nota muito longa no andar de cima, como um *gran finale* para sua interpretação de *Quero Um Amor Maior*. Provavelmente o bicho não iria tardar em emendar outro hit. Anderson precisaria ser rápido. "Dez segundos e já respondo", digitou na tela preta, correndo até a porta do quarto e colocando a cabeça no corredor.

– Kuara! – gritou, bem quando o pássaro começava a assobiar *Patience*. A melodia cessou, como se o bicho estivesse em dúvida de ter ouvido o seu nome ou de estar imaginando coisas – Kuara, vem aqui embaixo!

Ruflar de asas, e a exuberante arara azul macho planou escadaria abaixo, pousando bem na frente da porta entreaberta do quarto de Anderson.

– Estou atrapalhando? Não gosta de Guns? O pessoal de lá de cima diz que dorme melhor quando eu canto...

– Estava ótimo, ótimo. Eu só preciso de uma coisa...

– Um pedido? – a arara se remexeu, arrepiando as penas do pescoço – Quer algo em dueto para cantar comigo?

– Não, nada disso...

– Tudo bem, tudo bem. Eu sugiro! Tribalistas. Lembra deles? Mas você faz a voz da Marisa Monte...

– Kuara, me escute! – Anderson exasperou-se, lutando para não gritar com a ave – Eu preciso de uma informação urgente. Depois nós cantamos, ok?

– Ok – concordou Kuara, o bico curvo quase tocando no chão. Era a primeira vez que Anderson via um pássaro desapontado – Diga lá.

– Amanhã tem coleta à tarde, certo?

– Sim.

– Onde?

– No Centro.

Anderson não sabia se ficava feliz ou com medo. Poderia visitar as lojas da Santa Ifigênia de novo, mas não estava nem um pouco animado com a possibilidade de encontrar mendigos que se transformavam em jacarés bípedes.

– No mesmo lugar de quando eu fui, então.

– Calma lá, garoto! Você acha que o Centro é só aquele labirinto de gente e camelôs na Santa Ifigênia? O Centro é gigantesco. A coleta de amanhã será no Viaduto do Chá.

– Viaduto do Chá. – memorizou o nome, que era marcante – Joia, valeu Kuara!

– Tem certeza que não quer fazer um pedido? – perguntou a arara, dando um passinho à frente e estufando o peito com manchas amarelas – Canto aqui do lado de fora, posso usar o meu timbre de voz aveludado...

– Manda aí uma coisa mais *surf*, então – e bateu a porta com um aceno apressado para o bicho, que parecia bem mais feliz após a sugestão. Voltou correndo para o monitor, fazendo figa para que o hacker continuasse lá.

>AMANHÃ A TARDE NO VIADUTO DO CHÁ. IREI COM ELES PARA A COLETA

>ÓTIMO. EVITE FICAR SOZINHO NO CASARÃO ATÉ A HORA DE NOS ENCONTRARMOS

>COMO VOU SABER QUEM É VC?

>EU TE ENCONTRO

>EU SOU NEGRO, ESTAREI COM UMA CAMISETA CINZA, CALÇA JEANS E ALL STAR

>AH, APOSTO QUE NÃO VAI TER MAIS NINGUÉM VESTIDO ASSIM NO CENTRO DE SP. PODE DEIXAR, ACHEI SEU PERFIL NO FACEBOOK E JÁ SEI MUITO BEM COMO VOCÊ É

>OK, ESTOU IMPRESSIONADO. MAS VC JÁ PODIA IR ADIANTANDO O Q SABE SOBRE O ESPIÃO

>NÃO. AMANHÃ. DESLIGUE O COMPUTADOR E VÁ DORMIR

>QUEM VC PENSA QUE É, MEU PAI?

>TUDO BEM, EU DESLIGO PARA VOCÊ. BONS SONHOS

A tela preta desapareceu, dando lugar à mensagem de que o computador estava sendo desligado, mesmo que Anderson não tivesse tocado no mouse ou no teclado.

– Hackers – resmungou, enquanto o monitor caía no sono. No corredor, Kuara emendava uma versão havaiana de *Somewhere Over the Rainbow* com *Don't Stop Believing*, do Journey, fazendo Anderson imaginar se Tina não deixava suas mascotes assistirem muita televisão.

O que lhe restava para fazer era dormir, e aguardar as respostas que viriam no dia seguinte. Sem conseguir afastar o pensamento de Anselmo, pegou o caderno de capa colorida, com a animação feita em tinta invisível, e a caneta cinco em um comprada do ambulante. Apagou as luzes, sentou na cama com as costas apoiadas no travesseiro e começou a repassar os desenhos feitos pelo ex-ocupante do quarto.

Sentia um bem estar inexplicável com aquela sequência de imagens, como se os desenhos tivessem vida própria, essência. Era como observar fotos de pessoas conhecidas e sentir a familiaridade a que os traços delas nos remetem. Como observar o retrato da avó e se lembrar do cheiro de bolo de fubá assando no forno.

Anderson observava os traços simples da serpente rodeando a fogueira. Trazia-lhe a sensação de calor no rosto, o suave crepitar da lenha, a quentura espantando o frio nas extremidades do corpo... Engraçado. Lembrou-se então das cidades que estavam sofrendo com o fogo descontrolado, obra da ira dos seres do fogo como aquele ali retratado no desenho de Anselmo. O boitatá. Anderson deveria ter lido mais sobre ele no grande livro dos monstros de Câmara Cascudo. Talvez a natureza pudesse ser definida como uma série de coisas boas com enorme potencial para realizar coisas ruins, pensou. O fogo podia ser agradável em uma fogueira no inverno, e devastador em um incêndio. A água que refresca nossos pés na beirada de um riacho pode botar abaixo toda uma cidade em uma enchente. A terra é boa para o plantio, e excelente para soterrar pessoas. O vento que nos refresca também se apresenta na forma de tempestades.

Sentindo temerosa admiração pelas forças naturais dos elementos e imaginando – com alto de teor de pânico – o possível destino guardado para a cidade de São Paulo caso Wagner Rios prosseguisse com o estúpido plano do cativeiro da Mãe D'Ouro, Anderson continuou folheando o caderno de Anselmo, a luz negra da caneta apontada para as ilustrações. Na hora de virar uma das páginas, sua mão vacilou e sua fonte de luz mágica foi para o chão. Pousou o caderno ao lado do corpo e se abaixou para pegar a caneta.

Mas uma fosforescência na parede chamou sua atenção.

O fraco feixe de luz que saía da caneta iluminava uma letra M e uma letra A, cada uma do tamanho de um palmo. Em verde-limão, como se tivessem sido escritas com caneta marca-texto. Anderson apontou a caneta e se aproximou da parede. Conforme suspeitava, as duas letras apenas faziam parte de uma palavra.

MATAR

Anderson não percebeu que havia dado um passo para trás, repelido pela súbita aparição daquela escrita. Iluminou um espaço maior da parede e desta vez a palavra se revelou apenas parte de uma frase.

ELESVÃOMEMATAR

Sentindo-se oprimido pela frieza daquela sentença e pela escuridão do quarto que parecia querer extrair todo o ar de seus pulmões e sufocá-lo silenciosamente, Anderson correu até o interruptor e o socou. A frase luminosa sumiu, como era de se esperar. Sobrou apenas a parede, com manchas amareladas de marca-texto...

Manchas amareladas.

Havia sido uma das primeiras coisas que havia notado ao entrar no cômodo de hóspedes, na terça-feira. As manchas nas paredes. E se todas elas fossem escritos em caneta marca-texto? Hesitante, Anderson apagou as luzes novamente, e varreu todo o quarto com sua luz negra.

Quatro paredes, cobertas por diferentes alertas, avisos. Terríveis previsões que se emendavam, sem pontuação e sem grandes espaços entre uma palavra e outra.

TEMUMESPIÃOAQUIDENTROQUEREMME
MATAREUNÃOSEIQUANTOTEMPOVOU
SOBREVIVERNÃOTENHOPARAONDEFUGIR
ELESVÃOMEMATARHÁUM
TRAIDORAQUIOESPIÃOESTÁDENTRO
DESTACASAARIODOURADOVAIMEMATAR

Anderson girava sobre os calcanhares, a caneta em riste, sua luz percorrendo cada centímetro dos quatro cantos do quarto. Sentiu-se mais cansado do que nunca. Estava ali, em um fogo cruzado entre a Organização e a Rio Dourado, e estava muito longe de casa. O hacker da Primavera Silenciosa tinha razão sobre tudo aquilo. E Anderson tinha a certeza de mais duas coisas: que Anselmo havia sido assassinado; e que era uma questão de tempo para que o infiltrado desse cabo dele também.

Lá fora, Kuara cantava um clássico dos Beach Boys.

Anderson sonhou com Anselmo.

E em seu sonho, *ele* era Anselmo. Se debatendo no taco de madeira do quarto, a respiração falhando. Borrões fechavam um círculo ao seu redor, seus amigos querendo ajudá-lo. E um deles tentava fazer que ele se sentasse. Mas era tarde demais. Anderson/Anselmo agarrava o seu peito, mas não sentia dor ali, próximo à região do coração. Ele apenas queria sentir o volume por baixo de sua camiseta, aquele pequeno objeto. Algo morno e que parecia dissolver-se junto com sua vida. O amuleto que o confortava naquele momento que antecedia sua passagem a um mundo desconhecido. Segurou um braço, apertou-o, e então uma caneta foi colocada em sua mão. Escreveu algo em alguma superfície, em um último esforço de sua força vital, mas então aconteceu. Sua mente se libertou, rapidamente, com um alívio. Gás fugindo de uma garrafa.

Ergueu-se em um único movimento, arfando, e sua primeira reação foi colocar a mão sobre o peito. Como era de se esperar, não havia nada ali.

Nenhum amuleto.

O sonho fora vívido, moderadamente realista, como uma lembrança um pouco apagada. O que não podia ser o caso, pois não conhecera Anselmo em vida e tampouco havia passado por situação parecida.

Anderson imaginou que seu inconsciente havia projetado aquele sonho tendo como base o relato de Tina, de frente para a placa memorial no limoeiro, há dois dias. Por um acaso ela havia dito algo sobre um amuleto que pertencia a Anselmo?

Esfregou os olhos e olhou para o quarto, que ganhava uma iluminação parcial através das frestas na janela. Não sabia se estava enxergando as manchas amareladas ou se apenas as imaginava onde deveriam estar, conforme as palavras horríveis foram marcadas, a fogo, em seu cérebro.

– Credo! – exclamou Anderson, correndo para a janela e escancarando as suas folhas. Deixou o sol entrar e preencher o vazio de morte que imperava naquele quarto. Podia ouvir a voz de Chris logo abaixo, na garagem, provavelmente mexendo no carro verde. Na cozinha, conversa animada se desenrolava, e o tinir de talheres e pratos se chocando. Seguindo a instrução do hacker da Primavera Silenciosa de que evitasse ficar sozinho, decidiu descer e interagir com o resto da Organização. Estava ansioso para a hora da coleta, pois iria conhecer um dos gênios da computação da Primavera Silenciosa. Mas, até lá, iria ocupar seu tempo da melhor forma.

Tomou o café com as outras crianças e conseguiu causar boas risadas na mesa quando fez uma imitação de seu professor de educação física em Rastelinho, o Silveira. Lavou boa parte da louça usada no desjejum, apesar da insistência dos membros de que ele era a visita e não deveria fazer aquilo. Anderson disse que fazia questão, em tom de quem não aceitaria um 'não' como resposta.

Logo depois alcançou Haroldo, o garoto do leite, que se dirigia ao quintal com dois baldes metálicos vazios. Tomou os objetos da mão do garoto e disse que Márcia ficaria a seu encargo enquanto ele estivesse em São Paulo. O rapaz pareceu agradavelmente surpreso e agradeceu o mineiro com sinceridade. Ele estava a fim de passar um tempo na biblioteca, e aquele tempo livre seria perfeito.

Ordenhou Márcia sem muito jeito, mas a vaca não reclamou. E mesmo se ela o tivesse agradecido pela ordenha ou o mandado pastar no inferno, Anderson não iria se assustar mais. Não com aquele tipo de coisa. Vacas falantes? Tsc, bobagem! Levou a mimosa até a sombra de uma árvore e a deixou lá, a mastigar seus punhados de grama.

Anderson nasceu e viveu seus doze anos de vida no interior, mas nunca havia passado um tempo na verdadeira roça. Rastelinho era a morada de seu corpo físico. Mas sua mente e todo o seu tempo disponível se encontravam em território virtual, na grande maioria das vezes. No final das contas, percebeu que tinha sido necessário ir ao coração de São Paulo para que aprendesse o mínimo de como era a vida longe das metrópoles. A experiência não estava sendo tão ruim. Pensou até que gostaria de repetir aquela rotina mais vezes em sua própria cidade.

Depois, com a permissão de sua amiga Tina, levou alguns legumes para Capivera, que lambeu sua mão carinhosamente quando percebeu que trazia comida, e levou um mamão para Kuara, empoleirada no portão da frente da Organização, de olho no movimento da rua.

– Não, obrigado – recusou educadamente a ave – Comi agora há pouco. Mas aceito um chiclete, se você tiver um!

Anderson não tinha um chiclete e não sabia se seria correto dar aquele tipo de coisa no bico de um pássaro. O mamão acabou indo fazer parte da refeição de Capivera, que era um saco sem fundo de comida. O garoto ainda arranjou tempo para colher alguns frutos do limoeiro de Anselmo na companhia de Tina e passou alguns minutos olhando para a bonita placa memorial que reluzia com o sol da manhã. Meditou acerca da questão do espião, e se a morte do rapaz realmente tinha a ver com o seu temor grafado nas paredes de seu quarto. Aquelas palavras atormentadas teriam sido feitas muito tempo antes de sua morte? Porque ele não contou a ninguém a respeito de sua desconfiança, e preferiu deixar mensagens praticamente invisíveis?

Depois, sentindo-se muito disposto e também seguindo a ordem de não ficar sozinho no casarão, desceu até a biblioteca, que estava movimentada. As crianças sentavam-se nos pufes ou até mesmo no chão, e Patrão estava de pé, escrevendo em uma lousa apoiada em um dos cavaletes de tiro com flecha.

– Anderson – grunhiu ele, interrompendo algo que explicava e observando o garoto descendo as escadas, com uma espécie de dúvida no olhar – Hum. O espaço está sendo utilizado para aula. Volte depois para atirar ou consultar a biblioteca.

Anderson olhou para alguns dos jovens sentados. Apesar do professor deles ser o Saci, aquele tipo de aula parecia bem mais agradável do que a maneira clássica lecionada no Zeferina Risoleta. Algo mais descontraído, menos opressor. O Patrão não parecia tão durão enquanto estava à frente da classe, fazendo o papel de educador. Anderson flagrou-se admirando algo naquele velho resmungão.

– Na verdade – começou a dizer timidamente, antes que ele retomasse a explicação para o pessoal – eu gostaria de assistir à aula, se não houver problemas.

Patrão não respondeu. Com aquele estranho olhar de raio-x, parecia tentar adivinhar o que se passava pela cabeça de Anderson. Por fim, assentiu.

Reinaldo, o garoto das histórias em quadrinhos, o chamou para que se sentasse no chão ao seu lado, entre ele e... Pedro. Que, para variar, o encarava com um misto de ódio e nojo.

Anderson sentou-se, não demonstrando perceber a hostilidade no olhar do outro. Mas não podia fazer nada quanto a palavras.

– Chega mais pra lá com esse joelho, riquinho desmiolado. Não quero você encostando *de novo* em mim.

Anderson fingiu não ouvir a provocação. Tudo bem que se sentia idiota por ter perdido o controle e agredido Pedro, lamentando copiosamente a morte de alguém que estava bem vivo. Mas aquele contínuo comportamento não era justificável. Antes de começar a prestar atenção no que o professor de uma perna só dizia, ocorreu-lhe uma possibilidade que responderia a muitas perguntas: e se Pedro fosse o espião?

"Bem", disse logo em seguida a sua própria voz em algum lugar lá dentro de sua mente. "Então ele seria um péssimo espião, deixando bem claro para todos que odiava a pessoa que poderia aparecer morta no casarão a qualquer momento".

Anderson observou-o com o canto dos olhos. Lábios apertados, olhar fixo no Patrão e o semblante deixando bem claro que a proximidade do "garoto rico" era o suficiente para aborrecê-lo. Realmente, seria mais inteligente da parte do espião ser simpático com todos e não demonstrar problemas pessoais com ninguém, para não levantar suspeitas após sua ação ser concretizada.

Mesmo após o protesto e o argumento de sua própria consciência, Anderson não descartou a possibilidade.

A aula da vez foi de História. Patrão falou da Lei Áurea, Princesa Isabel e dos quilombos, com a precisão e o nível de detalhes de testemunha ocular. O que Anderson sabia que poderia perfeitamente ser verdade. Terminou explicando a abolição da escravatura e as centenas de latifúndios que continuaram praticando a comercialização de negros, mesmo após o surgimento da lei.

– Um império pode criar uma lei, mas não pode mudar a consciência das pessoas. Para elas, nós, negros – Patrão deteve o olhar por um segundo mais demorado em Anderson – sempre seríamos uma sub-raça, morando de favor em um mundo de brancos. Não podiam nos enxergar como iguais, pois nunca ninguém havia feito isso. Eram tempos difíceis, acreditem... Muito bem, dispensados! Quem for para a coleta com a Elis e o Zé, não se esqueça de levar o colete. Chris não levará ninguém de van, pois ainda está machucado. Vocês vão a pé. Agora, sumam da minha frente!

Anderson demorou-se propositalmente na fila que se formou nas escadas. Achou estranho que as crianças não corressem loucamente, como se aproveitassem a oportunidade da porta aberta em uma *masmorra*. Elas saíam tranquilas, sorridentes, pois gostavam da aula e não achavam problema algum em passarem um tempinho a mais no local de estudos. Anderson gostaria que alguns professores e diretores de escola tivessem algumas aulas com Zé e Patrão, para aprenderem alguns truques sobre bem-estar na escola e sobre ensino dinâmico.

– Se quiser pode ficar aí pela biblioteca – o Patrão disse, enquanto guardava a lousa rabiscada atrás de um dos móveis de livros. Anderson pensou em oferecer ajuda na tarefa, mas ele estava se virando perfeitamente bem sozinho – O Olavo não vem para cá tão cedo, por causa do emprego dele, mas pode ficar. Só não vá atirar nos próprios pés!

– Patrão – começou Anderson, ignorando a grosseria do Saci – Eu queria falar com o senhor rapidamente. Prometo que não vou demorar, eu também quero acompanhar a coleta...

– Você *quer*? – Patrão tirou o cachimbo de dentro do bolso da camisa e coçou a barba – O seu comportamento está muito estranho, moleque. Você está se interessando demais em todo o nosso estilo de vida, considerando que você é um pequeno fruto da sociedade consumista.

– Eu não sou fruto de nada. – rebateu Anderson – E apesar de nunca ter pensado nestas questões a fundo, acho que sou só um pouco alienado. Mas estou disposto a aprender mais com vocês e a questionar o modo de vida *pedrominante*...

– PREdominante – corrigiu o Saci.

– É isso, aí... Não acredito mais que a felicidade esteja armazenada no HD do meu computador, apesar de admitir que grande parte dela esteja lá. Eu gostei de me sentir parte de um grupo.

Por um instante fugaz, o Patrão pareceu estar orgulhoso do garoto. Seus olhos brilharam com uma luz interior. Mas então, ele abanou a cabeça e disse, com rouquidão:

– Diga logo o que você tanto queria. Desembuche.

– Eu só quero dizer que realmente há um espião da Rio Dourado aqui.

– De novo essa história, eu já disse...

– Se quiser, vá até o meu quarto – disse Anderson, tranquilo. Enfiou a mão no bolso e pegou a chave de seus aposentos. Puxou a mão do Patrão e colocou a chave em sua palma, junto com a caneta cinco em um. – Enquanto eu estiver na coleta, entre lá e veja por você mesmo. As janelas e a porta precisam estar fechadas para uma visualização melhor. Aperte a tampa desta caneta, ela é uma lanterna de luz negra. Aponte para as paredes e... se divirta.

Patrão não sabia o que dizer. Aceitou a chave, mas conservava o olhar incrédulo. Anderson se dirigiu para a escada e deu um último aviso para o Saci.

– Wagner Rios causou a morte de Anselmo. Você sabe disso, só não admite porque tem medo de se culpar. Da mesma forma que eu, ele deve ter lhe dito diversas vezes que estava correndo riscos. E como você não acreditou, ele achou que deveria dar um recado para alguém. Para quem quisesse ouvi-lo. E esse alguém fui eu, Patrão.

– Você não sabe...

– Não sei de nada. Verdade. *Ainda* não. Mas com você interferindo ou não, eu vou descobrir tudo. E vou fazer que o aviso de Anselmo não tenha sido de bobeira. Eu vou pegar esse infiltrado.

E deixou suas últimas palavras pairando no porão.

Patrão esperou alguns segundos, pesando o que acabara de ouvir. Retirou um fósforo de dentro de sua boina xadrez, riscou-o na parede e acendeu seu cachimbo. E então, fez algo que há tempos ninguém testemunhava.

Sorriu.

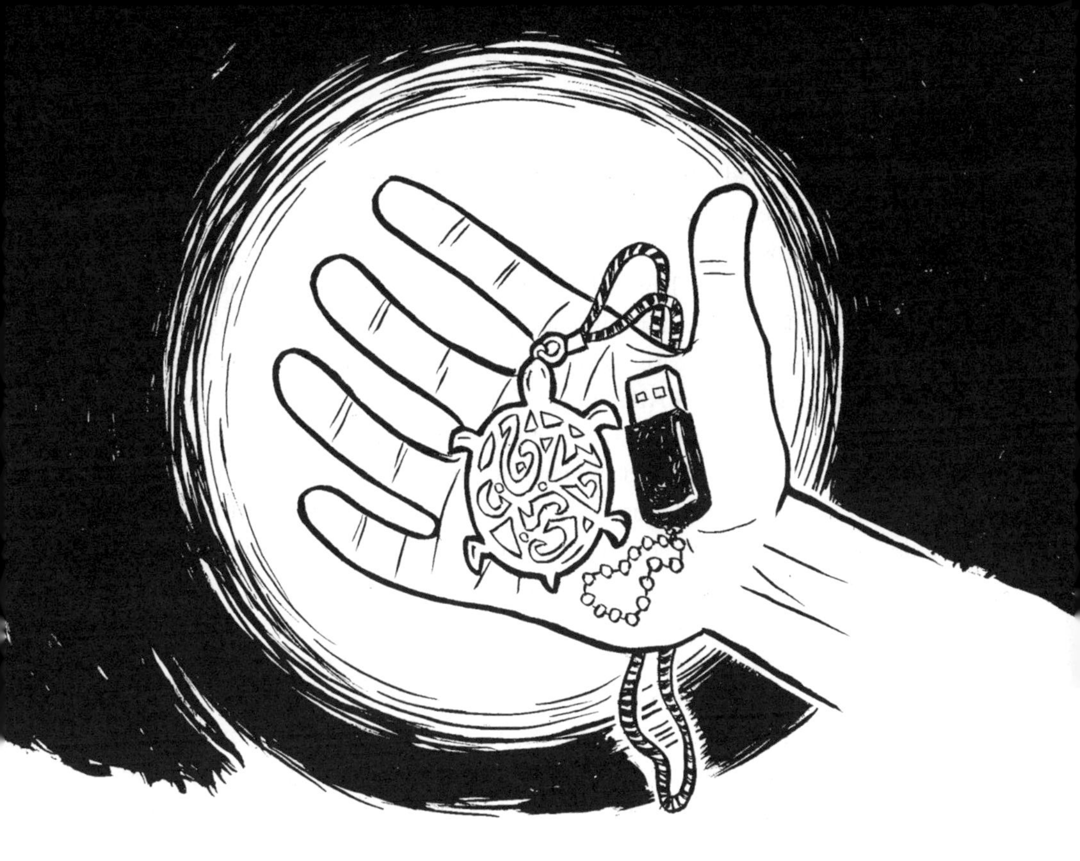

< capítulo 14 >

TATUAGENS, DREADS E UM MUIRAQUITÃ

– Estou pedindo *com educação* – Pedro enfatizou ao homem que acabara de jogar o lixo na calçada do Viaduto do Chá. A cena, ou o desastre iminente, era observada de perto por Anderson. O garoto de cabelos espetados apontava para a lata de refrigerante no chão, parecendo desconfortável dentro do colete marrom, largo demais para seu corpo – Não custa nada levar esta porcaria até o lixo, que está logo *ali*.

Ao contrário de Tina, Pedro não tinha tato algum para lidar com as pessoas e *coletar* favores. Ainda mais sabendo que Anderson atentava ao desenrolar dos fatos. Ninguém o escutaria com aquele tom de voz pretensiosamente controlado. O homem que emporcalhara a via pública o encarava como se estivesse curioso sobre onde o tampinha poderia chegar com aquele assanhamento.

– Não custa nada mesmo – respondeu, com um sorriso trocista – Mas jogando no chão eu tô dando trabalho para os garis. Emprego, sacou? Estou gerando empregos.

Pedro encrespou os lábios. Fechou os punhos. Anderson bateu com a mão na testa e Tina foi se aproximando para ver o que estava acontecendo.

– Ah, trabalho pros garis. Boa. Então PORQUE VOCÊ NÃO MORRE E DÁ TRABALHO PARA UM COVEIRO SEU FILHO DE UMA...

– Calma, Pedro! Não é assim que funciona – gritou Tina, tentando segurar o menino, que era apenas metade do tamanho do *Empregador de Garis*. O homem estúpido deu alguns passos para trás, surpreso com a atitude agressiva do garoto, e logo tropeçou em um providencial pé que se encontrava às suas costas, caindo de traseiro no chão.

Ah, sim. O pé era de Anderson.

– Uai, eu sou muito atrapalhado. Desculpe, deixa eu te ajudar! Aproveita que você ta aí no chão e pega essa latinha, vai...

Pedro tinha parado de se debater para olhar o Empregador de Garis caído no chão. Ia começar a rir, mas lembrou-se de que se fizesse isso, consequentemente estaria rindo de algo que Anderson havia feito. Logo, tratou imediatamente de apertar o nó em sua cara amarrada, e deu as costas para a cena que ele mesmo havia causado. Tina ficou ali, com a mão na testa, olhando o cara de pau do Anderson ajudando o cara de pau do homem porco a se levantar – agora segurando a lata de refrigerante, pois não tinha escolha.

– Prontinho, Tina – disse Anderson, feliz, olhando o homem se afastar praguejando e massageando as próprias nádegas – Mais uma boa ação coletada, totalmente espontânea.

– Ah, sim – a garota revirou os olhos e cruzou os braços – Totalmente espontânea. Pensei que só o Pedro era sem noção de puxar briga por qualquer motivo...

– Ei, eu não sou sem noção – protestou Anderson. O que em parte era verdade. Na sua escola, não costumava ter coragem para tomar atitudes drásticas na hora de revidar as provocações de Everton. Mas ali em São Paulo, longe de onde sua popularidade baixa já era do conhecimento geral, ele parecia sentir-se mais à vontade para agir impetuosamente. Com uma personalidade mais próxima da de seu avatar virtual, Shadow – Você não viu o tamanho do cara? Tive que fazer alguma coisa. Se ele tivesse resolvido dar um murro em Pedro, ele iria parar lá embaixo do viaduto.

– No Vale do Anhangabaú, você quer dizer – Tina puxou Anderson pelo colete, que hoje fazia parte de suas vestimentas. Como um típico membro da Organização – Vou dar uma de guia turística relâmpago: o Vale é este lugar debaixo do Viaduto do Chá até aquele outro viaduto dourado, o Santa Ifigênia...

– ...também conhecido como Viaduto Santa Cuca Mulambenta.

– *Ha ha*, engraçadinho. Bom, aquela construção bonita ali é o Teatro Municipal, um dos meus lugares preferidos na cidade. E este prédio branco aqui atrás é a Prefeitura.

Anderson perdeu alguns segundos com o panorama do centro. Grandes árvores e uma fonte de pedra enfeitavam a escadaria que dava acesso ao baixo relevo do Vale do Anhangabaú ao nível do Teatro, que era uma construção magnífica. Se encaixaria como um digno cenário de Asgorath, especificamente na cidade de Stonewall, onde havia conventos e fortes encravados em uma montanha e vigiados por dezenas de gárgulas.

Para chegarem até o ponto de coleta daquela tarde, Anderson havia feito o trajeto do Bixiga até ali acompanhado por Elis, Zé, Tina, Pedro e mais quatro crianças de colete marrom. Era a primeira vez que seus pés experimentavam a cidade expressivamente, com calma. A visita à Vila Madalena havia sido um tanto apressada e *turbulenta*. Se mais tarde perguntassem o que ele tinha achado de São Paulo, sua resposta seria um pouco indecisa. Sim e não. Pendendo mais para o *sim*. Havia muitos lugares decadentes dividindo espaço com outros de beleza única. A maioria, uma beleza de concreto, mas ainda assim admirável. E o centro, que já ostentava imponência, seria um lugar maravilhoso não fosse aquela sujeira, o cinza-poluição sufocava uma possível harmonia entre o que havia sido criado pela natureza e o que havia sido criado por mãos humanas. Anderson comentou essa sua impressão para Tina e ela prometeu que se houvesse tempo durante sua estadia, ainda o levaria para conhecer alguns lugares que mudariam parte daquela opinião dele. Citou o Museu do Ipiranga e o Parque da Juventude, o Parque do Ibirapuera e a Estação da Luz, que era um pedacinho de Londres em plena capital paulista.

Tina se afastou para colher mais algumas ações dos transeuntes, e deixou Anderson tentar a sua sorte, sem ajuda dos veteranos. No começo, sua timidez atrapalhou um pouco na abordagem. Sua voz não saía muito alta, e as pessoas tinham pouca (ou nenhuma) paciência em parar para escutar um garoto que provavelmente iria lhes pedir dinheiro. O que definitivamente não era o caso. Mesmo entre tantas pessoas de olhares nublados que o ignoravam, comandadas por afazeres e rotinas e passando a toda como bonecos de corda, Anderson conseguiu conversar com umas poucas que fizeram valer o esforço. Entregou pacotinhos de sementes de girassol para todas as que lhe deram atenção e recebeu em troca promessas de que as utilizariam bem. Além de sorrisos gentis, que preenchiam o vazio que os frios apressadinhos lhe deixavam.

O sol batia certeiro no viaduto, iluminando a fachada do Shopping Light e aumentando a sensação térmica. Já devia ser quase três horas, e nada do hacker da Primavera Silenciosa aparecer. Anderson começava a cultivar a certeza de que ninguém viria, quando um rapaz alto apareceu caminhando ao longo do viaduto, causando aflição e desespero a muitas pessoas sob o Sol.

Usava uma roupa que talvez fosse um pouco exagerada para o inverno, quanto mais para o calor que fazia naquela tarde... Usava *dreadlocks* negros, mas não como os de Haroldo, o rapaz que ordenhava Márcia. Eles eram um pouco... caóticos. Uns curtos e longos, outros espessos e finos, todos feitos com fios de cobre e algumas coisas brilhantes que pareciam... chips de computador? Tinha mais *piercings* e argolas no rosto pálido do que o livretinho de mostruário de joias que todo mês sua mãe recebia de uma amiga vendedora. Usava uma jaqueta de couro pesada, cheia de *patches*, bótons e correntes prateadas. Sua calça era preta e brilhante, provavelmente de couro, e usava coturnos gastos e com falta de graxa. Se cada peça de suas vestes não tivesse um mini ar-condicionado embutido, aquele rapaz não seria humano.

– Ah, você deve estar estranhando esse pessoal alternativo do centro – observou Elis, que veio da outra calçada ao notar o olhar de Anderson pregado no sujeito – Imagino que em Rastelinho não tenha muita gente com esse tipo de visual, né?

– Não. Não tem – respondeu, desatento à conversa com a semissereia, ao notar que os olhos do cara estranho também estavam pregados nele. Era *ele*! O hacker. Anderson apostaria a sua placa de vídeo naquilo.

– São Paulo é isso, uma mistura de tudo que existe com mais um pouco. – continuou Elis, falante, sem notar que Anderson estava totalmente inquieto, achando que a presença dela talvez evitasse a aproximação do hacker e fizesse tudo ir por água abaixo. Anderson *precisava* da ajuda da Primavera Silenciosa. – O engraçado é que tem um povo que mora aqui e não se acostuma, fica encarando quem se veste um pouco fora do convencional como se eles fossem sei lá, uns *aliens*... Hum, ele tá vindo na nossa direção. Tenta falar com ele!

A filha de sereia deu um tapinha em suas costas que significava "Agora é com você!", e se afastou alguns passos para buscar os seus próprios colaboradores.

– Hum, é... boa tarde! – começou Anderson, e o rapaz parou, olhando-o do alto de seus coturnos – É... você não gostaria de... conhecer um pouco a Organização?

– Eu estou com pressa – respondeu o indivíduo, e por um momento Anderson pensou ter cometido um tremendo engano. Aquele cara não era da Primavera Silenciosa. Mas então, ele disse algo que fez Anderson mudar de ideia consecutivamente – A não ser que você queira ir falando enquanto vou andando. Já vi o pessoal do Greenpeace fazer isso, uma vez.

Aquela era a deixa. Olhou para Elis, que lhe mostrava o polegar e fazia movimentos frenéticos com as mãos para que ele fosse com o rapaz.

– Ahn... Tudo bem.

– Estou indo para a Praça da República, dá e sobra tempo de você me contar um pouco sobre sua ONG. Vamos andando.

Deixaram o viaduto, Anderson gaguejando qualquer coisa sobre o modo de pensar da Organização. Passaram por Tina, que sorriu em sinal de incentivo, e então ficaram fora do alcance de ouvidos familiares.

– Ok, pode parar de fingir. – disse o rapaz, subitamente – Já conheço tudo sobre vocês, graças ao Esmagossauro.

– Você quer dizer, o Anselmo.

– Sim, mas na Primavera Silenciosa, todos nós nos tratamos por codinomes. O dele era Esmagossauro. Era assim que ele assinava os desenhos e grafites dele.

– E qual o *seu* nome? Eu não sei nada sobre você.

– E nem precisa. Apenas saiba que nós podemos derrubar o sistema da Rio Dourado. Isso é, se você estiver dizendo a verdade sobre o seu acesso ao computador central deles. Meu nome é irrelevante.

– Para mim, não. Você pode estar a trabalho da Rio Dourado, e me levando para a morte exatamente agora. E outra, você também não se parece com um ativista. Não vestindo todo esse *couro*.

– Tudo isso é falso couro. Sintético – retorquiu ele, sem se abalar com a acusação de Anderson – Nós abominamos o uso de couro, o teste de medicamentos em animais e qualquer outra coisa que envolva a morte gradual da natureza. E se você precisa tanto de um nome, me chame de Sharp. Igual à antiga marca de televisores.

– Ok, Sharp. – disse Anderson – Ontem você estava para me dizer que o Anselmo na verdade foi assassinado por um espião da Rio Dourado. Confere?

Sharp, que até então mantinha uma postura um pouco presunçosa, encarou Anderson realmente surpreso.

– Então, você já sabia! Como?

– As paredes me contaram.

Continuaram caminhando, enquanto Anderson contava como havia descoberto as inscrições em marca-texto na parede, falava sobre o caderno com a animação em tinta invisível e sobre o Esmagossauro do jogo Battle of Asgorath. Sharp sorriu com nostalgia na menção ao mundo de Shadow Hunter.

– Ele adorava aquele jogo. Eu também joguei por um bom tempo, mas Esmagossauro era o melhor de todos. Ninguém queria jogar com os trolls até ele inventar de customizar um. Diziam que os trolls eram muito lentos e que a força bruta não compensava na velocidade de ataque. Mas ele mudou esse conceito, distribuindo os pontos de experiência sempre nos atributos de agilidade, e chegando ao primeiro lugar do ranking, sem nunca comprar os itens *premium* do jogo.

– E hoje em dia, essa pessoa que está controlando o avatar do Esmagossauro usa itens *premium*. Ele já usou contra mim.

– Nem me fale isso. Eu estou louco para botar as mãos em quem hackeou a conta dele no BoA. Mas o filho da mãe usurpador consegue se defender de todos os meus vírus. Apesar de parecer besteira, acho que esse é um dos principais motivos pelos quais eu quero derrubar a Rio Dourado.

– Peraí, como assim? – Anderson estava confuso, e já tinha andado tanto que não sabia se lembraria o caminho de volta ao Viaduto. Olhou para a placa de endereço, e viu que estava na rua Barão de Itapetininga. – Nós não estávamos falando de Asgorath? O que a Rio Dourado tem a ver com tudo isso?

– Tudo. Tudo está interligado. Venha.

Sem nenhuma hesitação, Sharp puxou Anderson pelo colete para dentro de uma lanchonete movimentada, e o fez sentar-se em um dos bancos no balcão, entre ele e uma garota que já estava lá, assistindo à televisão no suporte da parede. Ao notar que os dois tinham sentado perto dela, ela desviou o olhar da novela reprisada no Vale a Pena Ver de Novo.

– Olá, Anderson – disse ela, com um sorriso arrebatador. Como Sharp, ela tinha dreads amarrados com fios e cabos, porém os dela eram ruivos e uniformemente compridos. Tinha os olhos mais verdes que Anderson já havia visto.

– Pelo visto, vocês já tinham combinado tudo. – disse Anderson, desconfortável com a situação. Mesmo assim, arranjou tempo para notar que a garota se vestia de uma maneira parecida com a de Sharp, porém sem jaqueta de couro. Usava uma regata preta, expondo uma corrente prateada que terminava para dentro do decote e ombros repletos de sardas. Os antebraços da garota tinham duas palavras tatuadas em letras e números rebuscados: **51L3N7** no direito e **5PR1NG** no esquerdo. Anderson pensou que ela parecia muito nova para ter uma tatuagem daquelas. De qualquer forma, deveria ter mais do que quinze anos.

– Nós precisávamos inteirá-lo da situação. – ela disse, os olhos de jade brilhando – Prazer, meu nome é Gaia.

– Gaia – repetiu Anderson, em seguida erguendo as sobrancelhas para Sharp, à sua direita – Viu, ela me disse o nome dela de primeira. É bem mais simpática que você. Agora, se não for pedir muito, pode me falar um pouco mais da ligação da Rio Dourado com o meu jogo preferido?

Sharp afastou uma mecha de cabelo amarrado da frente dos olhos.

– Para isso, você precisa saber quem era o Anselmo. Gaia, por favor.

– Anselmo era um grafiteiro. Fazia verdadeiras obras de arte nas ruas, desenhos inigualáveis. Mas, para as autoridades e donos das paredes pintadas, a arte dele era vandalismo. Assim, ele foi encaminhado para uma instituição para a 'reforma' de jovens delinquentes pela primeira vez, ainda muito novo. Foi lá que Sharp o conheceu.

– Eu estava lá *só por que* tinha entrado no e-mail da minha professora e pego as respostas da prova final de matemática. Uma grande injustiça, mas me possibilitou conhecer o Anselmo.

Gaia continuou, ignorando o arrebatamento de Anderson.

– Sharp já tinha sido sondado pelos representantes da Silent Spring aqui no Brasil, a Primavera Silenciosa, e assim que havia acabado de cumprir sua pena com Anselmo, os dois ingressaram no grupo. Anselmo não era tão bom em informática quanto o resto dos membros, mas era engajado nas causas da natureza. Sua paixão pelo grafite não havia morrido com a detenção, pelo contrário. Após conhecer tantos ativistas, queria fazer seus protestos através da arte, nas ruas e na internet. E assim ele foi preso pela segunda vez, pego enquanto pintava uma enorme árvore sangrando no outdoor de uma madeireira que atuava em padrões fora do acordo ambiental.

– Sua pena não foi muito longa, coisa de dias. – Sharp tomou a palavra – Mas quando Anselmo voltou para casa, os pais dele simplesmente recusaram a sua permanência. O enxotaram para fora, dizendo que não haviam botado um filho no mundo para ele se tornar um criminoso.

– Como se pintar um muro fosse crime maior do que desmatar florestas – indignou-se Anderson – Aposto que o dono da madeireira não foi preso.

– Pode ter certeza que não. A justiça nunca entra no mesmo lugar em que está o dinheiro – disse Sharp.

A garota ruiva prosseguiu de onde o amigo havia parado:

– Nós os acolhemos por um bom tempo na nossa sede, mas ele sempre se incomodou com o fato de estar lá de favor, dizendo que era um peso para nós. Como se algum dia nós tivéssemos pensado qualquer coisa do tipo... – Gaia suspirou, encarando as próprias unhas longas e pintadas de preto – Até que um dia ele conheceu a Organização, em uma das coletas, e se apaixonou à primeira vista pela causa deles. O caipora deles, Zé...

Anderson engasgou com a própria saliva.

– Vocês sabem sobre o lance do folclore!

– Claro, Esmagossauro era nosso amigo. Nos contava tudo – disse Sharp.

– Mas vocês acreditarem na história já é outra coisa...

– Deixe eu continuar, que não temos muito tempo – disse Gaia, alarmada – Zé apresentou Anselmo para o Patrão, e ele o acolheu no casarão. Nós ficamos tristes por ele deixar a nossa sede da Primavera Silenciosa, e eu mais ainda. Nós éramos... *namorados*.

A voz de Gaia falhou na última sílaba, como se ela estivesse prestes a chorar. Sharp percebeu que ela não poderia continuar.

– Mas ele nos disse que seria um membro das duas organizações, e de fato ele sempre nos visitava, toda semana. Lembro que ele dizia que a Organização precisava dele, pois ninguém lá dentro sabia mexer com computadores fora do básico. Ele explicava que as criaturas folclóricas e suas descendentes eram incapazes de compreender plenamente as modernidades, e que ele poderia operar maravilhas por lá. De qualquer forma, ele separava a sua vida na Organização da nossa. Nós nunca havíamos entrado em contato com o pessoal do casarão, e nem eles conosco. Em uma certa época, Esmagossauro descobriu que uma empresa que nós sempre odiamos também era um desafeto em comum da Organização.

– A Rio Dourado – disse Anderson.

– Sim. Inclusive, ele recebeu convites para que fosse trabalhar na Rio Dourado.

Anderson reviveu mentalmente uma cena perturbadora. Wagner Rios descendo do Land Rover e estendendo-lhe a mão, dizendo para que fosse embora com ele. Mais uma semelhança entre Anderson e Anselmo, e isso já estava começando a se tornar um incômodo. Durante seu rápido devaneio, perdeu alguns segundos de explicação de Sharp, mas nada que comprometesse o entendimento geral do assunto.

– ...cogitava ter sido rastreado por causa dos vídeos que ele postava na net, sempre com temáticas folclóricas. O tema atraiu Wagner, que sempre soube utilizar as lendas e mitos a seu favor. Anselmo recusou terminantemente e-mails e cartas ousadas, dizendo que ele e a Organização estavam em lados opostos do tabuleiro. Depois desse desaforo, Wagner decidiu plantar um agente dentro do Casarão. Provavelmente *comprou* um membro antigo, com promessas de riqueza e de prosperidade.

– O fato é que acidentes estranhos passaram a acontecer ao redor de Anselmo, e em todas as vezes ele escapou por pouco.

Gaia parecia ter controlado a tristeza das lembranças do namorado e agarrava o pingente de sua corrente, que se escondia para dentro de sua regata. Aquilo fez Anderson se lembrar de seu sonho, em que ele era Anselmo. Sharp ainda falava:

– Como se os acidentes fossem avisos de algo pior que pudesse acontecer caso ele não se afastasse da Organização. Acredite, Anderson. Anselmo tinha o dom de se expressar com a arte dele, e Wagner Rios deve ter se sentido ameaçado por isso.

– Eu acredito. Vi aquela animação que está no YouTube. É realmente algo... estranho. Perturbador, e isso é um elogio. Ele conseguiu me tocar com aqueles desenhos... Bom, imagino que quando ele foi contar ao Patrão, o velho não acreditou que pudesse haver um infiltrado no casarão. Essa parte já estou sabendo.

– Exato – disse Gaia, balançando a cabeça. – Nós dizíamos que ele deveria sair de lá, mas Anselmo ficava preocupado que ferissem algumas das crianças por causa dele. Dizia que estava prestes a descobrir quem era o traidor, e que estava atento aos acidentes que aconteciam ao redor dele. Na verdade, ele só estava se safando da morte por causa disso...

Ela puxou para fora da regata o pingente que estava atrelado a sua corrente de prata, e o deixou pendurado à mostra. Tinha o formato de uma pequena tartaruga, em um design meio tribal, azul-esverdeado.

– O que é isso? – perguntou Anderson, tentando disfarçar a absoluta certeza de que aquele era o amuleto que ele havia usado no sonho.

– É um muiraquitã – esclareceu Gaia – Um artefato indígena, que segundo os próprios índios desvia o mau-olhado e elimina doenças. Ele guarda dentro dele todos os males que seriam direcionados para o portador. O mais normal é encontrá-lo na forma de sapos, mas Anselmo ganhou este há muito tempo. Pouco antes de sua morte, ele quis me entregar o muiraquitã dele, dizendo que se algo acontecesse, ele não gostaria que o seu talismã fosse parar em mãos erradas. Eu não aceitei, disse que ele deveria continuar usando-o, mas... Dias depois de eu receber a notícia, encontrei o amuleto debaixo de meu travesseiro... Como se ele tivesse visitado a sede da Primavera às escondidas e deixado ali para que eu encontrasse algum dia...

Anderson lembrou-se do sonho da noite anterior. No qual ele era Anselmo, morrendo, e apertando um pingente sob a camiseta. Sentiu a curiosa certeza de que o muiraquitã era o que as suas mãos (ou as de Anselmo?) procuravam na hora da morte. O sonho teria sido uma visão do que havia acontecido no quarto do casarão, há mais de seis meses? De alguma maneira, Anderson apostaria qualquer coisa que sim, tudo havia ocorrido daquele jeito. Mas e o muiraquitã? Se Anselmo o estava usando na hora da morte, quem o entregou a Gaia posteriormente?

Naquele momento, seria bem melhor que ele ficasse calado quanto ao sonho e seus questionamentos, para não piorar ainda mais a situação de Gaia, que chorava silenciosamente.

– Isso é uma coisa que ainda a machuca – disse Sharp, pesaroso, pondo uma das mãos cheia de anéis no ombro da amiga – Eu não acredito que o muiraquitã tenha poder de evitar a morte, mas não consigo convencê-la do contrário. De qualquer forma, a Rio Dourado foi para o topo de minha lista negra após o falecimento de Anselmo. Eu queria muito entrar em contato com o Patrão para participar do funeral e pedir o computador do meu amigo, a fim de que as informações da Organização não caíssem nas mãos do espião. Mas, como eu não sabia quem poderia ser o traidor, fiquei com receio de aparecer. Desconfiava de todos, inclusive do velho Saci. Com o tempo passei a imaginar que, se o traidor fosse um dos membros *com poderes*, então eles já teriam dado cabo de Anselmo há muito tempo. Em alguma das missões perigosas em que eles se metiam, calharia a bela desculpa de que uma morte havia acontecido por *acidente*.

– Também cheguei a pensar desta forma – disse Anderson – Com isso, podemos eliminar Patrão, Chris, Elis e Zé da lista de suspeitos. Sobram os órfãos.

– Que são muitos – lembrou Gaia. – Isso dificulta as coisas.

– Algumas semanas depois da morte de Anselmo – disse Sharp –, eu loguei no Battle of Asgorath para tirar o estresse. E imagine a minha cara quando vi o Esmagossauro online...

– Deve ter sido assustador. – Anderson voltava os olhos para o muiraquitã de segundo em segundo. Por que ele o atraía tanto? – E você falou com ele no chat, imagino.

– Tentei, mas ele me bloqueou na hora. Não que eu tivesse esperanças de que Anselmo estivesse vivo, mas eu queria saber quem era o desgraçado que estava jogando com a conta do meu amigo. Tentei hackear a conta dele para obter mais informações, mas foi impossível. Tão difícil quanto hackear a Rio Dourado... Aí comecei a alimentar algumas ideias malucas. Mandei uma carta anônima ao Patrão, ainda não tão convencido de que ele fosse inocente, e perguntei a respeito dos bens de Anselmo, principalmente do computador. A resposta, que conforme as minhas orientações foi enviada para uma caixa postal alugada, foi desanimadora. Dizia que o pouco que Anselmo guardava, como seus materiais de pintura e roupas, ainda estava por lá. Mas o gabinete do computador dele havia sumido, e provavelmente havia sido roubado por algum órfão com uma repentina queda de caráter. O bobão poderia ter pego apenas o HD, mas resolveu sumir com o trambolho inteiro...

Anderson, que já sabia sobre o roubo do computador, ligou os pontos com certa facilidade.

– Ou seja, foi o infiltrado que afanou o computador de Anselmo, para entregar as informações da Organização para a Rio Dourado. E, nessa brincadeira, eles invadiram a conta do Esmagossauro no BoA. Mas por quê, que utilidade isso teria para eles? Wagner Rios curtia um MMORPG?

– Não acredito que seja o próprio Rios jogando, é claro. Mas vamos descobrir o porquê desse estranho comportamento deles um dia. Tenho temores horripilantes, e que prefiro guardar para mim até que eu colha provas maiores...

Sem saber quais terríveis suspeitas Sharp guardava, Anderson passou a tentar entender o porquê de ter sido chamado. Existia um estranho triângulo entre Organização-Battle of Asgorath-Rio Dourado, o que significava que Anderson não fora escolhido ao acaso, ou simplesmente por ser o *segundo melhor colocado do ranking* de um jogo qualquer. Talvez tivesse sido chamado para bater de frente com o representante da Rio Dourado em BoA, o hacker que havia tomado a conta de Anselmo e agora usava o nickname de Esmagossauro...

"Anderson, não viaje!", gritaram seus neurônios em coro.

– De qualquer forma, eu consegui proteger as contas de e-mail e as do YouTube que eram do Anselmo – disse Sharp – A esmagossauro93, inclusive. Não suportaria ver O Legado Folclórico e todos aqueles vídeos e animações de protesto na mão do pessoal de Wagner Rios. Já dói demais saber que algo de Anselmo está por lá...

Anderson tinha – para variar – mais um punhado de dúvidas, e de fato tinha começado a fazer perguntas para Sharp e Gaia, quando foi interrompido pela vinheta lúgubre do *Plantão*. Todos os olhos do recinto estavam voltados para o televisor.

A repórter que falava ao vivo tinha como pano de fundo uma imensa cortina de fumaça e muitos carros de bombeiros. Ela relatava mais um grande incêndio que ganhava proporções absurdas em alguma cidade no interior do Mato Grosso. Gaia e Sharp balançavam as suas cabeças em silêncio, parecendo desolados e cansados. A vida de um *ecoativista* deveria ser repleta de decepções e de momentos como aquele, pensou Anderson. Imaginava ser preciso muito amor à causa e ao planeta para continuarem em uma guerra que poucos imaginavam que estava acontecendo: a cruzada contra a ignorância humana.

E aquela *batalha* em especial, o incêndio televisionado no plantão de notícias, era causada pela ignorância e ganância de um homem. Wagner Rios.

– Essa não é uma queimada convencional – sussurrou Anderson, fazendo os dois hackers se curvarem e abortarem a atenção ao televisor – Rios vai executar uma Mãe D'Ouro no domingo, e todos esses desastres são resultados da ação dele. As criaturas do fogo pressentiram que uma semelhante poderosa está em perigo, e estão vindo em auxílio. Direto para cá!

Anderson fez um resumo para Sharp e Gaia, que pareciam saber bem a respeito das criaturas folclóricas. Explicou que ele acessaria o computador central da Rio Dourado enquanto Patrão e os outros resgatavam a Mãe D'Ouro antes que as criaturas do fogo chegassem com a onda de devastação.

– Ele não pensa nas consequências – disse Gaia, de cabeça baixa. – Esse homem é um monstro.

– Esse homem é um santo! – exacerbou-se o caixa da lanchonete, recebendo grunhidos de aprovação de vários clientes. Anderson e Sharp não entenderam o porquê do comentário tão antagônico ao comentário de Gaia, mas perceberam que ele não escutava a conversa do trio. O caixa sorria e apontava para o rosto enquadrado e entrevistado no plantão de notícias.

– Alguém que faz do mundo um lugar melhor. Wagner Rios!

Com seus fios grisalhos voando ao vento, o dono da Rio Dourado estava lá, dando uma emocionada declaração para a câmera, de que doaria um enorme quantidade de dinheiro para as vítimas dos incêndios que andavam acontecendo. A repórter, olhos brilhando e um sorriso que por pouco não engolia o seu ponto eletrônico, ressaltava o quanto era importante o altruísmo dos grandes empresários em causas ambientais. Wagner Rios concordava, e convocava outros empresários a fazerem o mesmo que ele.

– Nunca vi alguém falar tanta besteira! – rosnou Sharp, dando um murro no balcão – Esse desgraçado é culpado por tudo isso!

– Do que você tá falando? – o caixa estava indignado com aquela declaração, assim como os outros clientes, alienados da verdadeira forma demoníaca por trás da máscara caridosa do empresário – Este cara é uma benção na vida de toda aquela gente que está sofrendo com o fogo! Se não tem o que falar, fecha a matraca, esquisitão!

– Vamos embora – Gaia disse, puxando o amigo pelo braço ao notar que os punhos dele estavam cerrados. – Não adianta discutir, eles não tem culpa de não saberem...

Deixaram a lanchonete e as imagens do incêndio para trás, sob comentários maldosos dos fiéis defensores de Wagner Rios. Anderson agora compreendia muito das longínquas palavras de Tina sobre os perigos de basear as suas opiniões na informação que a mídia passava às pessoas comuns.

Tomaram o caminho rumo ao Viaduto do Chá. Sharp permaneceu calado, completamente emburrado com o ocorrido. Gaia mexeu em um dos bolsos e entregou um pequeno pen-drive de 16 GB com uma pulseira para Anderson.

– Aqui está o programa que você precisa para abrir as portas da Rio Dourado, quando você estiver lá – Gaia lhe entregou o pequeno artefato, prendendo-o em seu pulso – Apenas passe ele para o computador, e nós faremos o resto. É como a Guerra de Troia. Não o perca.

– Pode deixar – disse Anderson, tentando lembrar se no final da Guerra de Troia o homem que abriu os portões sobreviveu.

– E eu queria te entregar mais uma coisa – Gaia retirou o muiraquitã de tartaruga de seu pescoço, e colocou-o no de Anderson, que o aceitou em silêncio com a solenidade de quem recebe uma medalha. – Isto protegeu Anselmo durante o tempo que ele ficou no casarão, talvez o proteja também. Espero que ainda exista espaço disponível aí dentro para a absorção de novos males.

– Eu... não sei se posso aceitar. Ele é uma lembrança do seu *namorado* – disse Anderson, mas sabia ter dito aquilo por educação. Sentia que o muiraquitã estava apenas esperando o momento de encontrá-lo.

– E ele adoraria que você conseguisse encontrar o traidor que o matou. Nada melhor do que uma ajudinha indígena.

– Mas é só um amuleto, uma... superstição – o garoto não acreditava nas próprias palavras, claro. O sonho, sempre o sonho...

– As coisas possuem a importância que damos a elas. Anselmo dava muito crédito a essa tartaruguinha, e eu também dou. Se você também acreditar que ela pode te proteger, talvez ela cumpra o papel dela.

Talvez, talvez, talvez... A única certeza na vida de Anderson é de que ele sempre encontraria muitos *talvezes* pela sua frente. Caminhou por segundos em silêncio, flanqueado por Sharp e Gaia. Já conseguia ver o Viaduto ao longe, e também uma figura familiar vindo apressada em sua direção. Tina.

– Cara, você demorou muito! Achei que você tinha se perdido.

– Não, na verdade nós ainda estávamos... – Anderson olhou para os lados para apresentar Sharp e Gaia a Tina, mas eles não estavam mais lá. Tinham evaporado como fantasmas. Provavelmente, se misturaram à multidão ao notarem a aproximação da garota de colete – conversando, até agora há pouco...

– Que bom. E aí, conseguiu alguma coisa com eles?

Anderson sabia que ela se referia a *coleta* de alguma boa ação. Fechou os dedos no pen-drive que havia recebido. O muiraquitã, que estava para dentro de sua camiseta, irradiou um calor confortante.

– Consegui.

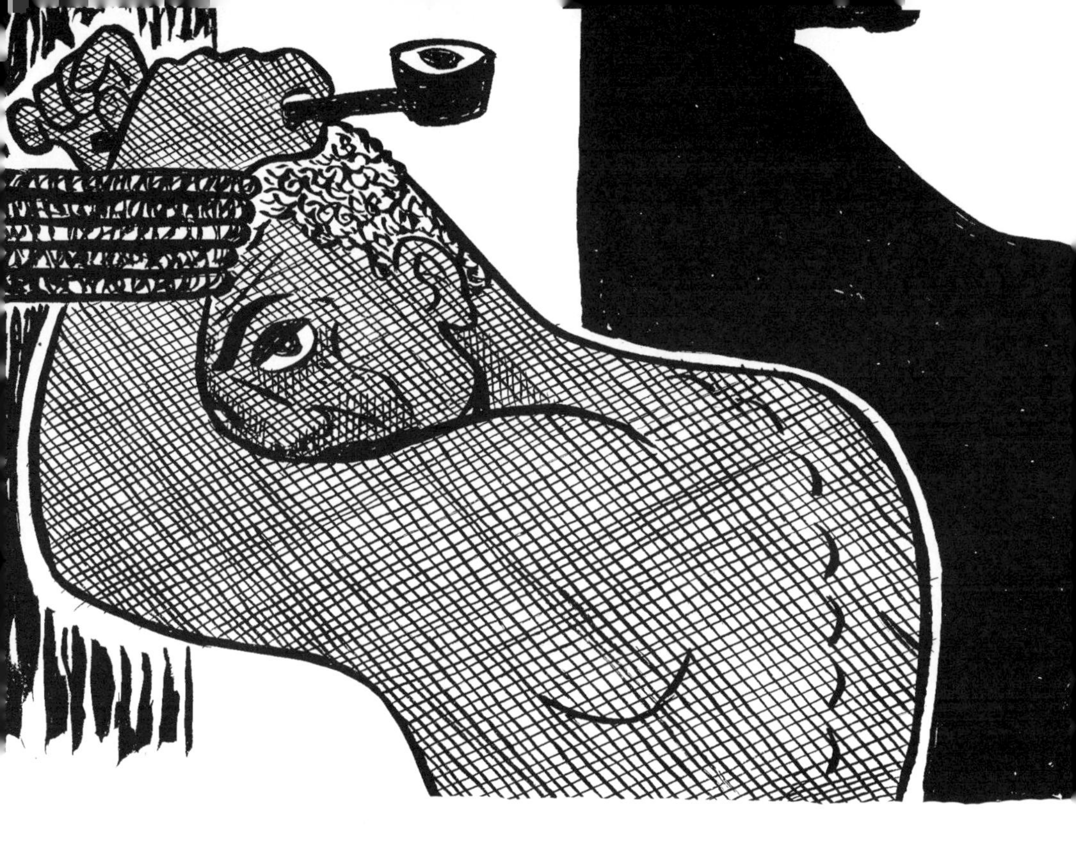

< capítulo 15 >

A HISTÓRIA DO PATRÃO

Mais uma vez, Anderson sonhou que era Anselmo.

E desta vez, ele não imaginava que na verdade era Anderson Coelho. Sequer sabia que estava sonhando. Ele era Anselmo, sufocando no chão, batendo com os calcanhares no piso de taco e segurando o pingente sob a camiseta.

Sua glote estava completamente inchada, impedia a entrada de qualquer átomo de oxigênio. A presença de espírito que o objeto em seu peito lhe proporcionava naquela hora de desespero o ajudava a se locomover pelo chão, arrastando-se até a escrivaninha onde estava o computador ainda ligado ao jogo. No meio do maremoto de pensamentos, conseguia se lembrar de que o seu avatar de troll ficara lá, imóvel na tela. Gostaria de ter podido deslogar a conta antes de começar a sofrer aquele ataque interno de seu organismo. Não queria imaginar alguém jogando Battle of Asgorath com o seu personagem. Também não gostaria que se apossassem de seu amuleto, muito menos o maldito que tanto o queria morto... e que talvez houvesse conseguido.

A porta de seu quarto se abriu. Quatro pessoas entraram, rindo e falando alto, e logo perceberam o que acontecia. Quando viram que Anselmo estava estirado ao chão, fazendo ruídos de sufocamento e tentando alcançar a parte de cima da escrivaninha com uma das mãos, os quatro pares de tênis correram em sua direção. Antes que chegassem a ele, Anselmo alcançou a beirada de uma folha de papel em um esforço hercúleo, e a puxou para baixo, fazendo cair uma chuva de canetas, lápis e tranqueiras que estavam espalhadas sobre o seu local de trabalho, inclusive um prato com um lanche natural mordido.

Mãos o agarravam, tentavam fazer que se sentasse, mas ele se debatia. Uma daquelas pessoas era a responsável pela morte que se avizinhava ao seu corpo. Podia sentir o amuleto indicando aquilo, podia perceber o perigo no ar... medo. Sim, esse alguém o queria morto, e tinha medo de que aquilo não acontecesse.

Não conseguia identificar os quatro rostos. Queria identificá-los, e olhar bem para o seu assassino. Queria expô-lo antes do fim, para que soubessem do espião que se encontrava bem no seio da Organização. Queria que o Patrão acreditasse no perigo. O casarão não era um lugar seguro para todas aquelas pessoas.

Então, sentiu as mãos do traidor em sua pele. E como se através daquele toque toda a verdade se transmitisse para a sua mente, soube a identidade dele. Como em um download instantâneo por uma rede Wi-Fi, de mente para mente.

Se debateu com força, não queria ser tocado por aquelas mãos. Precisava agarrar uma daquelas canetas espalhadas ao chão, escrever o nome do seu assassino!

Não teria muito tempo. Estava suportando a asfixia heroicamente, muito além de sua capacidade. Apontou a folha de papel e alguém colocou-a no chão ao seu lado... ele escreveu o nome do infiltrado, mas nada saiu da ponta da caneta. Droga! De todas as canetas que poderia ter pego, justo a de tinta invisível? Torceria para que percebessem o fato, e colocassem a luz negra na folha de papel. E de quebra, poderiam ver tudo o que tinha rabiscado nas paredes com marca-texto ao longo daquelas semanas tensas...

O amuleto esquentou, e a lança de dor em seu peito formada pela falta de ar se abrandou. Anselmo não sentia medo. O traidor sim. Medo de que Anselmo sobrevivesse, de que o denunciasse. Mas isso não aconteceria, infelizmente. Aquele era o fim da vida como ele conhecia. O que viria depois era parte de uma nova jornada para dentro do sono final...

Agarrou o muiraquitã sob o tecido da camiseta. Com o seu último lote de forças, desejou que ele fosse até Gaia, sua namorada. Que ela o guardasse até que o seu próximo portador surgisse.

Então o amuleto de tartaruga começou a dissolver, logo Anselmo estava agarrando apenas as suas vestes. O muiraquitã havia partido, e estaria livre do alcance da maldade contagiosa de Wagner Rios.

E em segundos ele estaria livre também.

Levantou-se antes mesmo de abrir os olhos, pondo a mão no peito e *ouvindo* o coração bater forte, totalmente fora de compasso. Suas batidas pareciam amplificadas por um home theater, ecoadas pelo quarto inteiro. O muiraquitã estava lá, morno sob a camisa, como se tivesse sido aquecido por alguns segundos em um micro-ondas. Olhou lentamente ao redor do mesmo cômodo em que seu sonho havia se passado, com pequenas mudanças de mobília e decoração. A sensação era angustiantemente estranha.

Mais batidas altas, e Anderson passou a imaginar se todo o barulho não viria da porta de seu quarto, e não do seu coração – o que seria mais plausível de qualquer forma, pois o raciocínio de pessoas recém-despertas não faz muito sentido na maioria das vezes.

– Anderson?! – era a voz do Patrão, mas de uma maneira que o garoto ainda não havia escutado. Parecia amedrontada – Vou contar até três, se não abrir esta porta eu vou derrubá-la! Um, dois...

– Pronto, pronto! O que tá acontecendo? – disse Anderson, abrindo a porta antes do três e olhando para a figura do homem perfeitamente equilibrada em uma perna só.

Havia alívio no rosto escuro do Saci, que inspirou profundamente e retornou à sua calma rabugenta comum:

– Nada, eu... estava há mais de um minuto batendo na porta. Pensei que você estivesse passando mal, ou algo parecido...

– Algo parecido com o que Anselmo teve, você quer dizer? – perguntou Anderson, cruzando os braços. Ele e Patrão encararam-se, sustentando o olhar um do outro por segundos. Para a surpresa do garoto, foi o outro que desviou os olhos primeiro.

– Eu vi as mensagens na parede, ontem. – admitiu em voz baixa – Eu... não sei o que pensar. Creio que a idade me transformou um velho orgulhoso e cego das próprias falhas. Posso entrar?

Anderson hesitou. Nunca havia visto o Patrão tão fragilizado. E mesmo a fragilidade daquele homem continha uma certa dose de imponência. Afastou-se da porta para que ele entrasse, em saltos suaves que sequer faziam o piso ranger, e depois a fechou.

– Eu estive cego para o que Anselmo queria me mostrar. Não acreditava que a Organização, o meu sonho e ideal, estivessem corrompidos por Rios... Para mim, este casarão estava longe de qualquer influência perniciosa externa. As minhas crianças nunca seriam tocadas pela maldade que impera nas ruas, no mundo onde o dinheiro fala mais alto que a razão – Patrão olhava para as paredes com manchas amareladas do quarto, como se pudesse enxergar todas as palavras perturbadoras de Anselmo claramente, sem o auxílio da luz negra. Anderson sentia que o homem experimentava uma angústia incrível naquele momento – Ele me alertou do espião. Me alertou até que alguém queria invadir a porcaria do perfil do personagem dele naquele jogo maluco da internet, e mesmo assim eu nunca lhe dei o crédito que ele merecia.

– Não estou entendendo – disse Anderson sentando na beirada da cama enquanto o Patrão tomava a cadeira do computador e a virava de frente para o garoto.

– Ontem, quando você disse que eu tinha medo de me sentir culpado com a morte de Anselmo, você estava com a razão. Imagine como eu me sinto agora, sabendo que bastava eu ter dado ouvidos a ele, e talvez tudo tivesse sido evitado...

– Não podemos afirmar nada – disse Anderson, soando sem convicção alguma, mas tentando amainar o sofrimento visível de Patrão. – Mas o que você quis dizer com o "jogo maluco da internet"? Anselmo comentou sobre o Battle of Asgorath com você?

O Patrão balançou a cabeça. Sim.

– Eu nunca dei preferências para ninguém aqui na Organização. Trato todos como iguais, e ninguém tem privilégios. Mas Anselmo veio para cá por vontade própria, e talvez tenha sido por isso que eu me afeiçoei tanto ao garoto. Não que eu pensasse que o fato dele ter se engajado naturalmente com nossa missão o fizesse ser melhor do que qualquer outro membro que tenha sido resgatado das ruas ou dos orfanatos. Mas entenda, alguém compartilhava de meus ideais, a ponto de vir para cá por escolha própria! Isso me deixava orgulhoso. Só que o orgulho, em qualquer uma de suas formas, pode cegar qualquer homem. Pode ser a queda de qualquer um. A ruína de qualquer um.

"Anselmo se ofereceu para vir trabalhar conosco e ser o nosso membro especializado nas ferramentas multimídias. Ele dizia que através da internet nosso ideal poderia alcançar um número infinitamente maior de pessoas. Eu sempre fui da opinião de que a tecnologia era algo nocivo, que disseminava os males do mundo com maior velocidade. Mas Anselmo me convenceu de que ela também funcionava na contramão. Que também poderia disseminar o bem de forma mais rápida, mais ampla."

Imediatamente, Anderson fez um link entre o discurso do Patrão com a conversa que ele havia tido com Zé na biblioteca, há dois dias.

– A internet é uma ideia. – começou o garoto, sem saber exatamente aonde queria chegar, mas sentindo a necessidade de se expressar – O que é feito dela depende de cada pessoa, do *caráter* de cada uma. É como, sei lá, uma faca... Pode cortar um pão ou pode matar alguém.

– Sim – concordou o Patrão, e Anderson já sabia que criaturas folclóricas tinham dificuldades para assimilar tecnologias. – É algo tão claro, mas que eu nunca cheguei a compreender. O orgulho de sempre fazer as coisas do meu jeito, por tanto tempo, me deixou cego para aprender coisas novas. Me deixou incapaz de admitir que ele estaria certo, pois isso significaria que todo o meu sistema de ensino e de orientação aos jovens era falho, que poderia permitir a corrosão do caráter de alguém. E o orgulho, além de me passar essa rasteira, também fechou os meus ouvidos para Anselmo.

"Após muito tempo, ele veio dizer que desconfiava da presença do espião no casarão, e eu reagi da pior forma possível. Não dei crédito aos alertas dele, pois passei a acreditar que o fato dele trazer aquele fruto de discórdia para nosso meio era algo ligado ao fato dele *não* ter chegado aqui na Organização através dos meios *normais*... Ele tinha vindo por conta própria, ótimo, mas não havia sido educado por mim, por Zé e por nossos métodos. Achava que a paranoia de Anselmo era resultado do bombardeio de informações que a internet causava na mente dele. Da torrente de baboseiras que o mundo arremessava nos internautas todos os dias."

"Mas eu, mais do que ninguém, deveria ter confiado no potencial do garoto. Ter acreditado que o caráter dele faria a diferença enquanto ele precisasse estar absorto naquele mundo, que ele selecionaria as ideias que lhe fossem apresentadas, que a sua ética predominaria. Que ele poderia ser um indivíduo exemplar mesmo sem ter sido criado na Organização. E que mesmo a Organização às vezes poderia falhar e perder alguém para o outro lado. O lado da ganância, das promessas de riquezas, de sonhos repletos de cifrões. Então, muitas vezes eu o *ouvia* manifestando seus temores, mas não o *escutava* de fato. Eu não quis acreditar que houvesse uma ligação entre um entretenimento para jovens e a Rio Dourado."

Anderson engoliu em seco. Poucas pessoas poderiam dizer-lhe algo a respeito de Battle of Asgorath que lhe surpreendesse. Da maneira mais improvável, o Patrão estava para se tornar uma delas.

– Você imagina o real motivo de eu criar essa Organização, Anderson?

O garoto nada respondeu. Estava tentando entender qual a ligação de Battle of Asgorath com o assassinato de Anselmo. Acabou meneando a cabeça, em silêncio, e o Patrão continuou.

– Eu não sou uma criatura folclórica convencional. Não nasci Saci. Na verdade, sou um lance de dados do destino, uma combinação única. Sou criação da maldade humana e da benevolência da natureza.

Aquilo soou terrível aos ouvidos de Anderson. Mas de alguma forma, ele sabia que não precisaria temê-lo.

– Eu era um escravo e você já devia imaginar isso. Nasci negro, e na época isso significava que eu havia chegado ao mundo para *servir* – aos homens que arrebanhavam liberdade e a transformavam em lucro. Aos homens que haviam determinado que eu nasceria escravo, e que jamais experimentaria a liberdade de ir e vir.

"O sofrimento me perseguiu desde pequeno, mas eu simplesmente não sabia como seria uma vida sem a presença dele. Não havia outra alternativa para gente como eu, como você. Poucos escravos tinham a sorte de servirem a famílias que os tratavam com um mínimo de respeito, e aquele definitivamente não era o meu caso. Conheci a verdadeira dor nas mãos de um senhor de engenho que fez da minha vida um inferno. Ali, trabalhando para que um homem rico se tornasse cada vez mais rico, passei a questionar o rolar das engrenagens no mundo. Até o dia em que eu me recusei a obedecê-lo... Ele me fez sentir dor em troca de minha indisciplina. Muita dor. E aquela aflição me motivava a arrumar uma maneira de acabar o suplício causado tanto pelas chibatadas e torturas, quanto pela agonia de um eterno cativeiro onde a servidão era a única condição na qual eu poderia viver, e também qualquer pensamento meu. E assim eu decidi fugir."

Patrão olhou para a própria perna, em silêncio por um longo tempo.

– Devo dizer que a fuga não deu certo. Ainda por cima, o meu *proprietário* decidiu certificar-se de que eu nunca mais repetiria algo do tipo, e arranjou uma solução definitiva para minha rebeldia...

Anderson engoliu em seco.

– Ele... cortou sua perna.

Patrão deu um estalo com a língua.

– É, foi o que ele fez. Acho que não preciso dizer que não existia anestesia naquela época.

– Isso é loucura...

– Não, Anderson. Isso é maldade. A loucura é justificável.

Anderson não tinha nada a ver com a perda da perna do Patrão, nem com todo o sofrimento que ele havia passado. Mas sentia-se sujo, maculado...

Como se o fato de sua vida sempre ter sido relativamente fácil o fizesse indigno de conversar com aquele homem.

Anderson fez uma nota mental de nunca mais reclamar de um trabalho de escola ou de moleques abusados como Everton ou Pedro.

– Contei tudo isso para você entender que eu conheço a maldade humana na alma, na carne e no osso. O que me tornou um especialista no assunto, eu acho. Claro, não sou o primeiro a senti-la dessas três maneiras, não sou uma exceção. Mas é que poucos sobrevivem para contar.

Anderson estava se perguntando naquele exato momento: como ele havia sobrevivido? O Saci não precisou ouvir a pergunta para saber que o garoto tinha dúvidas.

– Ninguém tem a perna amputada e sobrevive após ser deixado sozinho, para sangrar até a morte. Bom, não tão sozinho. O senhor feudal fez questão de deixar um de seus homens de vigia, dentro do estábulo em que eu agonizava. Para matar qualquer um que se atrevesse a me ajudar.

Patrão sorriu, inesperadamente. Ficava claro para Anderson que ele não estava pensando nas pessoas que o escravizavam.

– Foi quando ela apareceu para mim. Linda, brilhando como ouro em chamas. Cauterizou minha ferida com o fogo que emanava de seu corpo. A dor da pele queimando era uma carícia perto da laceração que eu sofrera pouco antes.

Anderson sabia a quem ele se referia. Entendeu porque aquela invasão a Rio Dourado era tão importante para aquele homem.

– A Mãe D'Ouro.

Patrão continuava sorrindo tudo o que não sorrira durante muitos anos, como se a criatura do fogo estivesse bem ali, na sua frente.

– Ela disse que eu sobreviveria. Que eu teria a ajuda dela e de todos os outros seres da natureza, em recompensa pelo respeito que eu sempre tive com ela. Fazia parte de minha religião, quando eu era um mortal, a reverência aos quatro elementos. E então, eu sobrevivi. O sangramento parou, e alguma coisa dentro de mim havia parado também.

– Você... se transformou no Saci? – perguntou Anderson, sem jeito.

– Não exatamente. Eu apenas havia recebido ouro das mãos de uma Mãe, o que é uma benção incalculável. Ela disse que enquanto carregasse aquela pepita comigo, eu não morreria. Claro que não poderia andar para lá e para cá com uma barra de ouro, sendo eu um escravo, sem que a tirassem de mim. Então, a moldei na forma de um cachimbo, e a pintei. Achava mais difícil que alguém tomasse um cachimbo de um velho perneta. De certa forma, sim, aquele foi o primeiro passo para eu me tornar o Saci, já que eu havia me apaixonado perdidamente por uma entidade elemental. Jamais teria olhos para outra mulher humana, escrava ou fidalga.

"Então, quando meu senhor feudal descobriu que eu havia sobrevivido, imediatamente fez com que eu voltasse às minhas atividades. Sim, com uma perna só. Cortei cana, colhi café, e fui punido pela minha *lentidão*. Mas eu suportei. Segurava o meu 'cachimbo' e pensava na Mãe D'Ouro, que me visitava de quando em quando. Ela me dizia que tudo acabaria bem, e que um dia eu estaria do lado dela. Que até lá, eu teria trabalho a fazer. E não trabalho escravo. Assim, eu comecei a criar um movimento de revolta entre os negros que serviam o mesmo senhor feudal que eu. Assim, eu recebi o apelido de Patrão pelos escravos que se amotinavam em segredo, pois eles seguiam as minhas ordens. Tinham a mim como líder."

"Eu havia tomado horror e aversão pelos cargos de autoridade, pelo poder nas mãos de quem era incapaz de governar justamente. O apelido 'Patrão' não me agradava nem um pouco, já que eu não me considerava dono de ninguém. Estava apenas guiando aqueles escravos para a liberdade. Mas aceitei de bom grado a alcunha, já que aquilo me fazia lembrar de quem eram os meus inimigos: a chibata e os donos de homens."

"A revolta não iria começar até que eu ordenasse, e na época eu pensava que ainda deveríamos esperar um tempo, contatar outros escravos de latifúndios próximos. Então, aconteceu de eu deixar que um cavalo fugisse do pasto. Confesso que não fiz muito esforço para alcançá-lo, uma por causa de minha deficiência, outra porque eu entendia a vontade dele ser livre. Mas para meu *senhor*, que já me odiava, minha falha não poderia ser desculpada. Atendendo a algum pedido macabro em seu cérebro, buscando alguma satisfação com o sofrimento alheio, mandou que me lambuzassem com mel e me atirassem em um formigueiro. Em um ato de sarcasmo, assinou minha alforria enquanto eu era deitado na terra, amordaçado e *amarrado com muitos nós apertados*."

"Ele não sabia que estava me libertando definitivamente com aquele ato vil. Pedi que me deixassem morrer com o meu cachimbo. Riram de meu pedido e o concederam, antes que as formigas começassem a me atacar. O cachimbo não me livrou da dor, Anderson. Da dor física, sim. Mas a agonia de perceber que o mundo já estava em estado avançado de decomposição, por causa da maldade dos homens, acometeu cada centímetro de meu corpo e alma. Aquele foi o meu ponto de transformação. Não acho que seja hora de detalhar a minha transição para a criatura que vocês conhecem como *Saci*, mas basta você saber que na hora em que eu estava morrendo para a vida terrena, a Mãe D'Ouro apareceu, só para mim. E disse que eu estava recebendo minha nova vida. Senti que finalmente estava sendo liberto, e aquela sensação nada tinha a ver com a alforria que o maldito havia assinado jocosamente. Eu estava me tornando livre, dono de meus pensamentos, dono de meu corpo. Eu era como o vento, que decidia o próprio destino, e não podia ser domado. E o vento olhou para mim, e me reconheceu como igual. Eu ofereci a ele minha casca mortal, e ele me ofereceu a liberdade suprema. O domínio do Ar."

– Eu não sou o mesmo homem que foi escravizado e mutilado – articulou o Saci, sacando o cachimbo de dentro da boina (que parecia guardar uma infinidade de coisas) e abrindo a janela do quarto de Anderson para não empestear o quarto com a fumaça. – Mas desde que voltei à vida nesta forma, diviso a maldade no coração dos homens. Como se enxergasse algo fisicamente visível. Utilizando de metáforas, enxergo sujeira. Manchas em roupas. E acredite, não existe roupa *totalmente* limpa.

Anderson percebeu que o Saci estava amarrando as pontas da história entre a ligação da Rio Dourado, com Battle of Asgorath e seja mais o quê estivesse naquele laço intrigante. O garoto tinha vontade de perguntar muitas coisas para o Patrão, como o sobre o desfecho da revolta dos escravos, e sobre algo que Chris havia comentado no bar da Vila Madalena: o período rebelde do Patrão, que havia originado as lendas sobre as *travessuras* do Saci. Imaginou que, recém-transformado em uma criatura do vento, as peças pregadas nos senhores de engenho não deveriam ser tão inofensivas. Anderson precisou suprimir a sua curiosidade para continuar ouvindo o relato de Patrão, que parecia estar chegando a uma conclusão para boa parte das dúvidas do garoto.

– Eu montei a Organização na segunda metade do século passado. Não levava esse nome ainda, Organização, e nem ficava aqui no Bixiga. A minha ideia de juntar órfãos e filhos de entidades da natureza percorreu boa parte do Brasil, e eu sempre busquei um requisito padrão na hora de admitir um novo membro na *família*. Você imagina qual é a única coisa em comum entre todos os membros inteiramente humanos da Organização, Anderson?

– Os inteiramente comuns? Não contam os especiais, tipo o Zé, a Elis...

– Não, eles não. Somente os comuns. Até mesmo você entra na conta.

Anderson pensou por alguns segundos, e nada veio a sua mente. Ele não achava que tinha nada em comum com o pessoal do casarão.

– Acho que não sei. Amor pela natureza? Uau, isso soou muito piegas...

– Não, Anderson – Patrão balançou a cabeça, e expeliu fumaça azulada janela afora. – Todos vocês vestem *tecidos manchados*. Ainda na metáfora, eu busco pessoas que vestem camisas com sujeiras imperceptíveis.

– Como assim? Todos da Organização tem maldade no coração? – Anderson parecia indignado. Como o Patrão podia dizer uma coisa daquelas? – Até mesmo eu?

– Não maldade no coração. Mas uma inclinação para o mal, que mais cedo ou mais tarde se manifesta, dependendo da tentação sofrida.

Anderson sentiu um bolo no estômago. Dos grandes. Com velas de aniversário e cobertura de chantilly.

– Como assim? Eu sou mau e não estou sabendo?

– Deixe-me explicar – disse o Patrão, com toda aquela didática que ele adotava na hora das aulas do porão. – Por inclinação, eu quero dizer que você, Tina, Pedro, Olavo, Haroldo... todos vocês poderiam ser corrompidos pelo outro lado. Pelas ilusões do dinheiro, passariam a trabalhar na manipulação das massas, no ataque contra a natureza. Do outro lado, vocês fariam coisas grandiosas, porém terríveis. Ou usariam coisas boas para o mal. O exemplo da faca, que você mesmo citou, entende?

– Você quer dizer que o nosso destino seria a maldade, mas que graças a você, nós estamos livres de nos tornarmos versões mirins de Wagner Rios? – Anderson perguntou, irritado.

– Não, Anderson! Eu simplesmente estou blindando a mente de vocês, para que não usem suas genialidades apenas para o próprio benefício, ou para o benefício de *latifundiários* dos tempos modernos! Todos os que visam exclusivamente o lucro, ou a vantagem sobre terceiros, acabam prejudicando um sem-número de pessoas, e por fim a natureza. Não existe atitude egoísta que esteja em sintonia com o meio ambiente! Todas essas nossas crianças possuem potenciais absurdos. Elas são órfãs, ou rejeitadas por suas famílias, e seriam seduzidas facilmente pela vida boa do outro lado da cerca, cegas pela falsa liberdade que a nossa economia doente proporciona. Há muito tempo Pitágoras disse que devemos educar as crianças, para não punirmos os homens... Aqui, elas ganham uma chance de crescerem diferentes. De não seguirem o fluxo de bitolados, de não se tornarem criminosas, de não se tornarem mais um empecilho na retomada da confiança entre o homem e sua mãe-natureza. Eu apresento um caminho diferente para elas, Anderson.

– Então minhas roupas também estão manchadas? – perguntou Anderson, parecendo cansado. Não era fácil descobrir que você é na verdade, um sujeito malvado que poderia sair esculhambando com todos um dia – O que eu preciso fazer para lavá-las, então?

– O tempo todo "trocamos de roupas", Anderson. Vestimos ideais em uma hora, aprendemos – ou não – com os erros, e nos interessamos pelas roupas de outra pessoa, que sempre parecem estar mais limpas que a nossa.

Infelizmente, hoje em dia todos crescem dentro de um sistema em que o dinheiro fala mais alto, usando roupas caras aparentemente desprovidas de manchas, mas que já foram usadas por muitas outras pessoas antes e que estão com todos os micróbios de seus antigos donos. Estas podem se rasgar na primeira lavagem. Então, a resposta para sua pergunta, Anderson, é essa: orientação e atenção. Toda criança só precisa disso. Eu trago os órfãos para cá, pois eles nunca terão nenhuma dessas coisas nas ruas, ou nos sistemas de correção e reabilitação proporcionados por um governo interessado muito mais em cifras do que em futuros cidadãos. Nesses lugares elas encontrarão roupas usadas, ideais rasgados. Ganham novas roupas aparentemente limpas. Uma vida completamente materialista, dependente de princípios monetários falhos, ou uma vida de furtos e drogas...

– Mas eu tenho pai e mãe, recebo atenção! E orientação! Não sou uma pessoa ruim! Nunca nem bebi escondido, nunca roubei um lápis! – explodiu Anderson – Onde eu me encaixo nisso tudo?

O Patrão suspirou.

– O seu caso é diferente, Anderson. Você é um líder nato.

– Na internet! Em um jogo de computador...

– A internet é uma espécie de mundo real, sob uma lente de distorção. A sua capacidade de influenciar pessoas seria bem-vinda nas fileiras de Wagner Rios, acredite. Não estou dizendo categoricamente que você se tornaria um déspota, um criminoso, um vilão... Mas muitas pessoas causam o mal sem ter a mínima intenção. Um publicitário "bem-intencionado" muitas vezes trabalha a favor da manipulação de massas. Um empresário não só atende os interesses da empresa, como também os interesses do grupo corporativo, que muitas vezes conflitam com a sua visão ética... Quando Anselmo comentou a seu respeito, eu logo tive um vislumbre de suas capacidades. De seu potencial.

– Como é que é? – perguntou Anderson, abismado. Então, Anselmo prestava atenção nele?

– Chame de visão, como você quiser. É a tal de impressão que tenho desde que me tornei o que sou. – Patrão era taxativo quando não queria ir além do que era seu terreno. Se ele queria que Anderson soubesse apenas aquela porção de informações, então Anderson não conseguiria arrancar mais nada do homem. – Mas Anselmo comentou a seu respeito, sim. Claro, referindo-se a você como Shadow. É esse o nome que você usa no jogo, certo? Um dia, Anselmo quis me contar algo mais sobre o espião infiltrado na Organização, e como não conseguiu de mim a atenção desejada, foi mostrar sua ideia para Zé. Ele confessou que se sentia em perigo, e que sua conta no jogo que vocês brincavam...

– Brincavam é complicado.

– Ah, jogavam, participavam... Não dou a mínima para como é o nome do que vocês fazem naquela porcaria eletrônica! Ele contou que havia acontecido uma tentativa de invasão na sua conta do jogo, e que ele desconfiava da Rio Dourado, por todos os protestos que ele fazia contra a empresa em seus blogs e comunidades da internet. Disse a Zé que, caso ele sumisse ou fosse morto, e seu personagem fosse *rateado*...

– Hackeado.

– ...que nós deveríamos entrar em contato com Shadow, o segundo colocado do ranking, que era esperto o suficiente para derrotá-lo, ou para entender como funciona a mente de alguém que viva dentro desse ambiente virtual. Então, após a morte de Anselmo, Zé procurou os contatos de todos os membros de sua trupe...

– Minha nossa, só faltou você dizer "todos os membros de minha patota"...

– ...e os convidou para a reunião de viciados em videogames em Belo Horizonte, na esperança de que você aparecesse por lá, ou algum de seus amigos. Deu certo. Você está aqui, e pode ser a nossa arma contra essa tentativa da Rio Dourado de se habituar no mundo virtual, o que seria algo perigoso para jovens desavisados.

Patrão ainda falou por um bom tempo, demonstrando que Anderson só estava em São Paulo por insistência de Zé, que acreditava nos temores de Anselmo e havia apostado em seu chamado. O Saci falava sobre a internet e sobre tecnologia com uma linguagem meio *rústica*, mas conseguia fazer-se entender. Anderson captava a mensagem, e isso era o importante. Anselmo havia deixado instruções explícitas e detalhadas com Zé, explicando que seria muito importante a desestruturação da Rio Dourado na internet, antes que eles ganhassem força o suficiente para influenciar jovens. Dizia que uma ação direta contra os servidores da empresa poderia ser necessária. Apesar de prometer que cumpriria o acordo caso aqueles temores se confirmassem, o caipora não botava tanta fé na conspiração de Anselmo. Mas, quando a missão de resgate à Mãe D'Ouro se fez necessária, Zé pensou que seria uma boa hora de chamar a ajuda tecnológica, e quem sabe prevenir todos os perigos que Anselmo alardeou.

Anderson sentiu vontade de contar para o Saci o seu sonho com Anselmo, que praticamente o fizera presenciar a sua morte. Mas achou melhor esconder aquilo, o muiraquitã – que certamente tinha relação com o sonho vívido – e o encontro com o pessoal da Primavera Silenciosa. Não saberia se o espião estava na escuta da conversa...

Então, Anderson respirou fundo. Tudo havia se tornado bem mais complicado. Que ele não estava lá apenas por coincidência, isso ele já sabia. Agora, o lance da história era bem mais *íntimo*. Battle of Asgorath era um terreno seu, e se a Rio Dourado queria alguma coisa lá dentro (o quê, mandar spams para os nerds de como Wagner Rios era benevolente e salvava as vítimas de incêndios? Claro que não seria só isso.), então ele realmente seria a pessoa certa para acabar com aquela palhaçada. Isso confirmava as suspeitas de Sharp de que o troll Esmagossauro agora era controlado por alguém ligado à Rio Dourado.

E ainda havia a questão de seu caráter. Anderson sentia-se impelido a ir até o fim daquela missão. Queria provar que ele estava no mundo para fazer algo de bom, e não para se tornar o maestro da tristeza de alguém no futuro. Não queria se tornar uma pessoa inconsciente, trabalhando para que a natureza se afastasse dos homens, ou trabalhando para que alguém rico se tornasse cada vez mais rico por meio do sofrimento alheio.

Anderson queria manter suas roupas limpas, e lavar mais tantas outras que conseguisse.

O casarão tinha novas cores. Anderson passou a enxergar tudo sob uma nova ótica, com uma percepção diferenciada.

Passou a imaginar quais os motivos que levariam a Rio Dourado a querer participar tão ativamente em Battle of Asgorath. Marketing? Se tornar uma patrocinadora? Sim, isso faria sentido. Eles sabiam que o player por trás de Esmagossauro era um ativista e que ele faria campanha negativa para a Rio Dourado, usando sua influência de primeiro colocado no ranking. Logo, eliminá-lo evitaria qualquer desconforto para a corporação.

– Matar alguém simplesmente para concretizarem uma ação comercial – sussurrou Anderson de forma imperceptível, provando a loucura daquelas palavras enquanto atirava uma flecha muito boa no alvo a dez metros. Tina o aplaudiu, e Olavo também. Mas ele não registrou os elogios. Estava pensando no assunto. Em Anselmo morto para a conveniência de uma estratégia de marketing. E o pior de tudo: aquilo fazia sentido.

Prendeu outra flecha no arco. Não mirou. Apenas apontou para o alvo, meio que a esmo. Olavo havia acabado de explicar-lhe sobre o tiro instintivo, em que não miramos com os olhos.

"Educar as crianças para não punirmos os homens". Ele pensou no que Patrão havia dito, baseado na frase de Pitágoras. Se a Organização se preocupava com o futuro da sociedade, cuidando de jovens sob aquela filosofia, Wagner Rios não poderia utilizar a mesma ideia, distorcida, para seus próprios interesses?

"Conquistar as crianças para dominarmos os homens."

Anderson sentiu um arrepio. Estava pensando como um manipulador.

Soltou a flecha.

Tina aplaudiu mais forte desta vez, e Olavo nada disse. Levantou a mão para que cessassem os disparos.

Caminhou até o alvo em que Anderson havia disparado.

Arrancou do centro a flecha certeira que Anderson havia cravado.

– Sua primeira "mosca" – disse ele, parecendo levemente assustado, mas feliz pelo pupilo. Entregou a flecha para o garoto. – Muito bom, Anderson. Guarde com você esta flecha. Como lembrança.

Anderson sorriu, enquanto alguns garotos davam tapinhas em suas costas. Mas ele não ouvia o que elas tinham a dizer. Alisou a flecha, pensando na distorção da ideia de Pitágoras. Lembrou-se também da história da faca, que corta pães e mata pessoas. Tudo podia ser usado da maneira boa e da maneira ruim. Até os elementos da natureza agiam de forma ambígua.

E se Wagner Rios estivesse montando a sua própria organização, criando um atalho direto até os jovens?

Anderson parou de supor e pensar. Aquelas suspeitas eram apenas isso. Suspeitas. Estava apenas tentando raciocinar como um manipulador, um latifundiário moderno. E talvez estivesse muito longe da verdade.

Talvez.

Ele não havia acertado uma flecha no alvo, instintivamente?

Os seus instintos também poderiam acertar alguma coisa.

< capítulo 16 >

MARCHE!

Anderson e Tina treinaram com seus arcos até um pouco depois de Olavo e o resto do pessoal, que subiu para o almoço assim que o cheiro de feijão bem temperado desceu até o porão sorrateiramente. A garota perguntou se ele já estava com fome e ele não foi tão sincero quando disse que *não*. Seu estômago estava roncando baixinho, mas estava tão satisfeito com o seu desempenho no arco que tinha medo de parar e nunca mais acertar uma flecha na mosca. Ainda estava se saindo melhor nos tiros instintivos com os arcos mais leves do que com os arcos compostos, repleto de roldanas e mais difíceis de ser erguidos, pois eram pesados.

Tina não tinha tanto talento para o arco quanto tinha paciência para lidar com Capivera e Kuara, mas Anderson aproveitou sua companhia para tirar algumas dúvidas acerca de Anselmo, da forma mais discreta possível.

Perguntou a respeito das pessoas presentes na hora em que haviam encontrado o rapaz sufocando. Tinha impressão de que ela havia contado algo do tipo há alguns dias, ao pé do limoeiro de Anselmo. E com pouco esforço Tina respondeu, parecendo melancólica.

– Além de mim, Olavo, Pedro e Chris. Por quê?

– Por nada. Eu só... você sabe – disse Anderson, ganhando tempo e torcendo para que alguma resposta lhe viesse à mente. – Estava lembrando disso hoje de manhã, olhando para todas aquelas coisas do Anselmo lá no quarto. Você me disse que ele tentou escrever alguma coisa em um papel, antes de...

– Sim, mas a caneta não pegou – disse Tina, parecendo desconfiada. Anderson balançou a cabeça, enquanto verificava as penas de suas flechas. Ele sabia, de acordo com o seu sonho, que a caneta que não havia funcionado era na verdade uma caneta de tinta-invisível, provavelmente a mesma que ele havia usado para fazer o vídeo do YouTube do Legado Folclórico. O sonho também lhe dera a certeza de que o traidor irrompera pelo quarto na hora do sufocamento. O que significava que só poderiam ser Pedro, Tina, Olavo ou Chris.

Ele já havia eliminado a hipótese de Chris ser o traidor. Ele poderia tê-lo trucidado diversas vezes, sem nem precisar transformar-se em um lobisomem-guará.

Pedro, Tina e Olavo.

Será?

– Vocês não guardaram o papel que ele tentou escrever? – perguntou, com uma absurda e excêntrica ponta de esperança.

– Não, acho que não... Tanta coisa teve que ir para o lixo quando o quarto foi esvaziado. Sobraram apenas aquelas caixas atrás da porta, o computador dele sumiu... Por quê?

"Por nada! Apenas porque o nome do traidor estava naquele papel, em tinta-invisível", Anderson teve vontade de responder. Mas não conseguia ter completa confiança em um sonho, por mais que ele tivesse sido vívido, ou resultado da magia de um amuleto de tartaruga.

– Hã... nada, não.

Ainda havia a questão do "sufocamento" de Anselmo. Se a coisa tivesse ocorrido do jeito que o sonho fez Anderson sentir, a coisa não acontecera por ataque cardíaco. Ele sentira falta de ar. Os pulmões doendo. Como se ele tivesse sido... envenenado? Chuva de lápis e canetas, um prato com um sanduíche natural mordido...

Sim. Havia algo no lanche.

A tartaruga em seu peito esquentou, como se estivesse confirmando suas suspeitas naquele velho jogo de "quente ou frio".

– Ei, pensando na morte da bezerra? – perguntou Tina, dando-lhe um tapinha no ombro – Vamos logo, estou ficando com fome. Atire essa *última* e vamos *comer alguma coisa* lá em cima.

Anderson engoliu saliva ruidosamente.

Todos os demais já haviam deixado a cozinha. Anderson sentou-se de frente para Tina e fez de conta que mexia no seu mp4, enquanto inventava uma desculpa para não comer nada possivelmente envenenado.

Mas antes que desenrolasse o fio do fone de ouvido, Tina pegou um prato limpo e atacou o purê de batatas e o risoto de espinafre que já quase não fumegavam. Anderson pensou que, se Tina fosse a infiltrada e estivesse tentando envenená-lo, ela no mínimo tomaria o cuidado de não pegar o mesmo purê da morte que estava reservado para sua vítima. Serviu-se fartamente também, agradecido por ter arranjado algo minimamente confiável para aquietar o monstrinho que rosnava em seu estômago.

Foi uma refeição estranha. Anderson comia, mas lançava um olhar suspeito para cada garfada sua. Tina percebeu que ele não estava lá muito normal e tentou animá-lo falando sobre filmes e séries de TV. Mas nem nisso Anderson conseguia se concentrar. A garota então se levantou de repente, foi até a geladeira e pegou duas taças de alguma coisa amarelo-creme.

– Sobremesa? Mousse de maracujá. Deve estar uma delícia!

– Quem fez? – perguntou Anderson, sem controlar-se. Se Tina não fosse a espiã, ele estaria sendo um completo babaca. Normalmente não fazemos este tipo de pergunta para alguém que nos traz sobremesa por livre e espontânea vontade...

– Hum, não sei – a garota olhou para o teto, em um olhar meio cômico, como se tentasse recordar de algo – Não me lembro da última vez que comi mousse aqui na Organização... Peraí que vou pegar colheres de sobremesa pra gente.

Pegou duas colherinhas, e entregou uma para Anderson. Ele afundou a sua no doce e ficou observando as sementes pretas do maracujá no creme. As enxergava como se fossem bolinhas de veneno – seria uma forma bem indiscreta de colocar toxinas que supostamente deveriam passar despercebidas.

Esperou que Tina provasse primeiro, sentindo uma tremedeira incontrolável na região dos joelhos. Ela ficou lá, remexendo o doce pra lá e pra cá, e nada de comer... Anderson estava suando frio. Mesmo que ela comesse, aquilo não significaria nada. Ela já poderia saber qual era o pote envenenado na geladeira, e qual seria o destinado à sua vítima. Tina encheu uma colher de mousse e estava pronta para levá-la à boca...

Quando se deu o início do desastre azul e marrom.

Uma imensa algazarra estourou na cozinha, acima e abaixo do campo de visão das duas crianças. A mesa com o pouco que sobrara de comida tombou, derramando purê e risoto sobre o colo de Anderson, que nada pôde fazer para desviar do acidente. Meia dúzia de pratos e copos se espatifaram, enquanto um imenso roedor patinava nos cacos de vidro e corria direto para Tina, que nem chegara a tocar em seu doce.

– Capivera, o que você...

Tina não completou a frase. A capivara pulou em seus braços, soltando ruidinhos frenéticos e fazendo o pote de mousse voar das mãos da garota.

O pote de Anderson também já estava no chão, misturando-se ao purê, ao risoto de espinafre e a algumas penas azuis de Kuara, que sobrevoava a mesa espalhafatosamente, soltando o verbo contra Capivera.

– ...onde já se viu, capivara achar que é cachorro?! Aaaah, se eu te pego, roedora! Sai correndo sem mais nem menos, fazendo uma baita bagunça e...

– Kuara! Capivera! Que bagunça é essa?! – ralhou Tina, fazendo cara feia para seus bichos – Olha só que vocês fizeram... Como vou arrumar tudo isso sozinha?

– Eu arrumo, eu arrumo! Apesar da culpa não ter sido só minha – a arara apressou-se a dizer, pousando sobre a mesa virada enquanto Capivera se refestelava no arroz do chão – Me dê dez minutinhos que eu sumo com esses cacos de vidro, levanto essa mesa...

– Uai, você aguenta levantar a mesa *sozinho*? – perguntou Anderson, cético ao notar o tamanho do pássaro e o tamanho da mesa de madeira

– Hã, bem... eu dou um jeito! – disse Kuara. Anderson levantou a mesa mesmo com a manifestação da arara, e tomou cuidado para não tropeçar sobre Capivera, que comia um pouco de tudo que estava pelo piso.

– Me desculpe, Anderson! Eu nunca vi ela ficar tão doidinha assim – justificou-se Tina. Olhando toda aquela sujeira misturada a penas e com uma capivara sambando em cima, o apetite de Anderson saiu voando pela janela. – Ai, Capivera! Não pisa no mousse, você está espalhando meleca pela cozinha toda... Pelo menos come a sobremesa, vai...

O bicho olhou para Tina como se estivesse se sentindo culpado. Se Capivera tivesse uma cauda, ela estaria agora entre as suas pernas. Ela abaixou o focinho na direção do mousse derramado de Tina e o cheirou.

Soltou um ganido e saiu correndo, deixando pegadas amarelo-creme por boa parte do térreo do casarão.

Kuara simulou um assobio e escondeu a cabeça sob uma das asas. Mas Tina não demonstrou irritação. Ela estava claramente estupefata quando articulou:

– Eu nunca vi Capivera *não comer* alguma coisa.

– Bom, ela pareceu não gostar do cheiro desse doce, aí – disse Anderson, fingindo fazer uma sugestão, enquanto analisava a expressão facial de Tina.

– Que estranho... Será que estava estragado? – nada de expressões suspeitas, ou de olhares fingidos. Tudo o que Anderson aprendera com o seriado *Lie to Me* o ajudava a perceber que a garota estava realmente confusa. – As capivaras possuem um olfato muito aguçado, talvez ela tenha sentido que a sobremesa não estava lá aquelas coisas...

Olfato. Anderson fingiu que ajudava a limpar o apocalipse alimentar da cozinha, e aproveitou para guardar uma amostra dos mousses que estavam no chão.

– Cara, isso não está normal – disse Chris, cheirando o pote com os restos de mousse. Anderson decidiu que a opinião de um lobisomem deveria ser levada em consideração. Se ele havia sentido o cheiro de capelobos a muitos metros de distância, certamente sentiria a presença de alguma substância nociva no doce. – Isso estava na geladeira?

Anderson explicou que sim, e que só queria uma segunda opinião antes de arriscar uma dor de barriga. Desconversou em seguida, dizendo que ele era desconfiado por natureza, pelo fato de ser mineiro. Mas discretamente guardou o doce para futuros propósitos.

Chris voltou a mexer no Carro Verde e Anderson riscou Tina de sua lista de suspeitos.

O fim de noite de sexta-feira correu rapidamente. Anderson gastou pelo menos duas horas com Sharp no chat misterioso que se iniciava quando o hacker bem entendia. Fizeram acertos finais no plano de invasão e Anderson copiou o conteúdo do pen-drive da Primavera Silenciosa para o seu computador. Não queria colocar todos os ovos em uma só cesta e correr o risco de botar toda a missão por água abaixo.

Depois, deu um giro pelos sites de notícias. A página inicial do Eco4Planet dizia que mais duas cidades próximas à divisa de São Paulo com o Mato Grosso do Sul estavam em estado de alerta devido às queimadas. Em todos os veículos de notícias, as causas dos incêndios eram creditadas a diferentes motivos: tempo seco, baixa umidade do ar, altas temperaturas... Mas nenhuma das notícias creditava o problema a criaturas elementais do fogo e ao boitatá.

Era comum ver o nome de Wagner Rios associado às notícias dos desastres, mas não de forma negativa. Notas falando sobre todo o apoio do empresário aos acidentes com incêndios nos últimos dias e de como ele estava pessoalmente prestando ajuda aos desabrigados, com uma equipe de funcionários da Rio Dourado e com helicópteros que chegavam todos os dias da capital com toneladas de alimentos.

Anderson flagrava-se com o punho cerrado enquanto lia aquelas linhas mentirosas. A imprensa propagava um mal, aparentemente sem ter consciência disso. Entendia as palavras do Patrão com muito mais clareza. Wagner Rios vestia roupas aparentemente limpas para o grande público, e na verdade era mais sujo que uma jaula de leão de circo clandestino.

Acessou alguns links com vídeos feitos nas imediações dos desastres, e viu helicópteros negros com o logotipo da Rio Dourado sobrevoando as chamas, manobrando habilmente por entre os pilares de fumaça que subiam aos céus. Anderson reparou que as modernas aeronaves traziam tanques embutidos em suas laterais e sob as suas carcaças, como se fossem grandes ogivas. Estava curioso para saber do que se tratavam aquelas cápsulas, quando uma chuva de espuma química despejou-se de dentro delas, aplacando grande parte das chamas com eficácia impressionante.

Nos comentários dos vídeos e notícias, pessoas davam suas opiniões a respeito dos desastres com fogo. Muitos *posts* de religiosos fanáticos dizendo que aqueles eram sinais do apocalipse – como de praxe – e muitos outros reclamando sobre a falta de atitude do governo em relação às queimadas. Uma pessoa se declarava inconformada com o fato de que a grande maioria das áreas de risco que tinham sido salvas só o foram graças aos esforços e à atitude do empresário Wagner Rios, que estava trabalhando incansavelmente naqueles problemas, e investindo grande parte de sua verba pessoal. "A segurança do país e de suas matas deveria ser da competência de nossos políticos!" – dizia o comentário da pessoa revoltada, que já havia recebido mais de cento e oitenta *polegares para cima* com sua postagem – "Até quando vamos precisar contar com nobres almas como a de Wagner Rios para nos salvarem em momentos de crise? Basta! Se um homem e sua empresa podem salvar milhares de hectares de vegetação, o que o governo não poderia fazer se tivesse um mínimo de força de vontade?!"

Não demoraram a aparecer ideias de passeatas e marchas pró-ambiente. O pouco que Anderson já conhecia sobre São Paulo por meio de notícias, mais o pouco que ele andava percebendo em sua estadia deixavam bem claro que naquela cidade acontecia uma passeata para cada problema social ou reivindicação pública. Marcha do Passe Livre, Marcha do Basta, Marcha da

Liberdade de Expressão... Então não duvidava que alguma marcha a favor de Wagner Rios pintasse da noite para o dia. O burburinho na internet indicava que alguma coisa poderia acontecer no sábado, em frente ao prédio da Prefeitura, nas imediações do Viaduto do Chá. Anderson se irritou profundamente com aqueles rumores, mas pelo menos sentiu um alívio por toda aquela gente não estar aglomerada pelas ruas no domingo, correndo o risco de ficar no caminho do rastro de destruição dos elementais do fogo. De acordo com os cálculos do Patrão e com as informações do infiltrado na Rio Dourado, a abertura do cofre em que estava a Mãe deveria coincidir com a chegada das criaturas elementais irritadas na capital. Anderson sentiu uma ponta de dúvida, pensando na velocidade com que os incêndios estavam acontecendo, sendo que o fogo já eclodira nas divisas com o estado de São Paulo...

Pouco depois de Anderson passar nervoso com o que lia e via na internet, o Patrão convocou todos na cozinha para que sincronizassem suas mentes para a missão do domingo. Chamou a todos os membros da Organização, sem exceção. Inclusive as crianças, que não iriam participar da invasão. Anderson achou que a atitude era arriscada, já que o traidor também estaria por lá, ouvindo os segredos que seriam repassados à Rio Dourado na primeira oportunidade.

Passou por Chris e Olavo, que riam de alguma coisa que Elis contava ao apontar para sua própria barriga, e tentou se aproximar de Patrão discretamente enquanto mais e mais membros chegavam à cozinha.

– Patrão, talvez não seja uma boa ideia falar sobre o plano aqui. Você sabe, o traidor... – cochichou o garoto, lançando olhares de soslaio para se certificar de que ninguém o ouvia.

O Saci o encarou com a mesma frieza que emprestara a sua pessoa durante a chegada de Anderson, na terça-feira. Não parecia mais com o homem que abrira o seu coração mais cedo, e que lhe confidenciara segredos de uma época em que ainda não era uma criatura folclórica dominadora de ventos. Voltara a ser o sisudo líder do casarão, que não abria exceções ou sorrisos para ninguém.

– Você me considera assim tão burro, moleque? Apenas escute o que tenho a dizer para todos vocês, e preocupe-se com a sua porcaria de *gripe de computador*.

– Vírus, você quer dizer...

– Vírus, gripe, pneumonia, tuberculose, febre do rato.. é tudo doença! Agora vá se sentar, e deixe o resto comigo.

Anderson não pode deixar de rir enquanto se afastava. Gostou de conhecer o Patrão mais a fundo, mas a insuportável versão ranzinza ainda era insubstituível.

Quando parecia que todos estavam por lá, abarrotando a cozinha do casarão, Zé e Patrão começaram a detalhar os planos de invasão, baseados em desenhos e informações que haviam sido passadas pelo infiltrado na Rio Dourado. Mostraram plantas das imediações da empresa, que era um condomínio na região do Butantã, formado por quatro luxuosos prédios de vinte andares distribuídos nos quatro cantos, quadras poliesportivas e mais um grande anfiteatro bem no centro. O desenho feito em uma cartolina foi afixado em uma das paredes da cozinha, e era uma obra de arte à beira da perfeição.

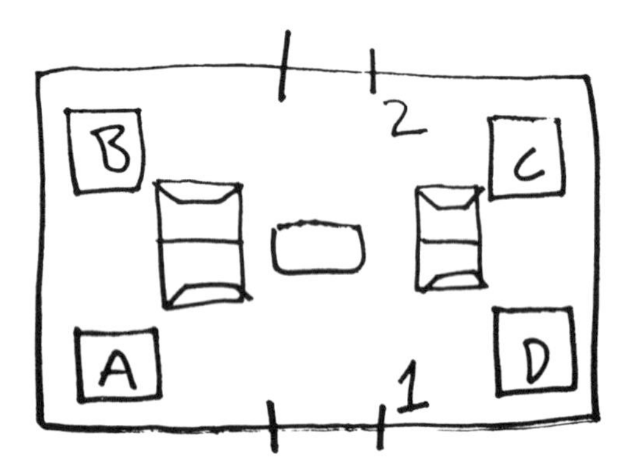

Antes que Anderson se perguntasse quem seria o arquiteto veterano responsável pelo belo desenho, Patrão começou a detalhar a missão, apontando a cartolina com seu cachimbo:

– São quatro prédios espalhados, que vão de A a D. O cofre estará no prédio de letra C, onde há um heliporto no topo. É lá que acontecerá a maior parte da ação. Anderson precisará entrar no prédio A, nas instalações do Centro de Controle Operacional, para esculachar com o sistema deles. Ele será escoltado por Zé e Olavo do portão 1 até lá dentro, e se tudo correr certo, não encontrará problema algum no caminho. A pancadaria vai acontecer no topo do C, o A terá poucos seguranças e funcionários, que não oferecerão perigos. Alguma pergunta?

Anderson tinha, mas não a fez em voz alta: "Que diabos você está fazendo entregando o jogo para o nosso querido espião?". Não conseguiu evitar dar uma espiada em Pedro e em Olavo, os outros dois suspeitos que estavam no quarto de Anselmo na hora de sua morte. Seu muiraquitã de tartaruga esquentou, ou talvez fosse apenas impressão sua. Os dois *suspeitos* só tinham olhos e ouvidos para o Patrão, e não pareciam nem um pouco nervosos. "Talvez eu esteja sendo contaminado pela paranoia de Anselmo por causa desse amuleto que já lhe pertenceu. Pode ser que nenhum dos dois seja culpado. E eu aqui desconfiando de dois inocentes..."

Após o *briefing*, que teve instruções, intercaladas, de Zé e Patrão, cada membro se dirigiu para seu respectivo aposento. As crianças que ficariam no casarão durante a noite de domingo pareciam empolgadas com o que estava para acontecer, mesmo sabendo que elas não participariam fisicamente da missão. Todas elas – menos, claro, Pedro – subiam as escadas envoltas por sussurros e comentários, enquanto algumas delas olhavam esperançosas para Anderson, aquele forasteiro que de repente havia aterrissado no casarão para ajudá-los contra a Rio Dourado. O garoto não se sentiu bem com aquela expectativa muda sobre ele, mesmo que agora contasse com a ajuda de Sharp, Gaia e o resto da Primavera Silenciosa. Temia ficar nervoso na hora H, deixar-se enganar pela sua teimosia e falhar espetacularmente.

Isso se não fosse morto pelo traidor até o domingo.

< capítulo 17 >

CCO, A, B, C, D, MMO, PLANO B, PAGO PRA VER

Anderson se ergueu em um único movimento, assustado. O sonho em que ele era Anselmo havia sido interrompido antes que ele conseguisse chegar à escrivaninha e derrubasse a comida (supostamente) envenenada. Havia um movimento agitado nos corredores, e muitas vozes inquietas e preocupadas. A manhã de sábado surgira quente e abafada, o que fazia Anderson se perguntar se aquele súbito aumento de temperatura fazia parte da proximidade dos elementais do fogo, ou se o calor só fazia parte do clima louco de São Paulo.

Trocou a camiseta suada por uma limpa que estava na mochila e decidiu sair do quarto para ver o que acontecia.

– Ei, Anderson! – disse Kuara, interpelando-o, pousando no corrimão da escada e parecendo tão agitada quanto as crianças que andavam para lá e para cá – Você viu o Pedro por aí?

– Pedro? Não, acabei de acordar. E, você sabe, não somos muito chegados...

– Ah, sei sim. Mas é que já procuramos por toda parte, e resolvi perguntar pra você por desencargo de consciência.

Em outra ocasião, Anderson teria achado engraçado o que Kuara havia acabado de dizer, e poderia até perder alguns minutos perguntando sobre o que uma arara sabia sobre consciência. Mas o sumiço de Pedro, um dos suspeitos de traição, fazia que uma região no cérebro de Anderson despertasse bruscamente.

– Ele sumiu?

– Não sumir mesmo, como quando um curupira se camufla. Ficar transparente, sabe? – Kuara abriu as asas de leve, do jeito que nós, humanos, levantamos as mãos e encolhemos os ombros quando não sabemos o que fazer. – Ele não apareceu no café da manhã, escafedeu-se!

Anderson correu para falar com o Patrão, na cozinha, e o encontrou conversando com Olavo.

– Passei várias vezes debaixo do viaduto e vasculhei toda a feira de antiguidades... nada! – o instrutor de arco parecia exausto, com olheiras profundas – Os amigos de quarto dele disseram que não o viram saindo.

– Continue procurando – sentenciou o Patrão, e voltou-se para Anderson quando Olavo se afastou. – Já sei o que você vai dizer, e a resposta é sim. Depois de nossa reunião de ontem, Pedro nos deixou de vez e foi contar cada detalhe nosso para Wagner Rios. Não gostaria de acreditar no que digo, mas só pode ser isso.

Anderson engoliu qualquer coisa que iria dizer. Podia compartilhar o gosto amargo que o saci sentia ao pensar na ideia de um membro da Organização sendo corrompido pela imundície. Podia imaginar como o Patrão sentia-se impotente diante do fato de Pedro, um mero garoto, ter conseguido escapar debaixo de seu nariz.

Após um tempo em silêncio, Anderson conseguiu perguntar:

– Então, foi Pedro que... Você sabe... Anselmo....

– O importante... – começou Patrão num brado, fingindo não escutar a indireta de Anderson. Pedro e Anselmo eram muito amigos e era horrível imaginar uma traição entre irmãos "adotivos". Quanto mais uma traição de morte. – O importante é que tudo o que ele ouviu de mim na reunião de ontem irá confundir Rios. Eu disse que a Central de Controle Operacional ficava no bloco A e o cofre no C, para que ele pensasse que eu me baseava em informações erradas. Mas eu sei que o CCO fica no bloco B, e que o heliporto se encontra no D. Com sorte, isso fará que a segurança neste prédio esteja mais relaxada. Enganamos Pedro, e *talvez* tenhamos enganado Wagner Rios.

Era o que Anderson esperava. Agora, com a deserção do garoto enxaqueca, sentia uma raiva profunda despertando, referente a todos os desaforos que Pedro fizera desde o dia de sua chegada, e que já estavam quase esquecidos. No dia em que Anderson pensava que Chris estava morto e que os dois meninos quase brigaram no quintal do casarão, ele deveria ter feito o traidor em pedacinhos. Havia perdido uma chance única, que não voltaria jamais.

Todo o pessoal ficou estranho na hora do almoço. Apesar de, efetivamente, apenas Patrão, Zé, Chris, Elis e Olavo saberem que Pedro era um espião da Rio Dourado, as outras crianças que não eram nada bobas – como Tina – desconfiavam de que algo errado havia acontecido com o garoto sumido.

Durante a tarde, Anderson e Tina ficaram de bobeira no quintal, cuidando descompromissadamente das plantas e de Márcia, assim como muitos outros garotos e garotas que não suportavam o calor de dentro do casarão. Mesmo após o sol começar a sua descida rumo ao poente, parecia que a "sensação de meio-dia" iria se estender até o fim da tarde.

E então Anderson resolveu tomar um revigorante banho gelado. Sentiu-se muito mais desperto e pensava em pesquisar mais um pouco na internet sobre invasão de domínios e penetração em firewalls, quando notou que duas meninas – Laís, a assanhadinha, e mais outra cujo nome Anderson não sabia – assistiam televisão na sala comunal.

Na tela, uma tomada aérea mostrava a passeata que entupia a frente da prefeitura e o Viaduto do Chá, em protesto contra a falta de mobilidade do governo nas questões dos incêndios. Mesmo Anderson, que não era muito inteirado sobre política, sabia que aquilo não estava muito certo. Quem cuidaria daquelas questões seria o governador, não o prefeito de São Paulo. A multidão estava apenas causando tumulto, e nenhuma resolução seria tomada de lá.

O telejornal cortou para uma notícia sobre um grande incêndio na região de Barueri, muito próxima à capital. O muiraquitã parecia ter esquentado um pouco em seu peito, e todo o banho refrescante de Anderson tornou-se inútil. Ele estava suando novamente.

– Isso está errado – murmurou consigo mesmo.

– O quê está errado? – perguntou Laís, curiosa.

– Eles não deveriam estar tão próximos da capital. – disse Anderson, referindo-se às criaturas do fogo. Sabia que tudo começaria a degringolar antes mesmo que tivessem a chance de resgatar a Mãe D'Ouro. – Esse calor, os incêndios... A invasão é só amanhã, e parece que tudo vai dar errado antes disso...

Laís e a outra garota torceram seus narizes arrebitados. E foi nesse momento que Chris entrou correndo na sala, em sua forma humana, mas arfando como o cão que ele podia se transformar.

– Anderson, o ataque foi antecipado! – arquejou o rapaz.

– Para quando?!

– Para agora! Pegue suas coisas, o nosso espião disse que a operação de abertura do cofre já está começando lá na Rio Dourado!

Aquela era só a primeira coisa que dava errado para Anderson e seus amigos.

O silêncio imperava dentro do Carro Verde. Desta vez, Anderson Coelho via São Paulo da janela, mas não conseguia aproveitar muita coisa da cidade sob a luz do crepúsculo. Estava abalado por não ter tido tempo de ligar para o pai e para a mãe antes de partir para a missão. E se aquele fosse o seu último dia de vida na Terra? Seu último contato com Wagner Rios quase resultara em morte. E mesmo sabendo de todos os riscos, porque Anderson simplesmente não recusava participar daquela loucura? Derrotar Wagner Rios se tornara tão importante assim?

"Sim, e pare de pensar besteira!", gritou a mente de Anderson, injetando coragem em seu dono e pondo um fim naqueles pensamentos. "Pare de pensar besteira!"

Chris dirigia, Patrão estava no banco da frente desta vez. Atrás, junto com Anderson, estavam Olavo, Elis e Zé. Todos eles com mochilas e sacolas de náilon repletas de equipamentos.

Além do amuleto de tartaruga no peito, Anderson levava apenas o pen-drive de Gaia e Sharp, amarrado ao pulso. Queria ter liberdade de movimentos na hora que começasse a ação. Elis tirava pequenos fones bluetooth de dentro de sua sacola e os entregava para todos os parceiros de missão.

– Anselmo configurou estes comunicadores para nós ficarmos conectados durante missões – explicou a semissereia, com um sorriso saudoso. Anderson prendeu o seu na orelha e certificou-se de que estivesse bem firme. Patrão precisou da ajuda de Zé para colocar o seu. Em suas palavras, *não tinha paciência com bugigangas modernosas.*

Olavo carregava no colo o seu pequeno arco desmontável, que Anderson já tinha visto antes, e uma aldrava cheia de flechas que se encontrava aos seus pés e que ficaria presa às suas costas durante a movimentação. Ele vestia uma regata preta e calça camuflada, no mesmo estilo de quando Anderson o conheceu em sua chegada ao casarão.

Chris, completamente curado do confronto com os capelobos, era o único que não queria levar o fone grampeado na orelha. Caso precisasse entrar em sua forma canina, ele provavelmente cairia e se perderia pelo caminho. O rapaz garantiu que poderia se virar bem sem ele.

Anderson imaginava que a missão havia sido antecipada por que Pedro fofocara todos os planos para Wagner Rios e o empresário havia tomado medidas emergenciais, apressando a sua operação da abertura do cofre.

Para não perder o costume de praguejar a cada vez que passassem próximo a um rio poluído, Elis soltou o verbo quando o Carro Verde passou por uma ponte sobre o Rio Pinheiros. Anderson não registrava todos os palavrões que a menina proferia, pois estava com a cabeça muito distante dali. Em Rastelinho. Apesar do calor anormal que obrigava Chris a dirigir com todos os vidros do carro abertos, o garoto sentia um frio, que provavelmente tinha origem em sua barriga. Anderson duvidava de que alguma vez na vida fosse sentir terror maior do que havia experimentado em seus confrontos com a Cuca e com os capelobos, mas aqueles momentos pré-invasão estavam fazendo-o rever seus conceitos.

Chris entrou na Avenida Francisco Morato e apontou através do painel para alguns prédios que assomavam mais à frente, um deles com um grande facho de luz apontado para o céu.

– Ali. A Rio Dourado.

O lobisomem estacionou em uma pracinha que ficava a menos de cem metros da Portaria 1 do condomínio de Wagner Rios. As árvores do canteiro camuflavam o Carro Verde e ao mesmo tempo permitiam a visibilidade da portaria, onde dois seguranças de colete à prova de balas faziam a guarda.

– São poucos para guardar esse portão – disse Zé, que estava vestindo preto, com uma bolsa de pano atravessada no peito. Anderson só entendeu um dos sentidos do acessório ao ver que o semicaipora retirou de lá uma pequena garrafinha metálica e tomou um longo gole de algo que deveria ser cachaça, de acordo com o aroma que invadiu a van. Deveria estar bebendo para ter coragem, pensou Anderson, notando novamente que sua pele estava bem mais escura do que há segundos atrás.

Já Chris abriu a sua porta e arrancou a sua camiseta, como se estivesse com pressa para um banho de piscina. Anderson o via através da janela do motorista, aparentemente tirando as calças, quando de repente ele pareceu encolher, ou escorregar para dentro de um buraco na rua. O rapaz havia acabado de se transformar no lobo-guará fermentado, e pelo barulho de patas já havia disparado para longe do Carro Verde.

– Minha vez – disse Patrão, enfiando na cabeça uma touca de lã vermelha, fazendo-o parecer com a figura clássica do saci em cartilhas escolares. – Espero que cada um de vocês se lembre de suas tarefas.

Sim, Anderson se lembrava. Lembrava-se inclusive dos deveres dos outros, o que cada um deveria fazer em certo momento. Aquilo era como jogar uma partida de Battle of Asgorath, invadir uma *dungeon*, coordenar a guilda rumo a uma batalha... Só que se ele errasse a mão por ali seria *game over* de verdade. Para ele e para o *clã*.

Olhando pela janela, Anderson divisava a figura escura do Patrão atravessando a avenida habilmente, saltitando com sua única e vigorosa perna. Anderson ainda não havia reparado nas roupas rasgadas e sujas que o saci vestia para se parecer com um morador de rua. Diminuindo a velocidade de seus pulos, ele se aproximou dos dois seguranças que logo colocaram a mão sobre o coldre de suas pistolas.

– Pufavô, vocêis num tem uma moeda qualqué pra eu? – disse o *mendigo* para os guardas, que o mediram do pé à cabeça, e depois decidiram ignorá-lo. Anderson, acompanhando pelo seu fone, achou genial o tom de voz debilitado do Patrão.

O pedinte saltitante continuou insistindo por algum tempo com os seguranças, que sinalizavam bruscamente para que ele se afastasse de lá. Até que um Land Rover preto subiu na calçada, buzinando para que a cancela e a entrada da portaria fosse liberada. Um dos homens armados sinalizou qualquer coisa para a guarita, e o portão começou a deslizar nos trilhos.

– De acordo com o nosso espião aí dentro e com a placa desse carro, esse que acabou de entrar é o Wagner Rios. O calhorda nem reparou no mendigo de uma perna só, conforme o esperado. – disse Zé olhando através de um binóculo, e depois oferecendo-o para Anderson, que já conhecia muito bem o Land Rover preto. – Chris tem que aproveitar essa brecha para entrar...

Anderson apanhou o objeto e assim que o posicionou nos olhos viu um grande cão surgindo pela calçada e perseguindo o pneu do carro de Wagner Rios, como um cachorro qualquer. Ou pelo menos, como um cachorro gigante qualquer.

Os seguranças fizeram menção de perseguir o animal, mas uma inesperada lufada de *vento* levantou uma cortina de poeira diante de seus olhos. E em seguida, o pedinte de uma perna só não estava mais na frente da portaria.

E os seguranças estavam desarmados.

– Ok, Chris e Patrão já estão dentro. – disse Elis, estalando os dedos. Ela iria ficar dentro da van, servindo como uma espécie de oráculo para os outros, além de poder lançar seus encantos em alguém que testemunhasse algo muito fora do comum nos arredores. – Aproveitem enquanto eles não sabem o que aconteceu com as armas que eles carregavam.

– Nossa vez, meu caro Anderson – disse Zé, abrindo a porta corrediça da van e sinalizando para que ele e Olavo, carregando seu arco portátil, o seguissem. Enquanto eles esperavam o trânsito amenizar para que atravessassem a avenida, o anão tomou mais um gole de sua garrafa de bolso.

– Você precisa mesmo beber *agora*? – perguntou Anderson, inconformado.

– Acredite... *glub, glub, glub*... Isso é absolutamente necessário para o nosso plano dar certo... *hic*!

Sob a iluminação da rua, Anderson comprovava que Zé agora estava mais escuro que ele próprio. O caipora atravessou a avenida a passos tortos e foi até os dois seguranças que pareciam bem perdidos sem suas armas. Um terceiro homem saiu de dentro da guarita para ver o que estava acontecendo, quando Zé se aproximou.

– Ah, não! Depois do mendigo perneta, vem o anão bêbado...

– Vaza daqui, tamborete de forró!

– Sai, pinguço!

Zé não arredou pé, cambaleou um pouco mais para perto dos três seguranças.

– Hora de chamar a atenção – disse Olavo, colocando uma flecha na corda de seu arco. Praticamente sem mirar, mandou um projétil direto na câmera de segurança do lado de fora da guarita, que rodopiou e quicou pelo chão após ser atingida.

Os guardas olharam para o lugar onde a câmera deveria estar, alarmados, e foi aí que Anderson presenciou a desleal peleja entre Zé e os seguranças. *Desleal* porque o caipora nem deu tempo de reação aos brutamontes antes de nocauteá-los. Saltou mais alto que Daiane dos Santos em seu "duplo mortal carpado", acertando chutes calculados em suas nucas. Um deles não caiu de imediato, e foi atingido no rosto pelo arco de Olavo, que se precipitou sobre o homem rapidamente, trazendo Anderson em sua cola. Zé apanhou um dos rádios dos desfalecidos e o arremessou ao arqueiro, para que ele respondesse as perguntas rotineiras dos seguranças, a fim de que o acontecido na portaria fosse descoberto o mais tarde possível. Precisavam de uma vantagem para chegarem até o bloco B, enquanto Chris e Patrão abriam caminho até o topo do bloco D.

O trio correu pelas sombras, se escondendo ocasionalmente atrás de bancos de concreto e lixeiras para evitarem o contato com alguns seguranças que passavam rondando as imediações, sempre em duplas. Caminhando em fila, com Anderson entre Zé e Olavo, eles contornaram a quadra iluminada e vazia, e logo já estavam na entrada do Bloco B quando inúmeros roncos vieram do alto.

– Procurem cobertura, helicópteros se aproximando! – disse Elis em seus fones, bem a tempo de se agacharem atrás de um carro estacionado.

Três aeronaves negras passaram a uma baixa altura, na direção do Bloco D. Anderson as reconheceu imediatamente das cenas de incêndio em que os helicópteros de Wagner Rios jogavam espuma química nas chamas. Eram as mesmas aeronaves, equipadas com as grandes cápsulas, mas com a diferença de que os logotipos da Rio Dourado não eram mais visíveis. Pareciam ter sido raspados, ou foram pintados.

– Venham – rosnou Zé, que agora andava encurvado. Retirou os sapatos para andar descalço e os guardou na bolsa que carregava consigo. Anderson percebeu que ele não se parecia mais com o civilizado e educado José da Silva Santos, e que aquele deveria ser o seu lado selvagem se manifestando. Sua essência caipora.

A entrada do Bloco B estava aberta, mas na frente dos elevadores havia oito homens uniformizados, armados de pistolas, rifles e cassetetes. Anderson teve o rápido vislumbre com o binóculo, antes de se esgueirar até a porta.

– Diabos, a entrada está muito bem protegida – praguejou o caipora em cochichos, encostando as costas na parede externa do prédio e sendo imitado por Anderson e Olavo. – Eles deveriam estar com toda essa segurança no Bloco A, não aqui no B. Vou atraí-los para fora, enquanto vocês sobem...

– CENTRAL DE SEGURANÇA PARA PORTARIA 1, ESTÃO COPIANDO? O QUE ACONTECEU COM AS CÂMERAS DA ENTRADA DE VEÍCULOS, P-1?

Anderson olhou assustado para Olavo, que parecia não saber o que fazer com o rádio ligado no último volume pendurado em sua calça. Ele tentou abaixar o volume do speaker, mas já deveria ter chamado a atenção de algum dos oito seguranças da entrada. Zé bateu com uma das mãos na testa, irritado e enfiou a mão dentro de sua bolsa de pano. Anderson, sem arma alguma, só conseguia olhar freneticamente para todos os lados, imaginando se tinham acabado de denunciar as suas posições ao inimigo.

– P-1, ESTÁ NA ESCUTA? O QUE ESTÁ ACONTECENDO?!

– Responda logo esta porcaria – disse Zé, a mão dentro da bolsa e os olhos na porta.

– Hã, aparentemente ela parou de funcionar, Central – disse Olavo, soando nada convincente. Seguranças não conseguem formular uma frase simples quando falam por rádio. – Já estamos consertando, ok?

– QUAL O SEU NÚMERO DE IDENTIFICAÇÃO, VIGIA?!

– Desliga esse rádio, *pelamordedeus*! – Anderson se contorcia de nervoso. Passos se aproximavam da entrada do saguão do Bloco B.

– Alô, alô... não posso te ouvir...

– ATENÇÃO, TODAS AS UNIDADES! INFILTRAÇÃO NA PORTARIA 1, FIQUEM ALERTAS! ATENÇÃO TODAS AS UNI...

– Ah, cala essa boca! – Olavo atirou o rádio longe, e o som de algo se estilhaçando contra o chão foi ouvido à distância. Para o horror de Anderson, os ruídos de oito armas sendo engatilhadas ou destravadas vieram do saguão.

– Fique atrás de nós – disse Olavo, se colocando ao lado de Zé. Assim que a primeira cabeça irrompeu fora do saguão, o rapaz a atingiu impiedosamente entre os olhos com seu arco portátil. O corpo do segurança desabou após o ruído surdo e Zé rolou com habilidade para dentro do saguão. Sua mãozinha saiu de dentro da bolsa de pano para arremessar dois dardos simultâneos contra os pescoços dos homens que se encontravam mais à frente. Os projéteis estavam com algum sonífero, pois ambos desabaram imediatamente.

Todos os guardas voltaram seus rostos para o pequeno intruso e Olavo desarmou um deles com uma flecha no antebraço. Zé atirou-se de cabeça na rótula de outro deles, a la *Zinedine Zidane*. O guarda urrou de dor e cambaleou para trás, disparando um tiro inútil contra o teto e tropeçando sobre o corpo de um dos desmaiados. Havia apenas mais três deles de pé. Anderson arriscou dar uma olhada na ação e viu que Olavo desarmava um segurança com uma torção de pulso e o nocauteava com uma cotovelada. Os dedos de Zé mergulharam na bolsa e mais dois pequenos dardos assobiaram no ar. Neutralizados.

Os rádios dos homens faziam uma algazarra imensa enquanto Zé pulava a catraca que normalmente fazia o controle da entrada de funcionários. Olavo recolheu a flecha do braço do homem que havia alvejado e fez sinal para que Anderson fosse à sua frente, conforme a formação que estavam utilizando para a segurança do garoto.

– Só um instante – disse o mineiro antes de ir, arrancando dois cassetetes dos cintos de dois seguranças dorminhocos. Depois de passar o susto daquele rápido combate, não queria mais avançar indefeso, dependendo de Olavo e Zé. Além de que dois pedaços de vassoura haviam feito a diferença no confronto contra a Cuca. – Vou me sentir melhor com essas coisas em mãos.

O que Anderson não mencionou é que ele também se sentia muito mais Shadow daquela maneira.

– Olavo e Zé – disse Elis no fone em suas orelhas, com urgência. – A situação está ficando feia para Chris e Patrão lá no Bloco D! Preciso que um de vocês vá até lá!

O trio estacou na subida pelas escadas até o quarto andar, onde ficava a sala do Centro de Controle de Operacional. Olavo foi o primeiro a se manifestar.

– Zé, eu protejo Anderson! Você vai chegar mais rápido até lá...

– Não – grunhiu o semicaipora, curto e grosso. Sua voz não era mais parecida com a do Bob Esponja e ele mesmo não lembrava mais o anão falante e loquaz que era antes de beber daquela garrafa e mudar de cor – O garoto é responsabilidade minha. Eu o trouxe até aqui.

– Mas...

– Sem "mas". Vai.

Olavo lançou um olhar intenso para Anderson, que encolheu os ombros.

– Se cuida – disse o mineiro para o instrutor de arco.

– Você também – respondeu, e disparou escada abaixo, deixando Anderson com uma estranha sensação de perda. O muiraquitã em seu peito esquentou a valer e ele achou que aquilo deveria ser um sinal... Talvez devesse alertar o colega sobre algum perigo.

– Olavo!

Ele parou e virou-se. Anderson o fitou nos olhos.

– Cuidado. Por favor, não faça nenhuma besteira.

O rapaz abaixou os olhos para o seu arco. Ou estava olhando para o chão?

– Talvez eu já esteja fazendo uma – e sumiu das vistas da dupla.

– Vamos – disse a nova versão monossilábica de Zé, obrigando Anderson a ignorar o calor de seu amuleto e acompanhá-lo.

Anderson já havia estudado o mapa do quarto andar do Bloco B durante um último e apressado *briefing*, antes de embarcarem no Carro Verde. Era algo que ele fazia bem no BoA, estudar mapas, decorar as passagens secretas e lembrar-se de rotas alternativas de fugas. Muitas vezes uma batalha malsucedida só não se transformava em uma tragédia completa por causa de um bom plano de evasão.

Então, quando ele e Zé se depararam com um asséptico corredor branco que terminava em um "T', Anderson não titubeou em seguir pela direita. A sala de informática ficava a menos de vinte metros, e só deveriam ter cuidado com algumas câmeras.

– Elis, chegamos – informou Anderson aos sussurros, antes de virar a última esquina. Colocou a cabeça no corredor para espiar a situação da entrada – Mas tem dois seguranças na frente da sala...

– Tenham cuidado! Não sabemos quantos deles estão lá dentro.

Zé sinalizou para a câmera giratória sobre a porta, que se mexia com um zumbido mecânico, e apontou para um dos cassetetes que Anderson carregava.

– Consegue? Acertar?

O garoto sorriu, empolgado. Arremessou o porrete no ar, que rodopiou os mais de cinco metros até estourar a câmera de uma só vez, em cheio. Se Zé ainda estivesse branco e falante, provavelmente aplaudiria a mira de

Anderson. Mas como estava bêbado e selvagem, não disse um "A" antes de surpreender os seguranças com dois chutes de pé tamanho 32. Um deles não desmaiou de pronto e Anderson atingiu sua cabeça com o outro cassetete que carregava. Não conseguiu empregar tanta força no ataque, pois tinha receio de machucar realmente alguém. Mas no fim das contas seu golpe foi o suficiente. Não sabia se um dia teria sangue frio para atirar uma flecha contra um ser humano, como Olavo havia feito. Esperava que os protestos habituais da Organização não fossem todos daquele tipo, envolvendo armas e pancadaria.

A tranca da porta do CCO girou.

– Ô Ricardo, o que aconteceu com essa câmera aí... *Ungh!*

Após golpear e espetar um dardo no homem que deixava a sala, Zé rolou para dentro da sala e botou outros dois seguranças para dormir. Um homem de óculos se encontrava em um canto, na frente de um grande monitor de LCD. Não usava uniforme nem colete à prova de balas. Na verdade, parecia um nerd de quarenta e tantos anos, ou um professor de química de escola pública. Ele apenas ergueu as mãos, implorando para que não o matassem, não o machucassem, que levassem o que quisessem...

Só parou de falar quando um dardo o amoleceu.

– Droga, esse cara devia ser o técnico de informática! – disse Anderson, correndo até o computador que ele operava – Seria legal forçá-lo a me ajudar com essas máquinas... Olha o tanto de computadores aqui...

Zé apenas bufou e tomou um longo gole de sua cachaça mágica.

A sala era grande, e Anderson não se surpreenderia se encontrasse um urso polar ou uma foca dormindo em algum dos cantos. Por causa do tanto de servidores, roteadores e modems que o lugar abrigava, o ar-condicionado devia sempre estar em seu limite, para que as máquinas não esquentassem e entrassem em curto. O projetista daquele lugar havia levado ao limite a importância atribuída a um *cooler*.

Anderson procurava o computador central da rede, e não por acaso presumia que ele fosse o terminal que o *Nerd de Quarenta Anos* mexia antes de ganhar uma noite de sono involuntária. Era o maior computador, com a maior tela, e a maior cadeira na sua frente. Um modo um pouco idiota de dedução, mas totalmente válido. Por sorte, o terminal não estava bloqueado com senha, pois o sujeito mexia em alguns dados ainda há pouco.

Fuçou alguns arquivos e rapidamente obteve a confirmação. Aquele era o computador a ser infectado. Conectou o pen-drive da Primavera Silenciosa e abriu o painel de controle. Precisaria copiar todos os arquivos do dispositivo móvel para o disco rígido, o que daria mais de 15 gigabytes de memória. Porém, o vírus em si, – denominado *carson.exe* – era um pequeno arquivo de 500 megabytes. Aquela pequena coisinha era a *gripe de computador* que, uma vez no sistema, multiplicaria a si mesma em milhares de cópias e daria o grande golpe na Rio Dourado. Porém, com todos os firewalls e antiespiões que protegiam aquela rede, o trabalho inteiro seria em vão.

Enquanto papeizinhos voavam de uma pasta a outra no grande monitor de LCD, Anderson executou um outro arquivo do pen-drive, de comunicação remota, que ocupava os outros 14,5 gigabytes restantes e que abria uma conhecida tela preta com um cursor piscante. Estava automaticamente se conectando ao computador pessoal de Sharp, que em algum lugar de São Paulo recebia as cinco letras digitadas pelo garoto.

>PRONTO

>ESTÁ TRANSMITINDO OS DADOS?

>ESTOU. FALTAM ALGUNS MINUTOS AINDA

>ÓTIMO. TEMOS HOJE MAIS DE VINTE HACKERS E CRACKERS QUE IRÃO BOMBARDEAR SIMULTANEAMENTE AS MURALHAS DA RIO DOURADO, PARA QUE A DEFESA NÃO CONSIGA CONTER O VÍRUS CARSON. ESTAMOS INICIANDO O ATAQUE.

>VOU TENTAR DESABILITAR OS FIREWALLS MANUALMENTE

E ele o fez, torcendo para que o disco rígido central engolisse a armadilha. Linhas de códigos começaram a aparecer na tela do computador, e aquilo deveria significar que os domínios virtuais da Rio Dourado estavam sob ataque.

Resolveu dar uma espiada pela sala, e verificar o que o caipora estava fazendo no silêncio. Não foi surpresa alguma constatar que ele bebericava a garrafinha, agachado a um canto, os olhos colados a porta.

– O que tanto você bebe aí, Zé?

– Cachaça. – resmungou – Com açaí.

– Hum, entendi – disse Anderson vagamente, percebendo que não adiantava tentar puxar conversa com Zé naquele estado. Sentou em uma mesa com diversas estações de trabalho feitas para monitorarem as câmeras da empresa. Cada tela era dividida em quatro ou seis subtelas, de diferentes partes do condomínio. Em questão de segundos, Anderson encontrou uma que exibia uma visão privilegiada do heliponto sobre o edifício e descobriu o comando para a visão de tela cheia.

– Elis, consegui uma visão da cobertura do Bloco D – disse ao seu fone bluetooth – Vejo um monte de homens, mas um monte *mesmo*, escoltando uma caixona de ferro até um helicóptero pousado...

– Os dois estão escondidos atrás de uma caixa de força – respondeu Elis – Procure algum ângulo pelo qual consiga ver a traseira do helicóptero, e talvez você os veja!

Anderson rodou pelas câmeras até encontrar o exato ângulo. Conseguiu divisar a silhueta do Patrão, agachado atrás da caixa de força. Chris estava ao lado, em sua forma canina. Ambos deveriam ter uma visão limitada da caixa de ferro sendo lentamente arrastada sobre rodinhas. O cofre com a Mãe D'Ouro. Anderson imaginava a ânsia do saci em deixar seu esconderijo e abrir aquela prisão de ferro à unha...

No computador central, os arquivos terminavam de ser copiados. *Transferência de dados concluída.* Pronto, agora era só esperar algum 'tilt' geral, enquanto o pessoal da Primavera Silenciosa bombardeava o sistema de todas as maneiras possíveis...

...

Nada parecia estar acontecendo.

>SHARP, PQ NÃO ESTÁ ACONTECENDO NADA?

>O FIREWALL, VOCÊ NÃO DESLIGOU!

>EU DESLIGUEI, SIM!

>OS ANTIVÍRUS E ANTIESPIÕES ESTAO ABSORVENDO TODO NOSSO ATAQUE. O VÍRUS CARSON SÓ VAI FUNCIONAR JUNTO COM NOSSAS INVESTIDAS. TENTE DESLIGAR O FIREWALL E TUDO O MAIS NOVAMENTE!

Com as mãos tremendo, Anderson abriu novamente o Painel de Controle, mas foi pego de surpresa por uma nova caixa de diálogo que se materializou. Esta era branca, e uma mensagem estava escrita nela com letras garrafais:

DESISTA, SHADOW.

Anderson soltou o palavrão mais escabroso que conhecia. O que fazia a sua mãe deixá-lo sem internet por três dias. Aquelas duas palavrinhas, naquela situação, naquele lugar... Assustador era algo muito sutil para descrever o sentimento de Anderson.

Notou que um cursor também piscava na tela branca. O ser que falava com ele queria uma resposta. E Anderson sabia que só poderia ser uma pessoa do outro lado do chat.

>ESMAGOSSAURO.

>O PRÓPRIO.

>NÓS SABÍAMOS QUE VC TINHA ALGUMA LIGAÇÃO COM A RIO DOURADO.

>SABIAM, MAS ISSO NÃO ADIANTOU DE NADA. VOCÊ E SEUS AMIGUINHOS CYBERPUNKS E MONSTRENGOS NÃO TEM A MÍNIMA CHANCE. ESTÃO TÃO MORTOS...

>FALA DEMAIS. ESTÁ AÍ ATRÁS DO SEU COMPUTADOR. PQ NÃO DÁ AS CARAS POR AQUI?

>AH, ESTOU MUUUITO LONGE DE VCS. E ALÉM DISSO, ENQUANTO BRINCO DE RECHAÇAR SEUS VÍRUS MEDÍOCRES, ESTOU JOGANDO BATTLE E AUMENTANDO O NÍVEL DO MEU TROLL. DIGO, O TROLL DO OTÁRIO QUE MORREU E DEIXOU O SEU AVATAR PARA MIM.
=^)

Anderson trincou os dentes. Como forma de desabafo, desenhou algo feio com caracteres, o que faria sua mãe urrar de raiva. Como ele ousava falar de Anselmo daquela maneira?

>O "OTÁRIO" QUE MORREU É O VERDADEIRO Nº1 DO RANKING. VC É UM TRAPACEIRO PATROCINADO POR WAGNER RIOS QUE SÓ SE MANTEVE NO TOPO UTILIZANDO ITENS PREMIUM. NÃO MERECE O MEU RESPEITO. E QUER SABER? VC FALA DEMAIS MESMO. FALAR SEMPRE É MUITO FÁCIL.

>NÃO, ANDERSON COELHO. OLHAR É MAIS FÁCIL QUE FALAR. DÊ UMA ESPIADINHA NAS CÂMERAS DO BLOCO D...

Anderson correu até a tela que monitorava o heliporto.

O lugar era uma zona de guerra. Saci e lobisomem enfrentavam dezenas de guardas armados, saltando, mordendo e chutando. Aproveitando-se das sombras que a noite lançava para atacarem de surpresa e em seguida se esconderem novamente. Desviando de balas por puro reflexo, e talvez um pouco de sorte. Ao menos, o cofre havia parado de ser empurrado. A Organização ganhava algum tempo enquanto a diretriz principal dos seguranças fosse exterminar os dois intrusos.

– Mas cadê o Olavo? – perguntou para Elis, notando que o arqueiro não ajudava os amigos no ataque.

– Ainda não chegou, e já não me responde há um bom tempo! Acho que aconteceu alguma coisa com ele...

Anderson se apoiou na mesa de controle. Ele sabia, o muiraquitã havia sinalizado que algo não ficaria bem.

Na tela, Patrão rodopiava em complexos movimentos de capoeira, que se tornavam ainda mais complicados pelo fato do homem ter uma perna só. Evocava fortes ventanias que obstruíam a visão dos capangas de Wagner Rios, e depois se arremessava com brutalidade sobre os homens, desferindo voadoras a torto e a direito.

Já o lobo-Chris driblava inimigos, estraçalhava tornozelos e causava o caos na cobertura, muitas vezes se erguendo sobre duas patas e arranhando rostos inimigos. Anderson se espantou ao ver o lobisomem de pé, e então se lembrou de que aquela era uma noite de lua cheia. Será que Chris estava ganhando "pontos extras de ataque" pela ocasião?

E outra pergunta mais urgente lhe ocorreu: até quando os dois suportariam sozinhos a massa de guardas?

– Zé, você tem que ir pra lá! – gritou, olhando para o semicaipora. – Eles não vão aguentar tanto tempo!

– Não, Anderson! Nem pensar! – disse Elis, alarmada. – Você não pode ficar sozinho aí, foi uma ordem expressa do Patrão...

– Se ele não for agora, não vai ter Patrão pra te dar bronca mais tarde! Vai, Zé!

O anão soltou um grunhido indeciso, como se também não gostasse da ideia de abandonar o seu protegido. Mas por fim disparou porta afora. Anderson agora estava sozinho. E sem um guarda-costas, por menor que ele fosse.

Relutantemente, afastou-se da transmissão da batalha. Havia mensagens de Sharp na caixa de diálogos preta, dizendo que eles não conseguiam coordenar o ataque. Que Anderson precisaria fazer alguma coisa, urgente.

Na caixa branca, Esmagossauro parecia estar se divertindo.

>VIU? PRONTO PARA DESISTIR? ESPERE AÍ SENTADINHO,
E TALVEZ WAGNER RIOS NÃO TE MATE.

>ACHO QUE NÃO, BABACA. AINDA TENHO UM TRUQUE NA MANGA.

>PAGO PRA VER, NOOBIE.

– Aaaaah, seu...

O infeliz havia cutucado a ferida de Anderson, e ainda jogado um pouco de pimenta sobre ela. *Noobie*?

Todas as noites antes de dormir, Anderson se perguntava se um Plano B seria necessário, caso a operação da Primavera Silenciosa desse errado. Como estrategista e líder de seu clã, ele tinha como regra o plano reserva, a rota alternativa, a outra maneira de se fazer qualquer coisa. E ele havia pensado em algo idiota, e que talvez não adiantasse porcaria nenhuma. Mas era o que ele tinha nas mãos naquele momento.

Ou poderia esperar sentado por Wagner Rios.

– Se isso der certo, eu juro que dou minha *Emerald Sword* pro Hell...

O Plano B consistia no seguinte: há duas noites, Anderson criara uma nova conta de e-mail gratuita, e passou horas se cadastrando nas mais diversas promoções da internet, além de subscrever-se em fóruns de debates idiotas, blogs de fofoqueiros e sites de relacionamento falidos onde perfis fakes imperavam. Também fez seus próprios perfis fakes no Twitter e no Facebook, e entrou nas páginas de fã-clubes e fóruns de discussão de programadores. Xingou a todos da pior maneira possível, sempre deixando bem visível o seu e-mail "pessoal", na esperança de que algum daqueles dependentes da internet tivesse se ofendido a ponto de querer se vingar do engraçadinho que postava coisas como "Programadores só chegam perto de uma mulher quando assistem Avatar em 3D. E, mesmo assim, elas são azuis."

Anderson abriu a caixa de entrada do seu novo e-mail. Cerca de trinta novas entradas. Provavelmente, nada que o ajudasse no momento. O que ele precisava estava mais embaixo, em outra pasta.

Caixa de Spams: 248 novas entradas

– É disso que estou falando – disse o garoto, fazendo o que qualquer pessoa em sã consciência jamais deveria fazer: abrir todas as mensagens com títulos como "Estão te traindo, aqui estão as fotos!", "garotas solteiras querem você", "aumente seu desempenho sexual", "parabéns, você é o cliente número 1.000.000" ou "sou herdeiro de uma grande fortuna e preciso de sua ajuda URGENTE".

Além dos *presentes* de uma legião de programadores ofendidos.

Abriu dezenas de anexos contendo scripts maldosos, na maior velocidade possível. Os roteadores faziam o favor de distribuir as armadilhas para todas as máquinas da rede, e quando Anderson desabilitou mais uma vez a proteção do Firewall, ele não pode se recuperar a tempo de impedir que a Rio Dourado se tornasse o maior acervo de vírus do mundo.

Como consequência, todos os computadores da central começaram a ficar demasiadamente lentos. E todas as telas passaram a exibir a mesma imagem de uma senhora, enquanto as caixas de som tocavam uma música de circo zombeteira.

– Elis, funcionou! Uhu! – gritou Anderson, socando o ar, em euforia. Todos os computadores tinham sido inutilizados, com exceção dos que eram ligados ao sistema de vigilância das câmeras. Aqueles não deveriam depender do provedor central infectado. Estava triste por não poder voltar a teclar com o hacker que usurpava o nome de Esmagossauro, e poder tripudiar com a derrota da criatura arrogante.

Então, Anderson arrancou o seu pen-drive do computador central inutilizado, e voltou aos monitores das câmeras. Enquanto Zé não chegava ao topo do Bloco D, Chris e Patrão continuavam dando trabalho aos seguranças, com certa dificuldade. Ocupados com a árdua tarefa de eliminar o negro de uma perna só e o lobo-guará infernal, nenhum segurança fazia a escolta do cofre no momento, que se encontrava a meio caminho do helicóptero, na linha de fogo cruzado dos disparos descuidados.

Anderson girou por todas as câmeras do heliporto. Em um dos ângulos, teve a impressão de enxergar alguém agachado atrás do cofre, parecendo querer empurrá-lo até a rampa de acesso ao helicóptero... Procurou por algum outro ângulo que mostrasse a pessoa de frente, e achou. Cabelos prateados presos naquele rabo de cavalo desmazelado, rosto bem escaneado e um terno que deveria valer dez anos de acesso ao Battle of Asgorath.

– Elis, avise Chris e Patrão que Wagner Rios está atrás do cofre! – gritou Anderson, sentindo uma adrenalina imensa por finalmente estar fazendo a diferença. - Ele está passando despercebido, empurrando o cofre na direção do helicóptero!

Naquele exato momento, Anderson testemunhou Patrão lidando com três sujeitos excepcionalmente grandes. O saci saltava e dava golpes giratórios com sua única perna, em uma capoeira mortífera e inimitável. Sempre depois de atacar, ele invocava uma lufada de vento ou sumia em um rodopio, aparecendo metros mais adiante para nocautear outro azarado.

Com muito alívio, Anderson viu em outra tela Zé finalmente chegando ao confronto. Pôde divisar o brilho da garrafinha de bolso do baixinho antes dele se atirar no meio do caos, empurrando e nocauteando, sua pele mais escura do que nunca. O reforço era mais do que bem-vindo, mas não o suficiente... O garoto temia que aquela confusão terminasse em três mortes, assistidas por ele em tempo real. Começou a roer as unhas, pensando em algo que pudesse ajudá-los.

Olhou para o dois cassetetes afanados. Shadow de Asgorath daria conta de todos aqueles homens com suas duas espadas...

– Elis, preciso ir até a cobertura do Bloco D! Tenho que fazer algo por eles!

– Pode tirar sua mula sem cabeça da chuva! – retrucou a garota com raiva, fazendo seu ouvido zunir. – Você vai ficar bem aí, sentadinho, até que um deles volte para te buscar! Não quero explicar sua morte para ninguém, entendido?!

– Mas eles... – Anderson não conseguiu terminar.

Tremia de nervoso, mas sentia a injeção de coragem que o impelia a ajudar os companheiros em perigo. Era o mesmo tipo de sentimento que o levava a fazer estupidezes como chutar a bola no telhado ou seguir um grupo desconhecido em um carro para São Paulo. Juntou fôlego e disse para seu fone:

– Eles vão acabar sendo mortos, e Wagner Rios vai conseguir colocar o cofre dentro do helicóptero!

– Eu sei, meu anjo – disse Elis, não menos aflita. – E eu sinto que a Mãe D'Ouro está lá dentro, enfraquecida... Wagner Rios pretende fazer alguma coisa que vai destruí-la, todos nós podemos sentir! Veja como o Patrão está lutando! Ele é o que mais tem motivos para resgatá-la, e mesmo assim jamais me perdoaria se eu te incentivasse a colocar a sua vida em perigo. Eles jamais iria se perdoar, seria um golpe mais duro do que a morte de Anselmo...

Anderson ia protestar, dizer algo sobre aquela ser a sua vontade. Ir até o topo do Bloco D.

Mas então, alguém digitou a senha do lado de fora da porta.

Anderson olhou para os lados, procurando por um esconderijo. Correu até a mesa do Nerd de Quarenta Anos, e se jogou para baixo dela bem no momento em que a tranca da sala se virou e a porta abriu.

– O que aconteceu aqui?! – perguntou uma voz, nitidamente surpresa. – Que droga foi essa...

Ouviu cerca de cinco passos lentos e hesitantes. E mais meia dúzia de passos apressados, seguido do som da porta batendo.

E então, o silêncio, quebrado apenas pela música debochada do vírus Carson.

– Por pouco... – disse Anderson, deixando o seu abrigo e soltando um suspiro aliviado.

Foi quando uma solidez fria como o pânico encostou em sua nuca. A voz controlada fez que seu coração desse um salto quântico dentro de seu peito.

– Você não vai a lugar algum.

Tina assistia ao canal de notícias ininterruptas – e repetidas – roendo as unhas. Aquela era uma péssima mania que ela não conseguia abandonar, que davam à sua mão a aparência de uma mão de garoto, com suas unhas invariavelmente arredondadas. E passar um esmalte para disfarçar não era a praia da garota.

Acompanhando-a na sala comunal, apenas um ventilador voltado diretamente para seu rosto (e que mesmo assim não conseguia remediar o calor absurdo que fazia na cidade) e Capivera, que se enrodilhara a seus pés. Ela também aceitaria de bom grado a companhia de Kuara, mas a arara havia sumido há algumas horas. Talvez estivesse cantarolando no telhado para espantar o nervoso que acometia a todos os que ficaram na Organização – a dúvida de 'a quantas andava' a missão de invasão da Rio Dourado.

Na ausência dos membros mais velhos e do Patrão, o lugar ficava sob a tutela de Haroldo, que era um garoto responsável e que ganhara a confiança do Patrão há muito tempo. Tina ficava como uma conselheira para os menores, que muitas vezes ficavam perdidos quando as figuras mais experientes da casa estavam fora.

Até aquele momento, a notícia que predominava no canal era a da passeata na frente da prefeitura, em que pessoas ditas "ambientalistas" cobravam do governo – no lugar errado, diga-se de passagem – alguma atitude com relação às queimadas e às pessoas desabrigadas pelos desastres no interior.

Valentina Brites podia ter apenas 13 anos e não ser uma das mais velhas da Organização, mas não era boba. Sabia que muitas daquelas pessoas estavam lá por causa da mobilização que Wagner Rios havia feito para deter os incêndios. Durante toda a transmissão, contou cinco faixas e mais alguns cartazes com o nome do empresário – uma delas, pasmem, dizia WAGNER RIOS PARA PRESIDENTE. Uma pequena comoção e grande parte do povo jogava confetes e champanhe no falso benevolente. Tina também percebeu que aquele protesto atraía grande parte da atenção da cidade para o centro, em um lugar onde os nervos estavam à flor da pele e os ânimos esquentavam – se é que era possível que eles se elevassem acima dos 36° que cozinhavam São Paulo lentamente.

Como sempre, alguém se excedeu no meio da turba que reivindicava atitudes das autoridades e acabou agredindo um policial. Ou empurrando alguém em cima de um policial. Ou simplesmente xingando um policial. Resultado? Balas de borracha, gás lacrimogêneo, pessoas pisoteadas. E o que era para ser um protesto pacífico se torna a primeira página de cada jornal da cidade na manhã seguinte.

Tina considerava a hipótese de um infiltrado de Rios ser o cidadão que começou com a desordem na passeata. Ela já estava cansada de ouvir histórias de pessoas que tinham sido manipuladas e compradas pelo dinheiro do homem, o caso mais recente ocorrendo ali, dentro do casarão... "Pedro! Como você pôde..."

Na tela, câmeras davam closes em pessoas com filetes de sangue escorrendo nos rostos, via-se muita fumaça e correria. Alguns manifestantes avançaram com garrafas e pedaços de madeira, a polícia avançava com cavalos e cassetetes. Se aquela fosse a situação de fachada para retirar a atenção da cidade sobre a Rio Dourado, Tina não gostaria de saber de como as coisas estavam se sucedendo no topo do Bloco D. Pensou em Anderson, ainda tão inexperiente, e tendo que lidar com uma das tarefas mais ousadas que a Organização já tinha feito. Anselmo havia encarado missões difíceis, de todas as naturezas, mas não havia recebido uma missão de *batismo* daquelas... Entrar na Rio Dourado e pessoalmente fazer algum macete com os computadores de lá!

Tina não sabia se queria ver alguma notícia dos amigos, pois o sigilo fazia parte da missão toda, e o assunto na TV significaria que algo tinha dado errado. Abraçou os joelhos e chamou Capivera para mais perto.

Mentalizou Anderson e os seus amigos, desejando-lhes boa sorte.

Então, aqui vamos nós. Imagine que a "boa sorte" que Tina mentalizou seja algo palpável, que tenha forma. Invente a forma que você preferir: uma esfera de luz, uma linha de energia trêmula como o calor na calçada, um pássaro com um trevo de quatro folhas no bico... não importa. Apenas acompanhe a "boa sorte" se elevando de dentro do casarão no Bixiga, e ascendendo aos céus, cruzando São Paulo com a velocidade de um pensamento – que é exatamente do que se trata o desejo de Tina.

Da região do centro, o pensamento cruza as antenas da Avenida Paulista e continua seguindo para o sul, para uma região arborizada da cidade. Ele passa despercebido e invisível pelos helicópteros que sobrevoam um dos quatro prédios da empresa de Wagner Rios, e a "boa sorte" se divide entre o saci, o lobo e o caipora que batalham furiosamente contra ondas de seguranças. Elis, aflita dentro da van, também ganha a sua parte. Já Olavo não recebe uma parte desta energia positiva, pois como Anderson desconfiava, algo havia acontecido com ele. E isso estava correto.

Já o próprio Anderson, que receberia a maior parte do pensamento direcionado por Tina, até sente um arrepio em sua nuca quando a "mensagem" chega até ele, mas na hora pensa que se trata do medo de estar com uma arma encostada em sua nuca.

Mas não são apenas os membros da Organização que captam sentimentos. Como Anderson havia escutado há pouco tempo, as criaturas sobrenaturais, *folclóricas*, podiam compartilhar parte de suas emoções entre si. O próprio Patrão havia dito que podia enxergar a maldade no coração dos homens, de forma visível.

Pois ele não era o único.

A Mãe D'Ouro, confinada em um cofre de chumbo e aço, sentia-se mais fraca a cada segundo. Como uma música que vai diminuindo até emudecer por completo. E assim como Tina, ela também enviava o seu desejo, o seu pedido de socorro pelo ar, terra... e fogo.

E ele havia sido atendido.

Enquanto o topo do Bloco D era uma pequena Bagdá em tempos de guerra, o estacionamento do prédio era a sua antítese. Se carros tivessem ouvidos – ou fossem um pouco parecidos com os veículos vivos daquele desenho da Disney, que tinham olhos e bocas – eles apenas reclamariam do intermitente ruído de hélices dezenas de metros acima, mas não diriam nada sobre gritos e tiros.

Bom, eles também reclamariam do calor que começava a fazer seus pneus derreterem. A borracha grudava no chão, como uma cola rançosa e escura. A temperatura no asfalto também subiu vertiginosamente. Seria possível fritar um ovo ali. Um ovo de avestruz.

Rachaduras corriam pelo chão, e vapor começou a escapar das fendas. A terra começou a tremer ligeiramente, mas nada preocupante. Era apenas como se um trio elétrico estivesse ali por perto, fazendo que janelas vibrassem e o chão tremesse...

Mas não havia trio elétrico.

O que eram trinta e seis graus Celsius se tornaram quarenta. Quarenta e dois. Quarenta e cinco. O alarme de incêndio do térreo do Bloco D disparou. Os sprinters também.

E nem todos eles juntos poderiam deter a criatura que estava para sair de dentro do solo, deixando um rastro de destruição e chamas por onde seu corpo se arrastava.

Capivera levantou-se de repente, passando a correr em círculos ao redor do sofá. Tina a olhou assustada, querendo entender o comportamento esquisito de sua mascote.

– O que foi, meu amor? Tá assustadinha?

Tentou trazer a capivara para cima do sofá, mas o bicho se recusou. Tina olhou ao redor para ver se algum outro bicho era a causa de tudo, ou se algum dos garotos estava pregando peças no pobre animal.

– Quem está aí? – perguntou Tina, mas ninguém respondeu. Ela ouvia o barulho de conversa nos dormitórios acima e no quintal, já que a maioria queria aproveitar a noite de calor intenso para bater um papo ao ar livre. Ninguém respondeu a sua pergunta.

Tina voltou a atenção para o televisor – cinco detidos na passeata do centro, dizia a repórter – mas sem deixar de sentir-se incomodada... Sentia-se como se estivesse sendo observada através das janelas.

E de fato, estava.

< capítulo 18 >

PODER DE FOGO

–Vire-se devagar.

Anderson obedeceu, hesitando um pouco e tremendo muito. Ergueu as mãos mesmo não sendo solicitado, pois aquilo parecia ser algo sensato a fazer. Estava de frente para um segurança uniformizado, que apontava para o seu rosto uma arma calibre 12, mais conhecida em qualquer jogo de FPS (First Person Shooter, os jogos de tiro em primeira pessoa) como *shotgun*.

O guarda que o rendera havia deixado há pouco de ser um garoto. Tinha o rosto redondo e um nariz bem desenhado. O típico rosto que fazia garotas suspirarem nas ruas e soltarem comentários como “Que fofo!”. Prestando atenção nos traços do homem que lhe rendia, Anderson percebeu algo estranho: os olhos.

Eram cor-de-rosa, em tom bem forte. Não chegava a ser assustador, mas sem dúvida era perturbador e incomum... “São lentes!”, pensou Anderson, mudando de ideia logo em seguida. Que espécie de segurança seria idiota em usar lentes pink? Aquilo não ajudaria caso houvesse a necessidade de impor respeito.

– Só queria me certificar de que você não estava armado – disse o guarda, fazendo uma geral visual ao redor do garoto, e parando ao notar o fone bluetooth em seu ouvido. – Com quem você está falando? Quem está te ouvindo?

– Com ninguém – mentiu, desviando do olhar magnético do segurança. Não iria denunciar a posição de Elis, mas esperava que ela tivesse percebido o que estava acontecendo e tratasse de se esconder em algum lugar seguro, não tão próximo às imediações da Rio Dourado.

– Anderson, você foi pego?! – sussurrou ela em seu ouvido, e Anderson sentiu que iria explodir com tanta pressão.

– Como assim "com ninguém"? – riu o guarda, que parecia não levá-lo muito a sério como ameaça. Tratava-o cordialmente, de certa forma. – Diga logo, é a Elis que está na linha?

"Como ele sabe?!"

– Eu... não sei do que...

– Aaaah, sabia que sim! – disse o outro, abrindo um grande sorriso que corava suas bochechas. – Mande um beijo para ela, ok?

Anderson piscou, abriu e fechou a boca como um peixinho dourado.

– Mandar... um *beijo*?

– Putz, você não tá entendendo nada, né? Mil desculpas! – o rapaz abaixou a shotgun, e estendeu a mão na direção de Anderson. – Eu sou Beto, noivo de Elis e futuro pai! Prazer!

Anderson retribuiu o aperto, lentamente.

– Você... trabalha *aqui*?

– Ah, sim. Há algumas semanas. Não lhe contaram do agente infiltrado aqui na Rio Dourado?

Anderson bateu a mão na testa. Claro, agora tudo fazia sentido! Até a piadinha que Elis havia feito sobre estar grávida do *boto*. Por isso também que o seu muiraquitã não havia esquentado com o sinal de perigo. Já estava achando que o amuleto tinha passado do prazo de validade.

– Claro. Você é Beto, o Boto.

Outro sorriso exultante.

– Ah, então não somos tão desconhecidos assim. Anderson, certo? Agora, mande o meu beijo para a Elis logo, antes que eu abra a sua cabeça com essa belezinha aqui.

– Hã, Elis... Seu noivo tá aqui na minha frente e... ahn... tá te mandando um beijo.

A filha de sereia soltou um suspiro de alívio.

– Que ótimo, ele te achou! Manda outro pra ele, e fala que eu tô doida de saudades do meu *botinho cuti-cuti*!

Anderson revirou os olhos.

– Ela disse que... ah, quer saber?! Depois vocês conversam e continuam com esse melaço todo, não vou ficar servindo de pombo-correio. Além disso – apontou para os monitores que mostravam imagens do Bloco D – nossos amigos estão em perigo!

– Deixe que os três resolvam a parte perigosa da missão, Anderson – advertiu Elis, saindo de seu estado de paixonite. – Fique aí com o Beto, e aguardem!

– Ei, você quer ir lá ajudar os caras? – perguntou o noivo de Elis para Anderson, arregalando os olhos cor-de-rosa de excitação. – Estamos esperando o quê?!

– Eu ouvi isso – ralhou Elis, colérica, sua voz martelando os tímpanos de Anderson. – Vocês NÃO VÃO! Fiquem onde estão e...

Beto esticou a mão, retirou o fone da orelha do garoto, e o desligou.

Anderson passou a gostar instantaneamente do Boto.

Após Anderson buscar de volta o seu pen-drive, seus dois cassetetes afanados e certificar-se de que o sistema inteiro estava travado (e exibindo o rosto de Rachel Carson em todos os monitores), a dupla recém-formada deixou a sala da CCO. Durante a descida de elevador até o Térreo do Bloco B, Beto contou mais a respeito de sua infiltração na Rio Dourado.

– Encontrei a agência que Wagner Rios terceirizava para a contratação de seguranças daqui, e consegui agendar uma entrevista. O resto foi fácil, só joguei um encantamento sobre a mulher do RH. Sabe, elas não resistem a uma boa conversa minha – deu uma piscadela para Anderson, e completou com um meio-sorriso. – Só não conte para a Elis que eu usei meu charme para convencer a entrevistadora, hein! Ela viraria uma Cuca se soubesse...

Anderson percebeu que Beto era uma espécie de conquistador que não ficava muito fora dos relatos e lendas populares sobre o boto-cor-de-rosa. Não aparentava ser um mulherengo incorrigível, mas também parecia não economizar esforços para conseguir o que queria com as mulheres. Seus poderes eram parecidos com os de Elis, de certa forma.

Imaginou como seria um filho dos dois, e estremeceu.

Não tiveram problemas em sair do Bloco B, tirando o fato do choque térmico – a Central de Controle de Operações era um gelo e a temperatura lá fora estava infernal – e um trio de seguranças que interpelaram Beto e Anderson no caminho. Eles perguntaram ao guarda para onde estava levando aquele garoto, e Beto tentou disfarçar, segurando Anderson pelo antebraço com uma rispidez fingida.

– Encontrei este pivete tentando entrar no Bloco B! Não sei como passou pela portaria...

– Deve ser um dos terroristinhas que estão lá no topo do D! – disse o outro segurança, medindo Anderson dos pés a cabeça e franzindo as sobrancelhas ao notar que o garoto carregava dois cassetetes – E você está o deixando ser escoltado de posse de dois porretes? Que diabos...

O plano ia para as "cucuias". Antes que os três sacassem suas armas, Beto já estava largando Anderson e disparando a sua, por três vezes seguidas. O garoto fechou os olhos, já que esperava por um banho de sangue bem na sua frente. Mas os três seguranças alvejados caíram no chão sem buracos fumegantes de balas e sem tripas expostas.

– Balas de borracha – disse Boto, engatilhando a arma com um sonoro "ca-chack!" – Doem que é uma beleza. Uma no peito desmonta qualquer engraçadinho. Vamos!

Chegar ao Bloco D não foi difícil, pois a dupla avançou estrategicamente, parando duas vezes para aguardarem a passagem de outros guardas. As solas dos tênis de Anderson e as dos coturnos de Beto pareciam estar aderindo ao chão, derretendo. Ambos não se lembravam de terem passado por calor tão intenso antes.

– Isso não está me cheirando bem – resmungou o boto, suando em bicas. Anderson imaginou que deveria ser difícil para ele ficar afastado do *elemento* água.

Por isso o saguão do Bloco D foi uma bela surpresa para ele. Os alarmes de incêndio e sprinters disparavam, e os diversos corpos desmaiados no chão repousavam em banho-maria no meio de tanta água. Beto pareceu feliz, já que aquilo tinha sido resultado da eficiente passagem de Patrão e Chris. A água que caía do teto refrescou o calor da dupla e pareceu deixar o espião dos olhos cor-de-rosa bem mais disposto.

Mais dois guardas apareceram, e antes que começassem a fazer perguntas já estavam sendo desmontados por poderosos murros de Beto. Anderson percebeu que aquela era a especialidade do rapaz, a ação e a espionagem. Quantas vezes ele já não teria passado por aquilo a mando da Organização?

– Vamos de elevador, são muitos degraus até o terraço – disse ele, apertando o botão e se afastando das portas. Dois deles estavam descendo para o Térreo ao mesmo tempo. A campainha feliz tocou quando o primeiro chegou, e abriu as portas. Havia alguém dentro do elevador, uma mulher, e Anderson a conhecia.

A mendiga loura que ele *tentou* ajudar no centro da cidade, há alguns dias.

A Cuca.

Desta vez, não estava maltrapilha. E nem suja. Sorriu ao colocar os olhos fendidos em Anderson, e deu início a sua lenta metamorfose.

O outro elevador também apitou e abriu as portas, mas não havia ninguém dentro dele.

– Entre nesse outro, e suma daqui! – grunhiu Beto, empurrando Anderson na direção da porta e ao mesmo tempo puxando uma faca de dentro do coturno. – Vá para o terraço e veja se você pode ajudar em algo. Se não, procure abrigo e se esconda. Deixa essa crocodila comigo!

– Mas...

– VAI!!!

Anderson foi impelido pelo grito, e socou o botão de maior número do elevador. Antes das portas se fecharem, viu a Cuca se jogando sobre Beto, e os dois rolando no chão inundado do térreo. Sentiu uma vontade imensa de ajudar o novo amigo, e não queria perdê-lo em tão pouco tempo. E também não gostaria de ser o cara que avisaria Elis que seu bebê cresceria sem pai...

Mas Beto parecia saber o que estava fazendo, e Anderson imaginava que talvez ele fosse de mais ajuda junto com Patrão, Chris e Zé. A subida do elevador era lenta, e só aumentava a expectativa dentro de Anderson. E se ele topasse com o capelobo que o perseguira na Vila Madalena? Certamente o monstro iria querer sugar o cérebro de Anderson pela morte de seu irmão gêmeo...

O elevador chegou ao décimo andar. Assim que a porta se abriu, viu homens emborcados no chão: o rastro de vítimas de Patrão e Chris. Para chegar ao terraço bastaria seguir a trilha de guardas desmaiados. Ou as placas de orientação nas paredes.

Mais dois lances curtos de escada, que terminavam em uma porta de ferro. Anderson a escancarou, empunhando seus dois cassetetes, e um milhão de ruídos diferentes invadiu o seu mundo. Gritos de ordens, disparos de automáticas e o ensurdecedor barulho dos helicópteros que pairavam sobre o edifício, além do que estava pousado e de motores ligados, no aguardo do cofre. Havia mais três naves no ar, como grandes libélulas, e elas tentavam lançar seus holofotes sobre Chris, Zé e Patrão. Mas, até aquele momento, os três amigos de Anderson eram mais rápidos.

Parecia quase impossível se esconder de tantos inimigos. Mas, após uma louca disparada pela porta, o garoto encontrou um bom refúgio no vão abaixo da plataforma de pouso do helicóptero. Correu cerca de vinte metros entre homens caídos e cartuchos de balas, passando ao lado de Chris em sua forma canina. Anderson aproveitou para atingir com força as costelas de um guarda que fazia mira no lobo e emendou um segundo golpe no pescoço que eliminou o problema de vez. O focinho longo de Chris pareceu sorrir para Anderson antes que ele pulasse com as quatro patas e a boca escancarada sobre um novo inimigo que se aproximava.

Anderson correu mais um pouco e deslizou para baixo da plataforma de pouso, que o obrigava a engatinhar sob a grade de aço. Encontrou um bom ponto de observação logo abaixo da rampa de acesso. Assim que parou de se mover e resolveu olhar melhor ao redor, seu muiraquitã esquentou. Poderia jurar até que ele havia vibrado levemente.

Olhou para cima por instinto e notou que estava literalmente bem debaixo do nariz de Wagner Rios, que fazia um tremendo esforço para empurrar o cofre sozinho, pela rampa de acesso, até a sua aeronave. E, mesmo que de pouco em pouco, ele estava conseguindo.

A voz de Wagner ressoou no meio da confusão, ordenando para que alguns homens viessem ajudá-lo a carregar o cofre no acesso final. "Ou todos vocês estarão no olho da rua, ouviram?!". Imediatamente, meia dúzia de capangas uniformizados subiu a rampa de encontro ao chefe. O cofre ganhou velocidade sobre suas rodinhas, e naquele ritmo estaria dentro do helicóptero em segundos. Mesmo após todos aqueles *briefings*, Anderson não sabia muito bem o que estava acontecendo por ali.

Patrão pareceu perceber a distância que o cofre com sua amada Mãe D'Ouro estava da aeronave, e abriu caminho entre todos os homens que se interpunham entre ele e Wagner Rios. Chutando e socando, passou por cima de Anderson na rampa e, em uma voadora impressionante, saltou contra o peito do empresário...

...que desviou com facilidade do golpe. Rios tinha bons reflexos e muitos lacaios para atrapalhar quem quisesse agredi-lo. Patrão teve que se contentar em nocautear com seus cotovelos.

Outro capanga viu uma chance de aumento ao se deparar com o velho Saci, de costas, ocupado em alcançar o dono da Rio Dourado. Ergueu a coronha de seu fuzil bem alto, pronto para atingir a nuca do velho de uma perna só... e foi derrubado pelo providencial pé direito de Anderson, que saiu de baixo da plataforma na hora exata de aplicar uma rasteira no guarda traiçoeiro.

Nessa hora – para alívio de Anderson – Beto surgiu pela porta de ferro que dava acesso ao terraço, e ergueu a sua *shotgun* na direção de Wagner Rios, que finalmente conseguia passar o cofre para o helicóptero.

– Empurre o cofre para fora, ou eu atiro!!! – gritou o boto a plenos pulmões, engatilhando a arma. Anderson reparou que ele tinha muitos arranhões nos braços e no rosto. A Cuca não poupara esforços para destruí-lo.

– Ora, ora! Eu te conheço, seu vira-casaca. – zombou o empresário, fazendo-se ouvir mesmo com o ruído de deslocamento da hélice acima dele. – Você pode ser um traidorzinho de meia-tigela, mas não é um assassino.

Sorriu debochadamente, para Beto e para o Patrão, e depois gritou uma única ordem para o piloto do helicóptero:

– Suba!

A aeronave deixou a plataforma e recolheu o trem de pouso. Boto, irado por ter falhado, disparou uma sequência de tiros de borracha que não fizeram nada contra a carcaça do helicóptero. Patrão derrubou um segurança armado de faca e acompanhou a decolagem de Rios com os olhos.

– Não...

– Eles estão indo embora?! – perguntou Chris, voltando a sua forma humana sem nem ligar para o fato de estar peladão, e se juntando a Patrão, Beto e Anderson. A distância, Zé dava cabo de um último homem do estoque de guardas que, até então, parecia infinito. A visão da cobertura poderia ser descrita como o fim de uma enorme festa, com bêbados desmaiados por todos os cantos à espera do nascer do dia e da ressaca.

– Eles não vão se afastar muito – disse o Patrão com a voz rouca, indicando os helicópteros. – Wagner não quer apenas um último favor da Mãe. Ele está buscando outra coisa.

– Está mesmo – concordou Beto, que parecia bastante preocupado. Além de cansado.

– Do que vocês estão falando? – perguntou Anderson. Patrão pareceu mais velho do que nunca antes de responder.

– Eu já desconfiava que Rios estaria apenas usando a Mãe como isca para conseguir algo muito *maior*...

– Por favor, chega de reticências! Alguém pode desenvolver uma resposta?

– Cara, como você acha que eu escapei da Cuca? – Beto perguntou.

– Não sei – respondeu Anderson, erguendo os ombros – Você... matou a monstrenga?

O boto riu, cansado.

– Não mesmo. Ela só fugiu da briga porque sentiu que algo bem maior e mais perigoso que ela estava a caminho.

Novos alarmes de incêndio. O prédio inteiro começou a tremer. Zé se aproximou do grupo a passos ligeiros.

– Ele já está aqui – disse Patrão, mais para si mesmo do que para os outros.

– Ele *quem*?!

O concreto explodiu sob a plataforma de pouso do heliporto. Milhares de quilos de aço e concreto voaram para cima, quase atingindo as aeronaves negras da Rio Dourado. Línguas de fogo e rolos de fumaça saíram do buraco, anunciando a aparição aterrorizante seguinte:

Um longilíneo verme em chamas, de mais de vinte metros de comprimento. A pele era de magma, rochosa e incandescente. A serpente titânica não possuía olhos, mas compensava esta falta com presas pontiagudas em brasa, do tamanho de cutelos de açougueiro. Urrava com ferocidade, um misto de grito e rugido gutural.

– Ele – respondeu o saci, dividido entre o receio e admiração –, o Boitatá.

Anderson nunca havia visto nada parecido. Claro. Quer dizer, em Battle of Asgorath aquela criatura já seria bastante assustadora, mas ainda assim seria um desafio para Shadow e sua guilda. "Quanto maior o monstro, maior a diversão". Esse era o seu lema, adotado também por muitos outros jogadores.

Mas ali, na vida real, o Boitatá lhe dava vontade de urinar nas calças.

A gigantesca cobra de fogo escancarava sua boca para o céu, tentando abocanhar um dos helicópteros que sobrevoavam acima de sua cabeça como moscas em um pântano.

Alguns guardas desmaiados recobravam a consciência com o rugido infernal do monstro ou com os alarmes e, tão logo despertavam, fugiam desesperados daquele pesadelo onde o inferno se abria aos seus pés e o demônio se manifestava na forma de uma cobra gigantesca.

Anderson surpreendeu-se ao perceber que, maior que o seu medo, o sentimento de que ele era um moleque estúpido era muito maior. Se ele tivesse lido com mais atenção o livro de Câmara Cascudo, assim como Patrão havia pedido, estaria bem melhor preparado para aquele momento.

– Anderson, tá dormindo em pé?! – gritou Chris, já a muito metros de distância. – Sai daí!!!

Assustado, ergueu a cabeça e viu que o Boitatá o encarava, ignorando os helicópteros por instantes. Anderson sabia que aquilo seria péssimo para ele, mas ao mesmo tempo lembrava que o Boitatá não podia estar realmente olhando para ele, pois ele não tinha olhos.

– Corra! – gritou o boto, mas os pés de Anderson não se mexiam. Se aquele monstro não tinha olhos, então Anderson não tinha mais cérebro. Sentia-se estúpido, confuso, e amedrontado pela forma gigantesca a sua frente.

Assim, a cobra urrou e cuspiu todo o inferno na direção de Anderson Coelho.

– Não! – fizeram Patrão, Beto e Chris em uníssono.

O garoto sabia que aquele podia ser o seu último suspiro, então o aproveitou bem. Pensou em seus pais, em Rastelinho em uma manhã enevoada, em sua guilda em Battle of Asgorath, falando besteiras pelo chat. Lembrou-se dos novos amigos de São Paulo, e do tanto que havia aprendido em apenas cinco dias. Seus pais vieram novamente, para fechar o ciclo do seu último pensamento. Álvaro e Regina não ficariam nada contentes com aquele resultado da Copa de Matemática...

Anderson viu as chamas se aproximando, em câmera ultralenta, e fechou os olhos. Quando os abriu novamente, estava envolto por fumaça branca, e uma enorme chiadeira assediava seus ouvidos.

"Então, esse é o paraíso? Fumaça e o barulho de um bule de água gigante fervendo?"

Mas a cortina de vapor começou a se dissipar, e o barulho a diminuir. Se aquele era o paraíso, então não era novidade alguma para Anderson. Pois lá estava o céu noturno paulistano, os helicópteros negros e o enorme boitatá ainda a fitá-lo, parecendo surpreso por não ver sua vítima carbonizada.

– Uai! – foi o que Anderson conseguiu dizer, percebendo que (novidade!) seu muiraquitã de tartaruga estava quente e brilhando com uma luz azulada. Assim como suas lâminas gêmeas élficas em Battle of Asgorath faziam na aproximação de inimigos.

"Você me protegeu!", matutou Anderson, olhando para a tartaruguinha no cordão. "Foi como se você me revestisse com uma película protetora de água, que foi evaporando antes que o fogo atingisse minha pele..."

Um chiado do que seria um bule muito maior preencheu a noite. O Boitatá gritou ainda mais, e Anderson viu que agora era a vez dele ter vapor sendo expelido de seu corpo. Eram os helicópteros de Wagner Rios, que soltavam suas cargas de espuma química sobre a criatura, assim como ele havia visto nos vídeos dos incêndios. O canalha na verdade estava apenas *testando* nas queimadas a maneira que usaria para capturar o Boitatá. E o primeiro passo para aquilo era apagar as suas chamas...

– OLÁ, ANDERSON! – disse uma voz amplificada por um megafone. Wagner Rios, da porta de seu helicóptero, os cabelos esvoaçando. – AINDA NÃO TINHA TE VISTO! OBRIGADO POR DISTRAIR O BICHO PARA MIM! SABIA QUE VOCÊ FARIA A ESCOLHA CERTA: ME AJUDAR!

Anderson pôde enxergar os dentes do bandido em um sorriso mordaz. Ele passou a gritar mais ordens no megafone, para os outros helicópteros, que começaram a tomar posições ao redor do Boitatá. As chamas no corpo da criatura haviam fraquejado, mas não a fúria cega que a impelia na direção da aeronave de Wagner.

– Pensamos que você tivesse virado churrasco, cara! – falou Chris, se aproximando junto com Beto e Patrão. Ele havia vestido o uniforme de um segurança desmaiado, que em breve acordaria como havia vindo ao mundo.

– Precisamos fazer algo! – gritou Anderson, ignorando a preocupação do amigo – Temos que salvar o Boitatá e a Mãe Dourada!

– Mãe D'Ouro – corrigiu o lobisomem-guará, automaticamente.

– Que seja! Ele vai fazê-la morrer, para depois sair expondo o Boitatá ao redor do mundo, como uma aberração!

– Não seja ingênuo, moleque – disse o Patrão, nervoso. – Você acha que Rios quer apenas montar um zoológico de criaturas míticas? Depois de toda a demonstração de poder do Boitatá através do país? Ele sabe que pode conseguir muito mais dinheiro usando-o como arma, ou queimando uma cidade e depois aparecendo com seus helicópteros modernos para salvar o dia!

Anderson engoliu em seco. Não havia pensado naquilo.

– Não importa o que ele vá fazer, temos que salvar a Mãe primeiro. – lembrou Beto. – Vocês não podem sentir? Ela está fraca, à beira do precipício...

– Parece que agora até eu posso senti-la – disse Anderson, agarrando o seu amuleto involuntariamente. Os três companheiros de organização perceberam o seu movimento.

– Foi esse seu amuleto – disse o boto, apontando o dedo. – Ele era do Anselmo, eu me lembro.

– Como você o conseguiu? – perguntou Chris, parecendo ansioso. Patrão apenas observava, em silêncio. Anderson enrubesceu com toda a atenção sobre si, e limitou-se a falar sobre o maior problema no momento.

– É uma longa história. Temos que tirar a Mãe D'Ouro do helicóptero.

– E o que você sugere? – perguntou o Patrão.

Há alguns minutos, o medo de morrer impediria Anderson de pensar com clareza. Olhou para o Boitatá, empinado no ar, cuspindo chamas e grunhindo como um dinossauro. É, era uma visão de borrar as calças.

Lembrou da boca escancarada do monstro, das chamas vindo em sua direção, e do vapor ao seu redor... Se fosse para morrer, sua hora já tinha passado. Em Asgorath, Anderson sentia-se capaz de qualquer coisa.

Por que não poderia sentir-se ali também?

Em vez de escudo, muniu-se com a coragem que havia demonstrado ao enfrentar a Cuca, e ao destruir um dos capelobos dentro da lanchonete.

Tentou enxergar o Boitatá como um aglomerado de megapixels, e pensou nas opções que os seus companheiros de guilda ofereciam.

Ligou novamente o fone sem fio que o conectava ao seu "oráculo".

– Elis, me ouve?

– Aaaaah, aí está você! – disse ela, parecendo um pouco nervosa. – O que foi, veio me matar com mais um pouco de preocupação?

– Espero que não – respondeu Anderson, enquanto um dos helicópteros parecia querer despejar mais espuma química no Boitatá. – Como está a situação do prédio?

– Feia. Os andares inferiores estão em chamas!

– Certo. Patrão, caso sobrevivamos, você consegue nos tirar daqui voando?

– Não sem derrubar estes helicópteros e matar os tripulantes. Os ventos ficarão revoltos, e eles irão perder o controle.

– Ok, então fuga pelo ar não funciona. Deixe-me ver, Beto! Você faz alguma coisa do tipo... manipular a água?

– Talvez eu possa direcioná-la, não completamente. – o boto olhou de soslaio para a grande caixa d'água que estava às suas costas, e apontou com o polegar por cima do ombro. – Você está pensando no mesmo que eu?

– Talvez. Muito bem, ouçam o que eu digo! – disse Anderson, tentando reunir o grupo ao seu redor. Patrão não parecia à vontade recebendo instruções, mas aquele era o momento de se despir do orgulho o mais depressa possível. – Os helicópteros estão chegando cada vez mais perto do Boitatá, principalmente o de Wagner Rios, pois o bicho está enfraquecendo... Aquela espuma que está grudando nele, o impede de *acender* novamente. De qualquer forma, nos aproveitaremos dessa proximidade. Patrão, você acha que água seria prejudicial à minhocona de fogo?

– Não creio – rosnou o saci. – O Boitatá se move através de rios limpos também, e isso não o prejudica. É um elemento puro da natureza. Você saberia disso se tivesse lido o nosso livro do Câmara Cascudo!

– Eu sei, eu sei... Zé, você consegue *virar* aquela caixa d'água para que ela seja derramada?

O anão grunhiu e puxou um gole de sua cachaça de açaí. Deveria significar "sim".

– Então, quando a caixa for derrubada, Beto conduzirá a água na direção do Boitatá, e se der em seguida, escadaria abaixo, para amenizar o incêndio nos andares que estão em chamas e preparar a nossa rota de fuga.

– Boa! – disse Beto, empolgado. – Elis pode me ajudar de lá de baixo! Ela também pode manipular a água, e o bebê está ampliando a área de alcance da mente dela.

– Eu copiei o Beto – disse Elis, no ouvido de Anderson. – *Nós* vamos fazer o que pudermos. Eu e o bebê.

– E eu? – perguntou Chris, enquanto o zurro do Boitatá rasgava o ar. Anderson queria saber o que as pessoas normais à distância, em suas casas, pensavam estar ouvindo. – Onde me encaixo no plano?

– Na parte principal. Você aguenta o meu peso em suas costas, em sua forma de lobo, certo?

– Sim...

Anderson suspirou.

– Estão vendo as partes do Boitatá com a espuma química grudada? Onde ela cai, o fogo não brota. Ou seja, é um lugar seguro para pisarmos...

– *Você quer subir pelo Boitatá?* – perguntou o Patrão, indignado. Boto não conseguiu conter o riso. – Isso é absurdo!

– Para mim, *absurdo* se tornou algo muito relativo, Patrão. – rebateu Anderson, sem se abalar. – Naquele jogo em que vocês me descobriram, as coisas são absurdas na maior parte do tempo. Aqui, em cima desse prédio, as coisas estão absurdas o tempo todo. Eu saí de situações complicadas em Asgorath por diversas vezes com meus amigos, é o que sei fazer de melhor. Coordenar uma equipe. Jogar. Para sairmos daqui, todos nós precisaremos jogar juntos. Por isso, eu digo que Chris vai me levar até a cabeça do Boitatá, e de lá eu aproveitarei a proximidade do helicóptero e pularei para dentro dele, onde está a Mãe. Uma corrente de ar do Patrão me ajudando na hora do salto viria bem a calhar!

– Simples assim? – perguntou Beto, abismado. – E depois, vai socar todo mundo lá dentro e ainda pousar o helicóptero são e salvo?

– Cara, eu zerei Chopper Flight Simulator com 100% de aproveitamento no nível Realism Expert... De todos nós, eu sou o mais indicado para pilotar um helicóptero de verdade.

– Completamente louco – disse o boto, balançando a cabeça e rindo. – Por isso que gostei de você, meu velho.

– Pode funcionar – disse Chris, dando um sorriso encorajador. Seus olhos por trás das grandes olheiras transmitiam a mesma segurança. – Confio em Anderson. Ele já mostrou ser o *cara* contra a Cuca e os capelobos.

Anderson estendeu a mão à sua frente. A primeira mão que pousou sobre a sua foi a de Beto. A segunda foi uma pata de lobo-guará. A terceira não alcançava o monte, e os rapazes precisaram se abaixar para que Zé pudesse colocar sua mãozinha escura sobre a deles. Patrão descruzou os braços, e fez o mesmo gesto.

– Que seja – resmungou.

– Imaginem a minha mão aí! – disse Elis para todos, no fone.
– Vamos jogar! – gritou Anderson.

Pode parecer estranho a essa altura do livro, mas eu, o narrador desta história, também faço questão de deixar a minha opinião, dizendo que o plano de Anderson é estupidamente absurdo e que não me sinto nada feliz com a possibilidade de narrar a morte precoce de um garoto de doze anos que ainda poderia aproveitar toda uma vida pela frente. Mesmo que a grande maioria de vocês nunca vá se deparar com uma cobra incendiária colossal, vale a pena reforçar que não repitam o feito de Anderson em hipótese alguma. Na verdade, no caso de encontrarem qualquer coisa amedrontadora contida neste livro, como mãos-peladas, cucas e lobisomens, corram como se uma tribo de índios canibais famintos estivesse em seu encalço. Não façam como Anderson. Em minha opinião, ele é uma criança sem noção. Mas, enfim, vocês leitores não estão lendo essa história desde o seu começo em Rastelinho para ouvirem o que eu penso. Só queria deixar claro que não influenciei as decisões do protagonista desvairado, e reiterar o meu papel de narrador em terceira pessoa.
Agora, voltemos à programação normal.

A caixa d'água precisaria ser derramada depois que Anderson subisse, para que o Boitatá não se limpasse da espuma e incinerasse o garoto enquanto ele ainda estivesse subindo sobre suas costas.
O garoto acomodou-se precariamente nas costas do lobisomem-guará. Abraçou o seu pescoço e inclinou-se o máximo possível para a frente. Seria difícil manter-se montado quando ele começasse a correr.
– Vamos lá, cara. – disse Anderson ao pé do ouvido do lobo. – Hora de trazer *mamãe* para casa.
Chris disparou, e logo ao se aproximar do Boitatá precisou desviar da cauda em brasa que chicoteou o ar. Anderson segurou-se para não cair, e o lobo pulou sobre uma parte das costas do bicho que estava esbranquiçada pela química de Rios. O lobisomem ganiu assim que botou suas patas no bicho. O fato do Boitatá estar com as chamas apagadas não significava que sua couraça não estava quente... Chris precisou fazer um esforço homérico para se equilibrar com o peso nas costas e ao mesmo tempo suportar a dor nas patas. E Anderson forçava todos os músculos da perna para não desabar de lá de cima. Subir nas costas do Dragão Negro era bem mais fácil. Só requeria o movimento de seus dedos no teclado.
Lá embaixo, Patrão tomava a sua posição bem próxima à serpente flamejante. Zé havia tomado todo o resto de sua cachaça de um só gole,

pois precisaria de toda a força sobre-humana possível para virar aquela caixa d'água. E a cachaça de açaí funcionou. Anderson sorriu ao ouvir o estrondo da água sendo derramada. Ergueu os olhos, como um jóquei tentando enxergar a linha de chegada, e viu que mais à frente a cabeça do Boitatá estava separada do helicóptero de Wagner Rios por apenas cinco metros, ou menos. Lá dentro, um tênue brilho dourado iluminava o magnata. O cofre estava aberto.

Chris continuou, ofegando ruidosamente. Parecia não estar mais aguentando. O Boitatá parecia ter percebido o brilho de ouro e fogo que vinha de lá do helicóptero, e armou-se para um bote ensandecido contra a aeronave de Wagner Rios. Chris apertou o passo. Estava quase em cima da cabeça da criatura. A cobra abriu sua boca, e nessa hora o lobisomem estava bem no topo do crânio em brasa.

Anderson apoiou seus dois pés nas ancas do lobo. Aquele era o momento para saltar. Não olhou para baixo; seria o mesmo que estar voando em um sonho, subitamente lembrar-se que aquilo seria humanamente impossível e começar a despencar. Mesmo com o Boitatá tão próximo do helicóptero, a distância ainda era imensa... Torceu para que os ventos enviados pelo Patrão o ajudassem.

Mas antes que Anderson pulasse, Chris saltou também. Ele daria a força extra de que o garoto precisaria para aterrissar dentro da aeronave. Anderson sentiu a lufada de ar quente ascendente impulsionando-o para cima durante o tempo em que estava voando – Patrão mostrou precisão de cálculo em sua manipulação dos ventos.

As patas dianteiras do lobisomem arranharam a beirada do piso do helicóptero. Anderson rolou para dentro, até parar diante dos sapatos engraxados de Wagner Rios, que parecia estupidamente surpreso com a cena que literalmente se desenrolava aos seus pés.

– Chris! – gritou Anderson, vendo as patas sumirem em um último aflitivo ruído de unhas escorregando. Não queria imaginar que o amigo estivesse indo ao encontro da goela da criatura abaixo.

– Confesso que estou impressionado – articulou Wagner, olhando para baixo e balançando a cabeça de leve. Ele largou o megafone no chão da aeronave e colocou a mão dentro do terno. Iria pegar o Cachimbo de Ouro? – Mas não sei o porquê de todo esse empenho de sua parte. Meus outros helicópteros vão atirar arpões com tranquilizantes especiais no Boitatá, e tudo estará acabado. Perdi um prédio da minha empresa, *oh-que-peninha*, eu já contava com isso. Até que foi um preço justo para colocar as mãos sobre o maior poder de fogo deste país.

Anderson começou a se levantar, percebendo que havia perdido o seu contato com Elis. O fone bluetooth devia ter caído de sua orelha na hora do salto. Wagner ainda estava com a mão dentro do terno, todo o seu lado esquerdo reluzindo, como se estivesse se transformando em uma estátua tocada pelo Rei Midas. O garoto olhou ainda mais para a esquerda. Dentro do cofre.

Lá estava a Mãe D'Ouro.

Uma mulher delicada, pequena, uniformemente dourada. Tão assustada e encolhida no fundo da caixa de ferro aberta que era impossível não sentir pena. Ela era a primeira mulher despida que Anderson via (ao vivo) em sua vida, mas o garoto não tinha dúvidas de que ela não era normal. Não possuía todos os *detalhes* da nudez feminina, era como se fosse apenas um esboço de nu artístico incompleto. Uma ninfa, uma criatura da natureza. Não era humana, e ele já sabia disso.

Os olhos da Mãe, globos de ouro sem pupilas, encararam Anderson. Os lábios da elemental não se mexeram, mas uma voz ecoou gentilmente dentro de sua cabeça.

Faça o que tiver que fazer. Não se preocupe comigo. E cuidado com este homem.

Anderson ergueu-se lentamente. Wagner estava com algo em sua mão, e não era o Cachimbo de Ouro. Era uma pistola automática.

– Sr. Rios, vou ganhar distância da criatura! – gritou o piloto sem olhar para trás. Provavelmente nem percebera que uma criança havia aportado em sua aeronave.

– Faça isso, comandante. – disse Wagner, com aquela calma que Anderson já conhecia. – Já você, rapazinho, deveria ter me escutado naquele dia. Eu lhe dei uma escolha, ofereci uma chance de trabalhar comigo e se destacar. E o que você fez? Continuou com esses ecopiratas, invadindo propriedade privada!

Anderson olhou para trás, pela porta aberta do helicóptero. Não estava se segurando em nada. Se perdesse o equilíbrio, iria se transformar em purê no asfalto das ruas residenciais abaixo. Nem seus pais iriam reconhecer o que sobrasse de seu corpo.

A voz da Mãe falou algo novamente em sua cabeça. Ele entendeu.

– Olha aí quem está falando de pirataria – provocou Anderson, com uma súbita nova ideia estúpida que faria seu amigo Renato atirar-se de testa contra uma parede. – O cara que sequestra criaturas mágicas, que quer aprisionar uma entidade do fogo, que manda crianças como espiãs para dentro de outros lugares... Você que é um pirata de primeira. A Organização só está defendendo os interesses de alguém que não tem escolha, e nem voz.

– Ah, que chatice. Não vamos discutir pontos de vista agora, rapaz. Vamos continuar falando de escolhas. Sim, escolhas são divertidas! Façamos o seguinte: você pode esquecer toda aquela coisa dos capelobos tentando te matar e de espiões envenenando sua comida e vir trabalhar comigo. Ainda enxergo qualidades em você. Toda essa ousadia demonstrada, louvável... Ou, – Wagner chacoalhou o cano da arma na frente do nariz do garoto – você pode morrer de forma rápida e indolor. Um tiro bem na testa, *vapt vupt*.

Anderson fechou os olhos. Sentiu o vento entrando pela porta do helicóptero. E a voz da Mãe.

Não se preocupe comigo. Vá.

– Que horas são, hein? – perguntou inesperadamente, como se estivesse se lembrando de um compromisso qualquer em outro lugar. – Já é mais de meia-noite?

– Quê?! Bom, acho que sim. Por que, sua carruagem vai virar abóbora?

– Não. É que lembrei que hoje é domingo, pede cachimbo. Cachimbo é de ouro, bate no touro...

Wagner Rios enrugou a testa, por um momento pensando que o garoto havia enlouquecido. Acabou percebendo tarde demais o que ele pretendia. A essa altura, Anderson já tinha arrancado de sua mão a pistola e o puxava pelo braço através da porta aberta da aeronave. Ambos mergulharam para o que deveria ser uma terceira escolha de Anderson: destruir Wagner Rios com sua própria vida.

< capítulo 19 >

QUEDAS, DE TODOS OS TIPOS

– **O** touro é valente, bate na gente! – gritou Anderson, cravando as unhas no braço de Rios, que gritou em desespero.

– Seu idiota, você vai morrer!

– Não se você me emprestar o seu brinquedinho – disse o garoto com as bochechas infladas de ar, enfrentando a resistência do vento e enfiando a mão dentro do bolso interno de Wagner antes que ele mesmo o fizesse. Durante o confronto na Vila Madalena, memorizara onde o homem guardava o artefato que havia sido roubado do Patrão.

Anderson sentiu a forma curva do cachimbo em sua mão e fechou os dedos em volta dela. Com a outra mão segurava um braço de Wagner, que por sua vez agarrava o colarinho de Anderson.

– Me dê, senão eu vou morrer! – gritou o homem, agora parecendo realmente desesperado.

– Eu deveria deixar isso acontecer e poupar todo mundo de um grande... BUM!

Os dois corpos atingiram o asfalto de uma travessa deserta dos arredores da vizinhança. Devido ao forte impacto, rachaduras correram pelo chão ao redor de onde os dois corpos haviam despencado. Olhando à certa distância, tinha-se a impressão que os dois indivíduos vindos do céu estavam de mãos dadas, imóveis e clareados por um poste de iluminação pública. Não havia testemunhas para estranhar a ausência de sangue ou miolos espalhados pelo asfalto.

Até que o pé de Anderson se moveu debilmente. E um dos braços de Wagner se dobrou. O Cachimbo de Ouro podia conferir a invulnerabilidade a quem o segurasse, mas isso não queria dizer que um mergulho de dentro de um helicóptero não deixaria tonto e desorientado qualquer um que o portasse.

Mal haviam se recuperado, e o cabo de guerra com o Cachimbo teve início.

– É meu, solte!

– Seu uma ova, é do Patrão!

– Maldito idiota, poderia ter nos matado!

A peleja durou pouco tempo. Naturalmente, Wagner Rios era maior e mais forte, e conseguiu tomar o artefato mágico de volta, com uma torção impiedosa no pulso de Anderson. Os helicópteros continuavam rondando as alturas, o que estava com o cofre jogando seu facho de luz nas ruas abaixo, à procura de Rios.

Na esquina da travessa solitária, faróis de milha iluminaram o garoto e o empresário. O velho Land Rover preto freou bruscamente perto dos dois, e o motorista abriu a porta do carona. Deveria ter rastreado a posição do seu chefe através de um chip GPS em seu celular.

– Senhor, temos que sair daqui antes que o vejam!

Não parecendo estar com tanta pressa, Wagner se dirigiu ao carro enquanto Anderson segurava seu pulso machucado, sentindo-se impotente. Fitou o garoto antes de bater a porta, parecendo rir internamente. Não resistiu a lançar um chavão clássico, mas de efeito.

– Nos veremos em breve.

E se foi, queimando os pneus no asfalto.

Anderson gemeu com a dor no pulso e olhou para cima. Todos os helicópteros sobrevoavam novamente a região da Rio Dourado, e de onde ele se encontrava era impossível enxergar o Boitatá sobre o Bloco D, que tinha vários andares em chamas – e do qual incrivelmente não havia nenhuma sirene de bombeiro se aproximando – talvez Wagner tivesse arranjado um jeito de impedir a chegada deles.

Estava a cerca de duas quadras da empresa e não sabia como poderia voltar para ajudar os outros no topo do prédio. Assim que conseguisse contatar seus pilotos, Wagner Rios ordenaria que a aeronave onde estava a Mãe D'Ouro se retirasse. Anderson e seus amigos precisariam de um milagre para que aquilo terminasse bem...

Sentou na calçada da rua deserta, sentindo-se péssimo. Estava perdido, perdido...

– *Psiu*! Anderson?

Ergueu a cabeça depressa, não esperando ouvir *aquela* voz *naquele* momento. Muito menos ver aquela cara vindo do alto, em sua direção.

– Kuara?! O que... o que você está fazendo aqui?

– Resolvi seguir o Carro Verde, caso vocês precisassem de uma ajuda – respondeu ela, pousando no joelho do garoto – Fiquei um bom tempo escondido nas árvores de cima da van, mas aí pensei que não seria problema dar uma passadinha no Instituto Butantan. Sabe, ele fica aqui pertinho, e tenho tantos amigos lá que...

– Kuara, preste atenção! – interrompeu Anderson, sabendo que se deixasse, a arara iria reproduzir todas as suas conversas com seus colegas emplumados, nos mínimos detalhes – Precisamos dar um jeito de me fazer voltar para o topo daquele prédio, está vendo?

Kuara olhou, depois voltou seus olhos brilhantes para Anderson.

– Ok. Mas antes preciso contar algo muito difícil: eu menti para você.

– Uai, como assim? Mentiu no quê?

– Eu não sou uma arara comum.

– Não brinca.

– Eu havia dito que nasci assim, falante, mas não é verdade... Quando eu ainda era um minúsculo filhote sem todas as penas em meu corpo, na região da Selva Amazônica, eu acabei comendo um guaraná especial cultivado por feiticeiras icamiabas e ganhei o surpreendente dom da fala. Foi difícil para minha mãe me aceitar de volta no ninho, já que eu era diferente dos meus irmãos...

– Kuaaaara... Não que eu não esteja interessado em sua autobiografia, mas temos um problema agora que...

– Tá, tá, tá! Vou resumir: mais tarde, anos depois, eu resolvi comer umas outras frutinhas sem saber a procedência das mesmas... E acabei ingerindo o açaí mágico que os caiporas, assim como o Zé, usam para fazer aquela bebida que lhes confere superforça, agilidade e...

– Você não ia resumir?

– Aaaah, mas que inferno! Ok, eu queria dizer que eu posso te erguer até lá em cima do prédio.

Anderson mexeu os lábios sem emitir som algum.

– O quê, não vai querer? Eu te aguento, você é magro como um sagui esfomeado.

– Obrigado por isso. Eu vou aceitar a carona.

Kuara fechou suas garras ao redor dos pulsos de Anderson, gentilmente. Voar daquela forma não era tão suave quanto dar um passeio aéreo com o Patrão; a arara subia e descia conforme batia as asas, e o garoto fechou bem os lábios quando a sensação de enjoo revirou o seu estômago.

Quando Kuara parava de movimentar as asas e deixava-se planar, o efeito era bem mais agradável. Anderson teve uma vista completa do topo do Bloco D. Notou que os helicópteros estavam mesmo enlaçando o Boitatá com arpões. O bicho quase não tinha mais chamas lambendo o seu corpo, e não conseguia lutar com toda sua força para se livrar dos cabos de aço. Viu Beto tentando cortar um cabo com sua faca, mas sem sucesso. Patrão arrastava homens desacordados para longe do perigo. Zé acenava para Anderson e Kuara, e nem sinal de Chris, para sua infelicidade...

Mesmo sem a presença de Wagner, o helicóptero em que o homem estava continuava comandando a operação. O piloto soltou mais uma pequena carga reserva de espuma química bem na cara da cobra gigante, e o Boitatá soltou um lamento rouco que ecoou na noite. Estava quase derrotado...

– Mudança de planos, me leve para aquele helicóptero!

– Acho que o Zé está querendo ir junto – observou Kuara – Ele não para de fazer tchauzinho pra gente.

– Você aguenta ele também?

– Claro que sim. Eu não sou uma codorna.

A arara deu um rasante que quase fez seu passageiro tocar os pés no chão, e o semicaipora saltou sobre suas costas, como uma mochila exótica. Anderson teve tempo de pensar que daquela exata maneira poderia participar de um concurso de cosplayers, representando Luke Skywalker com o Mestre Yoda em suas costas através dos pântanos de Dagobah, em *O Império Contra-Ataca*.

Kuara subiu novamente, e voou bem perto do monstro enfraquecido. A ave fez uma manobra impressionante e conseguiu largar seus dois passageiros dentro da porta aberta do helicóptero. De volta a bordo, a primeira coisa que Anderson fez foi verificar como estava a Mãe D'Ouro... Se abaixou na frente do cofre, e ela o encarou com um pequeno sorriso, seu corpo frágil tremendo e o seu fulgor dourado quase se apagando.

Estou orgulhosa de você. Mesmo que não consigamos sair daqui com vida, você foi um herói hoje, não duvide disso.

– O dia ainda não acabou, senhora – respondeu Anderson, em voz alta mesmo. Ouviu um ruído familiar, e quando olhou para o piloto, ele estava tombado com a cara no console da aeronave. Um pequeno dardo estava espetado em seu pescoço, e Zé estava de pé no banco do copiloto, meio perdido.

– Bom, eu tinha esperanças de que nós conseguíssemos forçar o piloto a pousar... Mas agora já era. – suspirou profundamente e olhou para a arara pousada sobre o cofre. – Kuara, pegue este piloto, a Mãe e Zé e dê o fora daqui!

– Negativo – respondeu a ave. – Vamos ficar juntos até o fim.

Zé colocou sua mãozinha sobre o ombro de Anderson. O efeito da cachaça com açaí mágico parecia estar passando, e sua pele voltava a clarear.

– Estamos... *hic!* ...juntos.

Anderson sentiu os olhos umedecerem. Na Organização, não tinha encontrado apenas novos amigos. Também tinha encontrado um punhado de gente mais teimosa do que ele mesmo.

– Então, vamos lá! Me ajudem a tirar esse cara do manche...

O helicóptero rodava, sem controle. Zé ajudou Anderson a desafivelar os cintos de segurança do piloto, e o deitaram no chão. Anderson assumiu o seu lugar e tentou se concentrar. *Ainda é um jogo, só mais um jogo... É apenas o Chopper Flight Simulator no nível de dificuldade Realism Expert Para Pilotos de Guerra Condecorados e Aposentados.* Puxou a alavanca para trás. A nave deu uma guinada brusca, mas parou de rodopiar em seu eixo. Anderson viu alguns botõezinhos que julgou serem os controladores de potência das hélices e resolveu ir abaixando metade deles, aos poucos.

Sim, eram eles mesmos! Foram perdendo altura, mas de forma nada tranquila.

– Segurem-se! – gritou, suando por todos os poros possíveis.

O helicóptero *despencou* bem na beira da cobertura, com sua metade traseira para fora do prédio, por pouco não indo parar no estacionamento do Bloco D. Anderson bateu com a cabeça do painel, e sentiu uma dor excruciante na testa. O mundo ameaçava apagar ao seu redor, mas ele fez força para manter-se acordado. Recebeu outra mensagem telepática da Mãe D'Ouro, o que de alguma forma o ajudou a não desmaiar.

Me carreguem até o Boitatá. Preciso chegar até ele.

Anderson levantou-se, tonto e com sangue escorrendo pelo rosto. Zé ofereceu-se para carregar a Mãe, mas Anderson recusou com a cabeça. Era a sua teimosia se manifestando. Faria o trabalho até o fim.

A mulher dourada era tão leve quanto uma criança. Ela se deixou ser erguida, e passou um dos braços finos por trás do pescoço de Anderson, que deixou o helicóptero. Caminhou quase dez metros até o Boitatá, que agora estava com mais de cinco arpões cravados em seu couro. A visão fez Anderson apertar o passo.

Deixe-me tocar nele. Depois, se afaste o mais depressa possível.

Anderson chegou bem próximo do corpo da serpente. O suficiente para que a elemental esticasse o seu indicador até a couraça daquela entidade folclórica tão erroneamente descrita em tantos relatos.

E quando as duas lendas entraram em contato, houve ignição imediata. Ouro e fogo. Anderson foi atirado de costas por alguns metros, e contemplou todo o resultado de seu esforço ainda deitado. O Boitatá iluminou-se da cauda à cabeça desprovida de olhos, com chamas tão altas e intensas que os arpões de aço começaram a avermelhar-se, avermelhar-se, até se partirem em uma sequência de estalos. O rugido estrondoso que o monstro deu faria Anderson não achar mais graça nenhuma em qualquer sala de cinema com sistema de som Dolby Digital Surround, pelo resto de sua vida. A fúria cega estava desperta novamente, e sua boca cuspiu chamas contra as aeronaves que ainda estavam no céu. Todas elas se incendiaram, e precisaram fazer pousos forçados ainda mais desastrosos que os de Anderson.

Já a Mãe D'Ouro também estava mais viva do que nunca. Flutuava a alguns centímetros do chão, ao lado do Boitatá, o fulgor que emanava de seu corpo transformando-a em um sol noturno. Seria impossível dizer se ela era feita de fogo ou ouro. Mas no final das contas, onde há fogo, há ouro. Ambas as coisas poderiam queimar alguém até as cinzas se não fossem usadas com sabedoria e cautela.

Depois o Boitatá, apesar de ainda ser o colosso amedrontador, tornou-se manso, e se arrastou até onde a Mãe estava. Suas chamas não estavam mais altas e destrutivas, pois o conflito terminara. A serpente parecia uma grande tora em brasa, inofensiva. Linhas transparentes de calor dançavam ao redor dela. Como um grande filhote, encostou sua cabeça na elemental, como se verificasse se tudo estava bem. A criatura havia viajado milhares de quilômetros, queimando tudo em seu caminho, para poder socorrer a sua semelhante. E a Mãe afagou o bicho. Ela era a única que poderia fazê-lo sem se machucar.

Patrão saltou até Anderson, tão depressa que nem percebeu seu cachimbo caindo no caminho. Estendeu a sua mão firme para ajudar o garoto a se levantar, e não soltou a de Anderson mesmo quando ele já estava de pé.

– Você tem fibra, moleque. Realmente. Todos nós devemos algo a você.

Mesmo com o utópico elogio do saci, Anderson não sabia se aquilo seria o suficiente para fazê-lo sentir-se feliz. Ele precisava saber como Chris estava depois de seu feito heroico. E não pôde deixar de sorrir ao vê-lo em sua forma humana, com mais um uniforme de segurança afanado, as mãos e os pés mergulhados em uma poça de água parada, da caixa d'água destruída.

– Nem se preocupe comigo, cara. Um pouco de pomada para queimaduras e estarei novinho em folha. – ele sorriu para tranquilizar Anderson – Só não vou poder tocar piano por um tempo...

Anderson abaixou a cabeça, sentindo-se culpado.

– Foi mal, cara... Foi minha ideia...

– Foi mal?! – Chris latiu uma risada – Meu velho, você salvou a noite do jeito mais esdrúxulo possível, e ainda resgatou a Mãe! Fez muito mais do que a sua parte na missão. Todos nós devemos algo a você por hoje. Umas patas queimadas não são nada perto da coragem e da inteligência que você demonstrou hoje.

Anderson arquejou. Sentiu-se pior ainda de um momento para o outro. Com toda aquela ação maluca na última hora, tinha esquecido completamente de Olavo. Mal começou a perguntar do rapaz, e Beto o sossegou.

– Relaxa, cara. A Elis me disse agora no fone que ele voltou pra van. O japa deve ter passado algum apuro e acabou perdendo o principal da festa. A propósito, nota dez pra você!

Alguns metros mais à frente, sob a sombra que o Boitatá fazia contra a luz da lua que despontava acanhadamente no meio das nuvens, o Patrão e a Mãe D'Ouro contemplavam-se frente à frente, sem se mexer ou se tocar. Havia algo imenso entre os dois, imenso e invisível. Todos conversavam felizes, até Zé voltava lentamente à sua forma civilizada, mas Anderson não conseguia tirar os olhos dos dois. Sorriu. Lembrou-se da história de como o escravo se tornara o saci, e de como a senhora dourada o havia feito aguentar o seu suplício com suas visitas. De como havia dado esperança quando o homem mais precisava.

– Ainda não é a hora – ouviu o Patrão dizer, os olhos úmidos – Eu ainda não posso deixá-los sozinhos. Um dia... talvez muito em breve...

E o velho saci se calou. A Mãe apenas esticou suas mãos e deixou os dedos correrem pela face daquele que um dia fora um escravo, e hoje era a personificação do vento. Anderson não a escutou dizer nada, mas sabia que ela não precisava de uma voz para que o Patrão soubesse o que ela queria transmitir.

Então os dois se afastaram, com muita dificuldade. O saci tratou de não voltar para perto do grupo, e foi para a beira do Bloco D, espiar a cidade. Lampejos vermelhos eram percebidos à distância, e o som de sirenes. Os bombeiros estavam chegando. Anderson sentiu o estômago afundar ao perceber que a Mãe estava olhando diretamente para ele com aqueles dois faróis dourados e luminosos.

Esticou um indicador e o chamou até si. Anderson obedeceu, dando passos um pouco inseguros enquanto admirava a beleza exótica da elemental. O Boitatá, dócil, acompanhou a passagem do menino com um movimento de sua cabeça sem olhos, como um labrador bem treinado.

A Mãe pegou nas mãos de Anderson, juntou-as e as envolveu com as suas próprias. Pequenas, delicadas e quentes. A sua voz ecoou novamente dentro do garoto.

Que a chama de sua coragem nunca se apague. E que sempre haja ouro em seu coração. Ubi Est Ignis Est Aurum.

Ubi Est Ignis Est Aurum. Anderson repetiu em voz baixa, saboreando aquela língua alienígena. Talvez pelo fato da mensagem não ter sido passada a ele por um dos cinco sentidos tradicionais, o seu significado também foi-lhe transmitido, mesmo que Anderson não soubesse absolutamente nada de latim.

Onde há fogo, há ouro.

Então ela flutuou com leveza até o dorso do Boitatá, que pareceu ronronar com toda a meiguice que uma cobra de fogo titânica poderia demonstrar com uma irmã elemental. Anderson continuou meio que em estado de choque, com as mãos fechadas e os bolsos da calça estranhamente pesados.

A Mãe e o Boitatá estavam indo embora, de volta a seus lares na natureza, longe da cidade grande e suas arapucas. A mulher se inflamou até que o seu corpo se transformasse na bola de fogo que há muito tempo assustava mineiros e mantinha filões de metal precioso escondidos. O Boitatá a acompanhou e acendeu com toda a sua potência. As duas criaturas ígneas passaram a emitir tanta luz, que seria impossível divisar as duas formas. Anderson e todos os outros tamparam os olhos quando o brilho atingiu potência máxima e se dispersou em uma única onda para todos os horizontes possíveis. Quando abriram os olhos, Mãe e cobra tinham partido. E todo o grupo não estava mais no topo do Bloco D.

De fato, o prédio destruído e fumegante estava muito distante. Anderson, Patrão, Zé, Chris, Kuara e Beto estavam do outro lado da Avenida

Vital Brasil, há cerca de trinta metros da van onde Elis coordenava a comunicação entre o grupo, e onde Olavo também os aguardava. O garoto, por sua vez, continuava com suas mãos fechadas em concha, parecendo um pouco bobo.

– Não vai abrir, não? – perguntou Chris, sorrindo.

Anderson afastou as palmas, e perdeu qualquer capacidade de falar. Suas mãos estavam recheadas de pequenas pedras preciosas, e lascas de ouro maciço. Um carnaval de cores verde, dourado e vermelho. Quantos Lamborghinis ele estaria segurando ali? Lembrou-se do Patrão dizendo que receber ouro das mãos da mãe era uma benção incalculável... Quantas pessoas haviam passado por isso em toda a história do Brasil?

Beto riu da cara perplexa que Anderson fazia. Zé, voltando aos poucos à polidez e à civilidade, deu tapinhas em suas costas.

– Conforme prometido, *hic!*, seu pagamento em dinheiro pela participação.

Anderson deu passos estranhos até a van. Suas calças ficavam caindo, como se tivessem perdido o elástico de uma hora para outra. Beto, feliz e ansioso por rever a noiva após muitas semanas de disfarce como guarda de Wagner Rios, foi na frente e abriu a porta de correr do Carro Verde.

– Não se mexa! – comandou Olavo, assim que a luz de um dos postes da praça iluminou o interior da van.

O arqueiro havia passado um braço pelo pescoço de Elis, e com a mão livre encostava uma faca afiada na pele branca da garota. Anderson sentiu os joelhos bambearem com a brusquidão daquela cena. Por alguns segundos, todo o grupo não respirou, sequer se moveu. Anderson foi o primeiro a receber o turbilhão de novas ideias e entender o que estava realmente acontecendo. Mas Beto foi o primeiro a gritar, colérico.

– Que brincadeira é essa, Olavo?!

– O que te parece, Cor-de-rosa? – respondeu o arqueiro, com um sarcasmo gelatinoso em sua voz – Agora todo mundo para trás, ou eu faço uma cesariana prematura na tua noiva.

– Seu maldito!!! Trinta vezes maldito, não ouse...

– Para trás, Beto – disse Patrão com calma, o que não significava que ele também não estivesse surpreso. Segurou o boto pelos ombros, com firmeza, e se dirigiu a Olavo. – Por que está fazendo isso, meu filho?

– Não o irritem, por favor! – ofegou Elis, parecendo sufocar com o aperto de Olavo. – Tenho certeza que nosso amigo está confuso por algum motivo, vamos conversar... Ai!!!

– Nem mais uma palavra, nada de tentar me convencer com feitiçozinhos – Olavo sibilou, sem desgrudar os olhos de Patrão e Beto, que estavam mais próximos. Anderson percebeu que a faca estava tão apertada contra a pele de Elis, que uma bolinha de sangue crescia na ponta da lâmina. – O gume da faca está com veneno de jequiranaboia aditivado, então é melhor não tentarem nada muito drástico.

– Por um acaso é o mesmo veneno que você colocou no lanche de Anselmo? – perguntou Anderson, que temia já saber a resposta.

Respostas, no caso. Se perguntasse mais, descobriria que o emprego que fazia Olavo se ausentar tanto se tratava da duplicidade de sua vida servindo à Organização e à Rio Dourado. E que havia sido ele que de alguma forma dissera à Cuca de Wagner Rios que aguardasse por ele nas imediações da Santa Ifigênia. Anderson deu um passo à frente, as mãos ocultando toda aquelas joias naturais que a Mãe D'Ouro havia materializado:

– O mesmo que você colocou no mousse de maracujá?

– S-sim – respondeu Olavo, e todos ao redor arquejaram. E, de certa forma, puderam perceber que por trás de toda a frieza do verdadeiro traidor e assassino, havia um pouco de arrependimento. Se não isso, talvez o medo da punição. – Fui eu, mas vocês precisam entender que eu tive que fazer isso!

– E por quê?! – Chris estava às lágrimas de raiva e decepção. – Você *era* o meu melhor amigo, cara... Do que você tanto precisa que o Wagner Rios te prometeu?!

– Você não sabe como é ter uma vida boa, Chris! – berrou Olavo, fazendo Elis apertar os olhos. Ela também chorava. – Eu tive toda uma infância saudável, ao lado dos meus pais... e do meu irmão... Eu tinha tudo do bom e do melhor! E então, porque minha família morre, eu sou largado no mundo! E tenho que viver com o mínimo possível, porque o Patrão não quer que tenhamos dinheiro! Que tenhamos uma vida feliz!

– Você está distorcendo o meu propósito, Olavo. – trovejou o saci.

– Estou nada! Eu não sei como vocês vão mudar o mundo, e parece que é isso que você pretende, Patrão. Que todos sejamos pobres, para aprendermos a valorizar a amizade, a liberdade de pensamento e o escambau a quatro... Essas coisas vão me fazer feliz?! Vão trazer minha família de volta?! Minha felicidade de volta?!

– E o dinheiro, vai? – rebateu Anderson. O arqueiro ficou atordoado, e por um segundo afrouxou o aperto em Elis. Mas logo percebeu sua fraqueza e retomou a atenção.

– Não, mas Wagner Rios pode fazer isso.

– Como, seu imbecil?! – gritou Beto, querendo mergulhar dentro da van e arrancar a língua de Olavo. Kuara ajudava o Patrão a segurá-lo pelo uniforme de segurança, enterrando suas patas na gola. – Sua família está morta! As famílias de muitos do Casarão estão mortas! O que aquele crápula vai poder fazer por quem já partiu, hein?!

Silêncio do traidor. E então a resposta.

– Rios os trará de volta. Meus pais. Meu irmão...

– Ninguém pode fazer isso, seu estúpido – gemeu Elis, entredentes.

– Calada! *Ele* pode. Ele... me provou isso.

– Como? – inquiriu Anderson.

– Vocês nunca entenderiam. – Olavo tinha seus olhos dilatados, como se estivesse possuído pela loucura. Pelo fanatismo. Anderson já havia visto semblantes parecidos em documentários sobre seitas religiosas que ele havia baixado há pouco tempo. – Tentando capturar o Boitatá, ele estava apenas chamando a atenção de algo *maior*. Alguém poderoso, que nem todas as forças da natureza poderiam conter.

– Quem? – perguntou Patrão, que ao lado de Anderson era o mais calmo ali. Os dois pensavam em maneiras de livrar Elis da situação em vez de se desesperarem. Zé apenas observava atrás de todo mundo, esquecido em sua pequenez.

– Eu... não posso falar! Não posso! – um mínimo fio vermelho desceu pelo pescoço de Elis e manchou a gola da blusa da sereia. Olavo estava se descontrolando. – Eu liberto a Elis se *você* vier comigo! – o arqueiro apontou para Anderson, atropelando-se em sua própria língua. Não era um sequestrador com prática.

Anderson se surpreendeu com a condição de Olavo. Pouco atrás, percebeu com sua visão periférica que Zé colocava a mão dentro de sua bolsa de pano... Provavelmente iria arriscar um dardo contra Olavo, o que poderia resultar em um desastre caso ele errasse.

– Espere – Anderson sussurrou para o semicaipora – Eu quero tentar algo. Está tudo bem!

Zé mostrou-se em dúvida se aquilo seria prudente, mas por fim afastou a mão de seus soníferos. Anderson chegou bem próximo da porta da van, as mãos ainda juntas. Não consultou a expressão de Patrão, pois sabia que ele desaprovaria uma aproximação daquelas.

– Eu vou com você. Liberte Elis. Por favor, Olavo.

– O que você tem nas suas mãos?! – gritou, sem desfazer o aperto na garota grávida.

– Nada que o coloque em risco – respondeu Anderson, tendo que elevar a voz. As sirenes dos caminhões de bombeiros do outro lado da rua abusavam dos tímpanos de todos. – Pelo contrário, é algo que pode ser bom para você.

Olavo piscou. Empurrou Elis para fora da van, e com velocidade agarrou um dos pulsos do garoto, colocando a ponta da faca diante de seus olhos.

– O que pode ser bom para mim? – rosnou.

Anderson engoliu em seco ao ver a ponta da faca tão próxima de sua órbita. Então, sem escolha, abriu as mãos lentamente, fazendo algumas pedrinhas rolarem para o chão e para o asfalto.

– Você não precisa do dinheiro sujo de Wagner Rios. Leve isto, e fuja para bem longe... Tem o suficiente para você recomeçar a sua vida em qualquer lugar do país. Do mundo! Vá embora, mas, por favor, não acredite naquele homem. Ele está te usando, e não vai trazer sua família de volta...

– Você não sabe de nada! – Olavo berrou, quase empurrando a faca para dentro do olho de seu novo refém. – Não conhece a dor de perder tudo, e de ser abandonado quando você nem ao menos sabe o que é a vida! Sete anos! Eu tinha só sete anos!

– Não sei, não sei mesmo – concordou Anderson, que com aquela conversa de "você-não-sabe-o-que-passei" lembrou-se subitamente de Pedro. Onde estaria o garoto, se ele não era o verdadeiro culpado? – Mas não quero que você experimente mais dores. Já basta a culpa que você deve sentir por causa de Anselmo...

– Se eu não fizesse o que Rios pedia, então eu nunca veria minha família de novo! – estourou Olavo. – Minhas mãos já estão sujas, eu...

– Então as lave. Arrependa-se, e pare de servir o demônio em forma de empresário. Vá, leve todo esse ouro, se é tão importante para você! Leve o Carro Verde, e suma daqui, para bem longe. Rios está te enganando, e não vai trazer sua família de volta. Faça que seus pais se sintam orgulhosos de você, onde quer que eles estejam agora! – Anderson ofegava. Estava proferindo todo o fluxo de pensamentos que passava por dentro de sua cabeça, para que Olavo enxergasse um pontinho de sabedoria na escuridão em que havia mergulhado. E então arrematou – Faça isso por Anselmo.

O dique que havia por trás dos olhos apertados de Olavo estourou. Ele largou o pulso de Anderson e abriu suas mãos em concha, recebendo toda a riqueza que estava nas mãos do rastelinhense, que não sentiu pesar em momento algum por se desfazer daquelas pedras. Fora um suborno que talvez estivesse salvando a alma de alguém que havia se perdido pelos caminhos tortuosos da vida.

Anderson deu as costas para Olavo, e viu que todos os olhos de seus amigos estarreciam-se sobre ele. Então, o ex-arqueiro da Organização o chamou de volta, com a voz fraca, e disse aos sussurros.

– Eu... acho que cometi outro erro...

– Pode falar, Olavo.

– Eu... eu não tive coragem de dar a localização da Organização para Rios, durante todo esse tempo que servi como seu informante. Eu também não quis trazer Pedro para a Rio Dourado, apenas o tranquei no porão de um bar abandonado no Bixiga...

– Mas isso é bom, não é? Prova que você ainda sente algo...

– Não! – ele disse, com sofreguidão – Agora há pouco, quando eu sumi das vistas de vocês, eu falei com Rios pelo rádio... E ele me convenceu a contar a localização do casarão para apenas uma pessoa... Oh, meu Deus, ele ameaçou nunca mais trazer minha família, aquele filho de uma...

– Calma, cara. Calma! Para quem você contou? Me fale!

Olavo tinha os olhos vermelhos. A cor da vergonha e do arrependimento.

– Para Tomás.

– Quem? – perguntou Anderson, sem entender. Aquele nome não significava nada para ele.

– Tomás, irmão gêmeo de Tobias... O capelobo que você matou na Vila Madalena...

Anderson levou um choque que percorreu do dedão do pé às pontas de suas orelhas. Olavo começou a falar mais alguma coisa.

– Se vocês forem rápidos, talvez tenham tempo de salvar as crianças... Ele estava sedento por vingança, vai acabar com todo mundo que estiver no casarão! Minha nossa, me perdoem, me perdoem, me perdoem...

Anderson girou nos calcanhares, o coração quase parando. Elis tapava a boca com as mãos e Kuara começou a voar em círculos, desesperada. Sua dona, Tina, estava correndo perigo. Haroldo, Laís, Reinaldo... todos os outros. Todos.

– Me desculpem, eu matei todos eles, me desculpem... – chorava Olavo.

– Venham, segurem-se! – comandou Patrão, sem demorar mais um segundo. Como se já conhecessem o procedimento, Chris, Zé e Elis deram-se as mãos e dividiram-se entre os dois braços do saci. Anderson e Kuara seguraram-se no braço de Chris, e assim decolaram em meio do redemoinho de poeira e ar quente.

Ainda com o equilíbrio abalado pela vertigem da viagem, Anderson pôs-se a correr assim que botou os pés no quintal dos fundos da Organização. Todas as janelas estavam abertas, luzes acesas... mas um silêncio sepulcral pairava no ar que esfriava, já que o Boitatá já devia estar bem longe de São Paulo – graças ao teletransporte flamejante da Mãe D'Ouro.

– Não, por favor... – gemeu ele, sabendo que já devia ser tarde demais.

Na urgência de entrar na casa, Anderson só não correu mais depressa que Chris em sua forma de lobo, que passou por ele rosnando e ignorando as queimaduras em suas patas.

– Anderson! Chris! Esperem, vocês não sabem quem pode estar aí dentro! – gritou Elis, contendo-se para não entrar em prantos. Os dois ignoraram o pedido da sereia e atravessaram a cozinha revirada e cheia de cacos de louça e vidro espalhados. Irromperam na sala comunal segurando a respiração, temendo o pior...

E então estacaram, chocados.

< capítulo 20 >

CARAS DE VELÓRIO

– Desculpe a bagunça – disse Tina, descabelada e um pouco maltratada. Ao seu redor, aparentemente todas as crianças da Organização estavam sentadas no chão e nos degraus das escadas, em silêncio, parecendo bastante assustadas. Tina estava no braço do sofá, com Capivera ao seu lado e com os pés (um deles enfaixado com uma tala improvisada) sobre um volume esparramado no chão, que parecia ser um tapete embolado – Mas vocês demoraram, e precisamos dar um jeito no monstro.

Anderson correu para abraçar a garota, sem pensar direito no que estava fazendo. A menina riu, cansada, e retribuiu o carinho do amigo.

– Estou ficando sem ar! – riu a menina – E cuidado aí onde você pisa! Não sei se essa coisa está morta o suficiente...

Anderson descobriu que o tapete embolado era o corpo do capelobo, que jazia em um ângulo estranho. Havia uma chave de fenda cravada no umbigo do monstro, emprestada da caixa de ferramentas de Chris.

– Minha nossa, o que aconteceu aqui?! – gritou Beto, abraçando Elis e olhando o caos que um dia fora a sala comunal. Foi seguido de Patrão e Zé, que começaram a contar todas as crianças e a fazer uma chamada oral. – *Vocês estão bem*!

– Poxa, Betinho. Isso não pareceu uma pergunta! Queria que tivesse sido o contrário? – brincou Tina, orgulhosa – Deu trabalho, mas nenhum capelobo resiste a um punhado de crianças juntas... E a uma capivara defendendo sua dona, claro!

– Como aconteceu? – perguntou Anderson, sem tirar os olhos do corpo no chão.

– Eu percebi que Capivera estava inquieta, e tratei de ficar alerta. Quando o monstro derrubou a porta, corri para o porão na tentativa de me trancar lá dentro, e de pegar algum arco para me defender... Então soei o alarme de perigo, e o pessoal desceu as escadas rapidinho, cada um segurando alguma coisa pontuda ou pesada. Não precisei de muito tempo para descobrir que se tratava de um capelobo, percebi pela língua sugadora de miolos... Então, Haroldo chegou com a chave de fenda, e eu gritei para que ele acertasse o ponto fraco da criatura. O capelobo ainda o derrubou, e eu peguei a chave de fenda que rolou pelo chão... O saldo foi positivo, até... alguns pulsos torcidos, Haroldo quebrou o braço, eu acho que luxei o tornozelo... Mas aqui estamos nós! E vocês, se divertiram na Rio Dourado?

Com o efeito da adrenalina passando, Anderson sentiu uma súbita vontade de desabar ali mesmo, sobre o capelobo morto, e dormir profundamente.

Tudo havia dado certo.

Quando Anderson despertou de sua hibernação pós-missão, já era a hora do almoço de domingo. Tudo aquilo havia sido verdade? A infiltração no sistema de segurança, o confronto com a multidão de guardas, o Boitatá, a queda do helicóptero com o Cachimbo de Ouro, Kuara erguendo-o de volta, o pouso forçado, a descoberta da traição de Olavo... Mesmo em seus sonhos, a sua mente não era tão criativa e bizarra quanto fora a sua última noite.

Anderson levantou-se da cama, sentindo algo nos bolsos. Ah, sim. Tinha até esquecido de esvaziá-los antes de se deitar. Eles também estavam repletos de pedrinhas douradas, verdes e vermelhas. A Mãe as materializara em seus bolsos, e felizmente aquelas não tinham sido necessárias para convencer Olavo a se mandar com o Carro Verde e desertar do comando de Wagner Rios.

Sorriu consigo mesmo, e as guardou dentro das caixas onde estavam os antigos pertences de Anselmo. Faria aquele prêmio valoroso valer a pena, futuramente. Ficou com apenas três das pedrinhas para comprar uma lembrança para os seus pais no caminho de volta a Rastelinho, e para poder repor o estoque de bolas perdidas do professor Silveira.

Antes de descer para almoçar com pessoal, Anderson tomou uma ducha gelada – já tinha passado calor demais no dia anterior, suficiente para todo o ano. A sala ainda estava bagunçada, as janelas estilhaçadas, e ainda tinha a ausência da porta de madeira que havia sido derrubada pelo capelobo. Falando nele, nem sinal de seu corpo. Anderson preferia não saber o que havia sido feito do cadáver. Ao menos, o capelobo levara para o túmulo o segredo da localização do Casarão... Se Olavo não estivesse mentindo, claro. Mas Anderson poderia apostar que não. O traidor não estava emocionalmente capaz de mentir naquela breve conversa na van. Foi para a cozinha, pensativo, e assim que entrou sobressaltou-se com o súbito arrastar de cadeiras.

E com todos os membros da Organização o aplaudindo de uma só vez.

– Anderson Coelho, ontem não foi possível prestarmos as devidas homenagens em nossa chegada, devido às circunstâncias! – disse Zé, em sua habitual voz engraçada, assim que os aplausos cessaram. Estava com o seu terno branco, e sem nenhum vestígio de selvageria caipora nos olhos ou na fala – Mas saiba que toda a Organização lhe parabeniza pelo empenho demonstrado, e pela ajuda que nos foi prestada. A sua coragem merece um brinde à parte, penso eu – levantou o seu copo, e todos o imitaram. – Acho que falo em nome de todos aqui quando lhe dou o mais sincero "Muito Obrigado!"

Mais aplausos. Anderson sentiu o rosto quente, tão quente quanto na ocasião em que estava escalando o Boitatá no lombo de Chris. Beto se adiantou até o garoto e lhe entregou um copo de limonada, e o puxou até perto da mesa, onde recebeu abraços, tapinhas nas costas, apertos de mão e beijos das meninas. Kuara bicou sua orelha e Capivera comeu a ponta de seus cadarços. Patrão, dando mais uma rara folga à sua carranca, ergueu o seu copo, de onde estava sentado, e sorriu com dentes brancos como sulfite. Anderson ergueu o seu copo na direção do Patrão, em agradecimento.

Ao fim da mesa, alguém brindava à sua saúde. Lá estava Pedro, de volta de seu cativeiro, encarando o seu pão com manteiga de maneira quase apaixonada. Não estava disposto a começar a ser cordial com Anderson naquele momento, o que de certa forma era bastante compreensível. Deveria estar ainda muito assustado por ter sido sequestrado por Olavo, e usado como bode expiatório para que todos pensassem que o traidor havia fugido. Mais tarde, naquele mesmo almoço, Anderson descobriria que logo após terem voltado da missão, Chris farejou pelas ruas do Bixiga em busca de Pedro, e o encontrou pouco tempo depois a cerca de três quadras do casarão, nos porões de um bar abandonado – como Olavo havia dito.

O domingo de folga de Anderson foi transcorrendo como um sonho despreocupado. Mais divertido do que qualquer festa da escola, pois lá não havia valentões como Everton e Alexandre. Conversaram sobre antigas missões de sabotagem a grupos que caçavam tartarugas no litoral – narradas com vivacidade por Beto, que sempre liderava as missões em cenários aquáticos –, sobre situações engraçadas que aconteceram em coletas e sobre histórias de Zé bêbado. Sempre que Olavo aparecia na narrativa de alguém havia um silêncio desconfortável, e como se fosse um acordo preestabelecido, todos fingiam não ter escutado a menção ao ex-membro, e mudavam de assunto ou continuavam como se nada houvesse acontecido.

Mesmo após os comes e bebes terem se esgotado, a animação do grupo parecia estar muito longe do mesmo fim da comida. Anderson tirou algumas dúvidas da cabeça durante tudo aquilo, conversando um pouco com cada um. Tina lhe contou que de manhã os noticiários mostravam imagens do Bloco D da Rio Dourado, completamente arruinado. A causa do incêndio e da depredação era atribuída a arruaceiros que não concordavam com a passeata pró-Wagner Rios, realizada na última noite.

– Wagner Rios foi entrevistado em uma de suas casas fora de São Paulo, dizendo que precisaria de férias ao lado da família – disse a garota, indignada. – De óculos escuros, se fazendo de vítima. Falou com a maior cara de pau que, pelo fato dele "estar ajudando pessoas necessitadas e provocar desagrado a autoridades políticas, era normal que pessoas poderosas se sentissem ameaçadas pela sua benevolência". Foi o que o cachorro disse! Ele está se colocando ao lado do povo, e insinuando que alguém do governo poderia ter causado o incêndio em sua empresa, como um alerta para que ele não se envolvesse com nenhum cargo público...

– Ele transformou as perdas que ele sofreu em pontos para sua imagem – disse Anderson.

– É bem por aí. Ele deve estar preparando o terreno para entrar na política... E isso não pode acontecer. O povo ainda não entende que nem tudo o que a televisão diz é a verdade absoluta. Elas não imaginam o mal que Rios já causou ao meio ambiente, e nem devem sequer cogitar que os incêndios foram causados pelo plano absurdo dele, de aprisionar o Boitatá.

Anderson não ouviu muito bem as palavras seguintes de Tina. Ele estava pensando no que Olavo havia dito, sobre o plano maior de Wagner Rios. Que o Boitatá era apenas uma tentativa de chamar a atenção de alguém mais poderoso.

Esse *alguém* mais poderoso seria o poder do povo? O apoio de uma nação?

Decidiu que não seria muito bom pensar naquilo por enquanto. Talvez a Organização tivesse uma boa folga de Wagner Rios, enquanto ele estivesse planejando seu próximo passo em busca do poder. Em busca do conhecimento que o elevasse a um nível mais alto, e que lhe desse o controle sobre os outros homens comuns. Procurando uma forma de manter o equilíbrio, certificando-se de que ainda existissem os pobres e os ricos, e mantendo as engrenagens de uma sociedade *saudavelmente desigual* funcionando. Não era esse o pensamento do homem? Anderson sentia que agora sabia um pouco da linha de raciocínio do inimigo da Organização. Conhecia a sua mente.

Por isso ele sentia que ainda tinha um papel a cumprir ali, entre todas aquelas pessoas. Se o Patrão ainda não o tinha convidado a ser um membro do Casarão, tudo bem. Ele iria pedir abertamente.

– Pessoal! – disse, elevando sua voz e batendo com uma colher em seu copo – Eu, hã... Gostaria de dizer algumas palavras. E acho que fazer um pedido também...

– Não é seu aniversário, nem vem! – gritou Haroldo, com o braço enfaixado.

– Haha, não, sério! Eu gostaria de saber se vocês me aceitam por aqui. Não o tempo todo, eu ainda tenho meus pais e uma vida em Rastelinho... Mas como um membro honorário. Claro que me disponho a dividir um quarto com todo mundo quando eu vier para cá, e o meu computador será de todos também, se assim o Patrão permitir. A regra da leitura de algum livro pode servir também com a internet, o que acham? Eu sinto que posso continuar o bom trabalho de Anselmo, e posso continuar aprendendo com vocês. Sinto que estou voltando para Minas como uma pessoa melhor do que a que chegou há alguns dias. Por que não continuar visitando vocês e melhorar um pouco mais?

Assobios e gritos de aprovação. Anderson olhou ao redor, grato com a recepção de sua ideia. Já imaginava que Pedro não a receberia com entusiasmo, e que ele seria o único de cara fechada, mas...

...porque o Patrão também estava tão sério?

– Pessoal, precisamos conversar com o Anderson por um momento – sentenciou ele, dando um banho de água gelada na animação. Quando ele dizia "precisamos", todos já sabiam que ele se referia aos membros mais experientes. As crianças foram esvaziando o recinto aos poucos, enquanto Anderson permanecia sem saber o que o saci tinha de tão importante para falar. O mal-estar pareceu contagiar Chris, Zé, Elis e Beto, que estavam felizes até então.

– Uai! O que foi gente, que cara de velório é essa?

– Anderson, espero que você realmente saiba que nós seremos eternamente gratos por seus feitos. Foi muito nobre de sua parte abrir mão do presente da Mãe para convencer Olavo...

– Tá, tá – interrompeu o garoto. – Só pra vocês ficarem sabendo, eu não entreguei todo o ouro pro nosso amigo traíra. Tem mais uma parte escondida aqui dentro. Não sou tão nobre assim.

– Agradecemos pela sinceridade, também – o Patrão deu um meio sorriso não menos sincero do que a língua de Anderson, e pareceu realmente silenciosamente comovido.

– Ok, este sou eu. Mas que papo é esse? O que tá acontecendo?

Patrão suspirou e cruzou os braços.

– Você pode achar que isso é um exagero de nossa parte... de *minha* parte. Mas não podemos correr o risco de sermos expostos publicamente, de sermos revelados a uma pessoa errada. Você poderia sentir vontade de contar para alguém sobre sua aventura aqui em São Paulo. O que é extremamente plausível, já que você é jovem e adoraria chamar a atenção dos amigos...

– Ah, nem vem com esse papo, Patrão – disse Anderson, esticando o indicador. Ele já esperava que o Saci não fosse facilitar. – Você acha que eu seria louco de contar sobre vocês para alguém? Nem eu acredito direito em tudo o que vi e ouvi nestes dias! Eu seria taxado de louco, alucinado... Tô muito velho pra contar histórias de sacis, caiporas, lobisomens, sereias... E nem tenho tantos amigos assim, lá em Minas.

Elis, abraçada ao noivo, suspirou alto demais. Zé estava cabisbaixo, triste como Anderson nunca havia visto. Chris tentou intervir.

– Patrão, nós não podemos conversar...

O saci levantou um dedo, sem olhar para o rapaz.

– Anderson, você sempre terá amigos aqui. Assim é que você será lembrado por todos nós, como um amigo. Mas você, por sua vez, nem irá sentir nossa falta. Não será um problema, entende?

Elis choramingou, afundando o rosto na blusa de Beto. Anderson olhou para ela, e compreendeu o que estava para acontecer. Gaguejou como uma metralhadora antes de falar alguma coisa.

– Então vocês vão... apagar minha memória. Modificá-la. Como Elis faz com quem vê a Cuca...

O Patrão fez que sim com a cabeça. Elis se afastou de Beto vagarosamente.

– Acredite, meu bem, nunca foi tão difícil para mim fazer isso...

– Por favor, eu não vou contar nada! – prometeu, dando dois passos para trás, como se o toque de Elis fosse transformá-lo em estátua – Se eu fizer, podem me jogar uma maldição, me dar de comer pro Boitatá, me fazer aparar os pelos do Chris... Qualquer coisa!

Todos se entreolharam. Patrão pediu para Anderson aguardar por alguns minutos no quintal, enquanto discutia algo com os outros. O garoto foi até Márcia e fez carinho em suas orelhas. Até a vaca parecia melancólica. Enquanto aguardava o veredito, Anderson pensou em aproveitar a brecha e fugir pelo muro dos fundos. Mas logo percebeu que aquilo seria uma tremenda idiotice. Estava a um estado de distância de sua casa, e a atitude só provaria ao Patrão que ele não era uma pessoa de confiança. Esperaria pelo veredito, fosse ele bom ou ruim.

Já estava há bem mais de cinco minutos lá fora, e caminhava ao redor do limoeiro que fazia sombra sobre a placa memorial de Anselmo. O muiraquitã em seu peito brilhou por baixo de sua camiseta, em um breve corisco. Não ficou se questionando demais se havia sido uma ilusão de ótica ou apenas uma impressão. O mundo era mágico, e ponto final. Enquanto se lembrasse de tudo o que havia passado em São Paulo, deveria agir com naturalidade com aquelas coisas.

Então, Elis veio caminhando pelo quintal, através da horta e do minipomar. Anderson se levantou enquanto o carrasco de suas lembranças se aproximava. Não a encarou nos olhos. Seria melhor começar a esquecer a partir daquele momento, por si só. Sem magia.

– Os outros não quiseram vir até aqui. – disse Elis – Isso tudo é muito triste...

– Só faça logo, está bem?

A garota bufou. Estendeu a mão para *tocar* sua mente, e Anderson soube que não haveria mais volta.

< capítulo 21 >

DESTRAVAM-SE CÉREBROS

– Renato, peraí!

Anderson segurou o braço do amigo no corredor da escola, enquanto mais à frente dezenas de alunos se afunilavam pelas portas do pátio para desfrutar dos preciosos minutos de intervalo. Renato tentou se desvencilhar discretamente – *tentou*. Qualquer coisa ficava difícil de passar despercebida por causa de seu tamanho – e continuou andando, como se ninguém estivesse falando com ele

– Cara, você não pode me ignorar assim! – disse Anderson para as costas do parceiro de guilda, em seguida dando uma geral ao seu redor. Algumas meninas os olhavam, dando risinhos. "Por que garotas sempre fazem isso?", pensou. "Malditas hienas!" – Vamos lá, Hell! Estamos parecendo um casalzinho discutindo relação. Não pode me escutar *rapidão*?!

Para sua surpresa, Renato freou a sua marcha. E voltou os passos, parecendo furioso.

– Melhor você não trocar muita ideia comigo. Você é louco!

– O quê?! Como... assim?

– Uai, ainda não sacou? Você está voltando hoje de sua suspensão, e nós dois *sabemos bem* o que você fez durante esses dias, afastado da escola. Aí, você chega atrasado para a aula, e quando eu te pergunto desesperadamente sobre a missão, você vira e me faz outra pergunta: *que missão?*

– Eu realmente não sei do que você tá falando. – defendeu-se Anderson, com uma ponta de irritação na voz. – Você sabe, eu fui pra Copa de Matemática em Sampa! Pergunta para os meus pais...

– Certo, então. – Renato cruzou os braços. Os corredores já estavam vazios, e o ruído indistinto de muitas vozes de crianças rindo, gritando e conversando vinha do pátio. – E como foi a Copa de Matemática?

– Eu... – o que Anderson ia dizer pareceu abandonar o seu cérebro no último segundo antes de sua língua começar a falar. Sentiu-se extremamente estúpido. – Eu... não lembro muito bem. Mas parece que foi bom...

– Tá vendo?! Você some de repente de Rastelinho, me manda aqueles e-mails falando sobre a porcaria da Rio Dourado, sacis, cucas, lobisomens e sei lá o quê mais, e agora simplesmente não se lembra de mais nada? Eu nem sei o que pensar mais de você, e... o que foi? Que cara é essa?

Anderson pareceu desligar da conversa. Estava com os olhos arregalados, e os cantos de sua boca tremiam em um espasmo. Parecia que ia ter um derrame. Bem quando Renato começou a se perguntar se deveria chamar a inspetora ou algum professor, Anderson explodiu em uma gargalhada de felicidade descontrolada.

– Pronto, ficou doido de vez...

– Não, agora me lembrei! – e fez mais uma pausa para outro minuto de risadas ininterruptas, enquanto Renato o contemplava com cara de paisagem. Enxugando as lágrimas, Anderson voltou a falar – A, Elis... haha... Sabe a Elis, a sereia? Ela deve ter feito alguma coisa em minha cabeça, para que eu me esquecesse de tudo até voltar para casa. Foi um feitiçozinho leve, só para o Patrão não desconfiar que eu saí do Casarão com todas as informações na memória... Acho que ela programou a minha mente para que ela destravasse assim que eu ouvisse alguma coisa ligada ao folclore, sabe?

– Memória, programação, destravamento... Você tá falando da sua cabeça mesmo ou de um X-Box?

– Hahaha, agora eu me lembro de tudo! – Anderson tagarelava sem prestar atenção em mais nada. – Cara, eu tenho que te contar sobre a missão! O negócio da Primavera Silenciosa funcionou, nós resgatamos a Mãe D'Ouro, e ainda por cima...

Renato não sabia se o "destravamento" da memória do amigo era algo bom ou ruim. De qualquer forma, escutar tudo aquilo era interessante como ouvir um audiolivro de ficção científica distópica. A diferença é que a história era um relato de fatos reais e isso o deixava um pouco desconfortável... Mas e daí? Renato também se sentia parte da aventura de Anderson, mesmo tendo apenas o ajudado com o contato dos hackers da Primavera Silenciosa. Se aquilo fosse uma grande viagem de seu melhor amigo e companheiro de guilda, não se importaria em viajar um pouco também e deixá-lo feliz.

A conversa tomou todo o intervalo, e prosseguiu durante a aula de Ciências, obrigando a Prof.ª Fátima a ralhar com os dois. O que não impediu Anderson de continuar planejando em pensamento sua reaproximação com a Organização enquanto copiava a lição da lousa. Ele sabia que o Patrão havia mandado apagarem a sua memória por segurança – a segurança dele e a dos membros do Casarão. Sorte que Elis teve bom senso de última hora, e que eles não houvessem confiscado o muiraquitã de Anselmo. Anderson sabia que ainda teria muito que fazer pela Organização – queira o saci ou não – e precisaria de todo tipo de proteção necessária quando a situação esquentasse de novo.

O alarme sinalizou o término da última aula, e quase ninguém prestou atenção no dever de casa pedido pela dona Fátima. Talvez Wilson Caladão, que sempre era o primeiro a debater com a professora a matéria passada e o último a deixar a sala. No dia seguinte, a selvagem rotina do Ensino Fundamental faria Everton tomar o caderno do pobre coitado e copiar o dever de casa.

– E aí, rola uma *raid* hoje? – perguntou Anderson, sentindo-se absolutamente normal enquanto avançavam para fora da escola. – Assim que chegarmos, ou mais tarde. Tanto faz!

– Eu gostaria, mas vamos ter que usar outros *servers* – respondeu Renato – Parece que os servidores brazucas oficiais estão zoados desde sábado. Ontem mesmo eu joguei com os caras da gringa, porque não tava dando certo jogar com os daqui.

Servidores parados desde sábado? Anderson achava que poderia ir mais a fundo no assunto, pois sentia uma estranha intuição a respeito daquilo. Mas no mesmo momento em que botava a massa cinzenta pra funcionar, seu muiraquitã vibrou, de leve. Como um celular recebendo mensagem de texto.

Sentiu que alguém se aproximava pelas suas costas em alta velocidade, à esquerda. Sem olhar, deixou o cotovelo subir levemente e acertou em cheio alguma parte de Everton, que desistiu da intenção de dar um tapa em sua cabeça e correr. Anderson não resistiu em abrir um sorriso satisfeito ao perceber que o Sr. Bullying recuava sob uma chuva de risos de outras crianças, fingindo que não estava sentindo dor alguma nas costelas. Se aquilo fosse gerar uma vingança por parte do garoto mais tarde, que fosse. Anderson lidaria com um problema por vez. Um valentão de escola não podia ser pior do que um capelobo, uma cuca ou uma cobra de fogo enfurecida.

Em seguida, Wilson Caladão ultrapassou a dupla no portão de saída, lançou um olhar afiado e sem razão de ser aos garotos, e então seguiu com os ombros curvos diretamente para o carro importado prata que sempre o buscava. Renato cutucou as costelas de Anderson, e apontou com o queixo.

– Olha lá o meu sonho de consumo. Saindo do carro em três, dois, um...

A porta se abriu, mas desta vez não foi a babá atraente que recepcionou o pequeno Caxias. Tampouco era uma mulher.

– Ih, a minha musa está de folga! Mas, esse cara me é familiar – refletiu Renato, brincando com a alça de sua mochila. – Pra você não?

Anderson emudeceu. O homem que recebia Wilson com um abraço e um sorriso era-lhe familiar, sim. Não se esqueceria de Wagner Rios em menos de dois dias, mesmo que Elis usasse o seu feitiço de esquecimento mais *hardcore*.

– Ele... ele... – tartamudeou, sem conseguir expressar o que estava sentindo naquele momento.

– Sim, é o cara que você me mandou pesquisar! – disse Renato, estalando os dedos e arregalando os olhos em assombro. – O tal de Wagner Rios, não é? Putz... O que ele tá fazendo aqui?!

Anderson não saberia responder. Não conseguia se mover. Não conseguia pensar. Tornou-se uma estátua idiotizada enquanto o empresário abria a porta de trás do carro para que Wilson entrasse. Seu filho? Óbvio! Cara de um, focinho de outro. Anderson sabia que havia algo particular nas feições do homem. Mas como? Como toda aquela história se amarrava bem na cidade de Rastelinho? Como aquelas pessoas estavam ali, em seu recanto, invadindo o seu refúgio comum de criança comum?

Assim que Wilson entrou, Wagner continuou de pé ao lado do carro, a porta do motorista aberta. Ele olhou diretamente para Anderson, e dirigiu-lhe o tranquilo sorriso de quem está com a situação sobre controle. De quem tem consciência de sua própria superioridade.

A calma do predador que sabe até quando brincar com sua presa, antes de devorá-la.

– Ele tá olhando para cá – sussurrou Renato.

– Eu sei.

Wagner colocou os óculos escuros, sem pressa alguma. Antes de entrar no carro, levou os dedos à têmpora e fez uma espécie de adeus debochado, sem tirar o sorriso plácido dos lábios. E então sumiu por trás do vidro filmado.

– Não acredito – Renato balançava a cabeça, procurando compreensão no amigo. – Não acredito, não acredito! Como isso pode estar acontecendo?

– Vem, vamos embora – disse Anderson, vendo o carro prata dobrando uma curva e deixando o quarteirão da escola. Renato exasperou-se.

– Cara, como você pode estar tão calmo? O inimigo dessa sua Organização praticamente chocou um ovo em nossa cidade, e você nem liga? O cara tentou te matar! Você tem que fazer alguma coisa...

– E vou, Hell. Vou ficar alerta.

– Só isso?! Sempre alerta, tipo um escoteiro? Esse cara é um baita de um criminoso ambiental, nós precisamos fazer alguma coisa...

– E nós faremos. – interrompeu Anderson, saindo do modo estátua e voltando a caminhar. – Hoje nós jogaremos Battle of Asgorath assim que chegarmos em casa. Só um pouco, bem pouco. E depois nós vamos para o parque. Vamos nos arriscar a jogar uma bola, qualquer coisa.

– Cara, futebol é tenso... Eu sou muito ruim, e você não sabe chutar uma bola em linha reta!

– Se somos ruins ou não, deixe que decidam isso por nós. Eu acho que não ligo mais para o que os outros pensam. Podemos empinar pipa, correr que nem bobos, tanto faz. O importante é estarmos ao ar livre. Se Rastelinho está no caminho de Wagner Rios, então nossa cidade não será mais o lugar tranquilo de antes. Vamos aproveitar nosso tempo como crianças, antes que os homens poderosos que estão acima de nosso campo de visão, por trás das cortinas, acabem com nosso meio ambiente e com nossa liberdade.

– É isso, então? – perguntou Renato, torcendo o nariz. – Enquanto o cramunhão sem chifre está à solta por aí, sendo considerado o protetor da natureza, nós iremos *aproveitar o dia*?

– Isso é o que faremos *hoje* – explicou o garoto, lembrando-se de tantas conversas esclarecedoras que tivera com Zé, Chris e Patrão, que haviam lhe mostrado que o mundo não era apenas bem e mal. Não poderia deixar tudo aquilo simplesmente ficar adormecido dentro de sua cabeça. Compartilhar era preciso. – *Amanhã* nós começaremos a fazer o possível para encontrar as falhas de Wagner Rios e expô-las na internet. Nós diremos o que ninguém quer ouvir sobre ele, e sobre tantos outros que se escondem por trás de máscaras bonitas. Eu aprendi que o verdadeiro mal não se anuncia como um *goblin* ou um Dragão Negro, ameaçador e pavoroso. As coisas ruins se camuflam de coisas boas e inofensivas, o tempo todo. Na política, na televisão, na internet... Em nosso cotidiano.

Anderson fez uma pausa para respirar, olhando para o caminho à frente, que o conduzia até sua casa, e o que o levava adiante naquela história maluca que havia se iniciado com um anão de terno branco em sua cozinha. O sol brilhava no meio do céu de Rastelinho, e os diversos aromas do almoço escapavam de janelas e convidavam as pessoas a entrarem em suas casas. A se reunirem. A conversarem e a compartilharem tudo o que a vida lhes ensinava em suas entrelinhas. Pois se o diabo estava nos detalhes, ele também seria derrotado nos detalhes.

Deu um soco amigável no braço comprido de Renato, que parecia sinceramente preocupado com a possibilidade de jogar bola ainda naquele dia. Anderson gostaria que aquelas preocupações tão banais fossem as únicas no mundo. Riu para o amigo, e conseguiu um sorriso de volta.

– Hoje nós brincamos, Renato. Amanhã, mudaremos o mundo.

AGRADECIMENTOS

Sem ordem ou grau de importância, pois não consigo imaginar este livro sem nenhuma das pessoas abaixo:

À minha mãe, Neusa, por ter me dado amor incondicional, o dom da leitura e todas aquelas histórias sabiamente modificadas em minha infância. Minha vontade de contar histórias também é sua cria.

Ao meu irmão, André, pela convivência, pelas conversas e pela parceria dentro e fora de casa.

À Gabriela Nascimento, por ter apostado em mim e por compartilhar da paixão e do compromisso com os livros; Rejane Dias, por ter me acolhido no Grupo Editorial Autêntica e me proporcionado as mais incríveis oportunidades; Judith de Almeida, pelas infinitas orientações no labiríntico mercado livreiro; e à toda a equipe da Gutenberg, da qual tenho um baita orgulho de fazer parte.

Ao Octavio Cariello, por fazer meu livro lindo aos olhos e pelos diversos conselhos que nem ele imagina ter me dado; Psonha e Thiago Cruz, pela amizade e por tornarem o miolo desta obra tão apetitoso com desenhos e ideias; e Tággidi Ribeiro, por toda a atenção e pela "tradução" do meu texto para o maldito português do Novo Acordo. Foi uma honra trabalhar com esta equipe de amigos e excelentes profissionais!

A Luís da Câmara Cascudo e Rachel Carson, por estarem tão vivos em mim e por terem um dia se dedicado tanto à compreensão da vida. Agradeço também à Editora Global, por ter publicado obras de ambos de maneira tão competente.

Ao Anderson Pedrosa – de quem peguei o primeiro nome emprestado para o protagonista desta história, além de alguns traços de personalidade – por toda a amizade ao longo dos anos, pela consultoria no ramo dos games e das nerdices em geral, e por toda a ajuda, opinião sincera e leitura crítica durante a construção desta história, que jamais estaria aqui sem a sua ajuda.

E por último, meu MUITO OBRIGADO a você, que comprou, ganhou ou pegou emprestado este livro. Espero que se divirta. Aproveite e anote aí o meu e-mail: fcastilho@ymail.com. Fique à vontade para me enviar a sua opinião, crítica, elogio ou vírus.

Ah, e uma última informação: Anderson Coelho volta logo mais em *Prata, Terra & Lua Cheia*, o segundo volume de O Legado Folclórico.

Até breve!
Felipe Castilho

Este livro foi composto com tipografia Bembo Std
e impresso em papel Off-White 70 g/m² na Formato Artes Gráficas.